Bridžitos Džouns
dienoraštis

Helen Fielding

Bridžitos Džouns dienoraštis

Romanas

Iš anglų kalbos vertė
Rasa Drazdauskienė

**alma
littera**

Vilnius 2001

UDK 820–3
Fi 69

Helen Fielding
BRIDGET JONE'S DIARY,
Picador, 1997

ISBN 9986–02–764–0

Mano mamai Nelei
už tai, kad ji ne tokia kaip Bridžitos

NAUJŲJŲ METŲ PAŽADAI

DAUGIAU NIEKADA...

Negersiu daugiau kaip keturiolika alkoholio vienetų per savaitę.

Nerūkysiu.

Nešvaistysiu pinigų: makaronų gaminimo įtaisams, ledų aparatams ir kitiems niekad nenaudojamiems kulinariniams prietaisams; nepaskaitomos literatūros autorių knygoms, pasipuikavimui sustatomoms lentynose; egzotiškiems apatiniams – nėra prasmės, nes neturiu draugo.

Neslampinėsiu po namus kaip kokia apsileidėlė, o visą laiką įsivaizduosiu, kad mane kas nors stebi.

Neišleisiu pinigų daugiau negu uždirbu.

Neleisiu, kad neatsakytų laiškų krūva išaugtų iki neįveikiamo aukščio.

Nesileisiu mulkinama jokių toliau išvardytų asmenų: alkoholikų, darboholikų, ilgalaikių santykių vengiančių vyriškių, vedusių ar turinčių merginas, moterų nekentėjų, apsėstųjų didybės manijos, šovinistų, emocinio užknisinėjimo meistrų ar tų, kuriems rūpi ką nors gauti už dyką, taip pat iškrypėlių.

Nesileisiu, kad mama, Una Alkonberi ar Perpetuja mane išmuštų iš pusiausvyros.

Nesijaudinsiu dėl vyrų, bet būsiu šalta it sniego karalienė ir saugosiu vidinę pusiausvyrą.

Neįsimylėsiu ko papuola, o kursiu santykius, pagrįstus brandžiu asmenybės įvertinimu.

Nešnekėsiu kandžių dalykų žmonėms už nugaros, o stengsiuosi į visus reaguoti pozityviai.

Nesiseilėsiu dėl Danielio Klyverio, nes pasigailėtina įsimylėti savo šefą kaip kokiai mis Monipeni* ar visokioms sekretorėms.

Nesigraušiu, kad neturiu draugo, o išsiugdysiu vidinę savitvardą bei galią, suvoksiu save kaip visapusišką moterį, kuriai *nebūtinas* draugas, nes tik taip ir galima jį susirasti.

---

* Miss Moneypenny – trilerių apie Džeimsą Bondą herojė, fanatiškai atsidavusi viršininkui.

8

ŠIAIS METAIS AŠ...

Mesiu rūkyti.

Negersiu daugiau kaip keturiolika alkoholio vienetų per savaitę.

Pradėsiu laikytis celiulitą naikinančios dietos ir taip sumažinsiu šlaunų apimtį 7 centimetrais (t. y. po 3,5 cm nuo kiekvienos šlaunies).

Išmesiu iš buto viską, kas nėra būtina.

Atiduosiu benamiams visus drabužius, kurių nebuvau apsivilkusi dvejus ar daugiau metų.

Pradėsiu rūpintis savo karjera ir susirasiu naują darbą, teikiantį daugiau perspektyvų.

Imsiu taupyti pinigus sąskaitoje. Glmb. pradėti kaupti pensijai.

Labiau pasitikėsiu savimi.

Būsiu tvirtesnė.

Geriau panaudosiu laiką.

Neisiu kur nors kiekvieną vakarą, bet liksiu namie, skaitysiu knygas ir klausysiu klasikinės muzikos.

Dalį pajamų aukosiu labdarai.

Būsiu geresnė ir daugiau padėsiu kitiems.

Valgysiu daugiau ankštinių augalų.

Rytą atsibudusi tuoj pat kelsiuosi iš lovos.

Tris kartus per savaitę eisiu į sporto klubą, ir ne vien sumuštinio nusipirkti.

Sudėliosiu nuotraukas į joms skirtus albumus.

Įsirašysiu specialias kasetes atitinkamoms nuotaikoms, kad galėčiau iš karto uždėti rinktinius mėgstamiausius romantiškus/ šokių/ sužadinančius/ feministinius ir kt. gabalus, nepavirsdama prisilupusiu didžėjumi, apskleidusiu kasetėmis visas kambario grindis.

Užmegsiu ir palaikysiu prasmingus santykius su patikimu brandžiu žmogumi.

Išmoksiu programuoti vaizdo magnetofoną.

SAUSIS

NEĮTIKĖTINAI BLOGA PRADŽIA

SAUSIO 1, SEKMADIENIS

*58,5 kg (bet po Kalėdų), alkoholio vienetų 14
(bet iš esmės reikia padalyti dviem dienoms, nes keturios valandos
pobūvio buvo jau šiais metais), cigaretės 22, kalorijos 5424.*

Šiandien suvartotas maistas:

2 pak. „Ementalio" sūrio gabalėlių,

14 šaltų virtų šviežių bulvių,

2 „Kruvinosios Merės" (priskiriama prie maisto, nes su Vorčesterio padažu ir pomidorais),

1/3 kepalo itališkos duonos su „Bri" sūriu,

kalendros žaluma – 1/2 pakelio,

12 saldainių „Milk Tray" (geriausia iš karto atsikratyti visais kalėdiniais saldumynais ir rytoj pradėti nuo nulio),

13 kokteilių lazdelių su sūriu ir ananasais,

1 porcija Unos Alkonberi pagaminto kalakutienos troškinio, žirnelių ir bananų,

1 porcija Unos Alkonberi „Aviečių staigmenos", pagamintos iš „Bourbono" sausainių, konservuotų aviečių, 30 litrų plaktos grietinėlės ir papuoštos cukruotomis vyšniomis.

Vidudienis. Londonas: mano butas. Brrr. Neturiu nė lašo fizinių, emocinių ar psichinių jėgų važiuoti į Grafton Andervudą, kur Una ir Džefris Alkonberiai rengia naujametį kalakutienos troškinio vakarėlį. Džefris ir Una Alkonberiai yra geriausi mano tėvų draugai, ir dėdė Džefris nuolat primena, jog pažįsta mane nuo tų laikų, kai laksčiau po pievelę nuogut nuogutėlė. Motina man paskambino pernai rugpjūčio mėnesį per banko šventes pusę devynių ryto ir jėga išgavo pažadą atvažiuoti. Pradėjo kalbą klastingai ir labai iš tolo.

– O, labas, meilute. Skambinu tik paklausti, ką norėtum gauti Kalėdoms.

– *Kalėdoms?*

– Ar norėtum staigmenos, meilute?

– Ne! – suriaumojau. – Atsiprašau. Norėjau pasakyti...

– Žinai, pagalvojau, gal norėtum tokių ratukų, kurie pritaisomi prie lagamino?

– Bet aš neturiu lagamino.

– Tai gal aš tau padovanočiau tokį *lagaminėlį su ratukais?* Žinai, kokius turi stiuardesės.

– Aš turiu krepšį.

– Oi, meilute, negi visą gyvenimą ir vežiosiesi tą žalią medžiaginį draiskalą. Atrodai kaip valkataujanti Merė Popins. Žiūrėk, o jei tokį mažutį, kompaktišką lagaminėlį su ištraukiama rankena? Nepatikėsi, kiek į jį galima prikrauti. Kokio norėtum – tamsiai mėlyno su raudonu apvadėliu ar raudono su mėlynu?

– Mama. Dabar pusė devynių ryto. Už lango vasara. Labai karšta. Aš nenoriu stiuardesės lagamino.

– Džiulė Enderbi tokį turi. Sako, nebegalėtų į kitokį nė pažiūrėti.

– Kas ta Džiulė Enderbi?

– Meilute, tu ją *pažįsti!* Džiulė, Meivisės Enderbi dukra! Kuri gavo tą fantastišką darbą „Arthur Andersen" firmoje!

– Mama...

– Kai jai reikia kur važiuoti, visad jį pasiima...

– Aš nenoriu lagaminėlio su ratukais.

– Žinai ką? O jei mes visi susimesim, Džeimis, tėtis ir aš, ir padovanosim tau padorų didelį lagaminą, o *prie jo* ratukus?

Pasijutau visai išsekusi ir atitraukiau telefono ragelį nuo ausies spėliodama, kas sukėlė tokį misionierišką bagažo-kalėdinių-dovanų įkarštį. Kai vėl priartinau ragelį, ji kalbėjo:

– ...tarp kitko, būna labai įdomių lagaminų su specialiais skyreliais – šampūno voniai buteliukams ir visokiems tokiems daiktams. Dar pagalvojau, gal norėtum pirkinių krepšio su ratukais?

– O ko *tu* norėtum Kalėdoms? – paklausiau iš nevilties, prisimerkusi nuo akinančios šventinio ryto saulės.

– O, nieko, – džiugiai atsakė. – *Aš* turiu viską, ko man reikia. Klausyk, meilute, – staiga jos balsas virto šnypštimu, – juk tu šiemet atvažiuosi pas Džefrį ir Uną Alkonberius į naujametį kalakutienos troškinio vakarėlį?

– A... Tiesą sakant, aš... – klaikiausiai persigandau. Ką čia pamelavus? – ...galvoju, kad per Naujus metus teks dirbti.

– Tai nieko. Galėsi atvažiuoti po darbo. Tiesa, ar nesakiau? Atvažiuos Malkolmas ir Eleinė Darsiai ir atsiveš Marką. Atsimeni Marką, meilute? Tą aukščiausios klasės advokatą? Aptekęs pinigais. Išsiskyręs. Prasidės tik aštuntą valandą.

O Dieve mano. Dar vienas kvailas išsipustęs operos gerbėjas šone perskirtais pasišiaušusiais plaukais.

– Mama, aš juk prašiau nepiršliauti...

– Na baik, meilute. Una ir Džefris Alkonberiai rengia naujamečius vakarėlius nuo tada, kai tu lakstei po pievelę nuogut nuogutėlė! Privalai atvažiuoti. Bus proga išmėginti naująjį lagaminą.

11.45 vakare. Uch! Pirma naujųjų metų diena buvo tikras košmaras. Negaliu patikėti, kad ir vėl pradedu metus viengulėje lovoje tėvų namuose. Mano amžiuje tai tikras pažeminimas. Kažin, ar jie užuos, jei parūkysiu persisvėrusi pro langą? Visą dieną ištupėjau namie tikėdamasi, kad praeis pagirios, paskui pasidaviau likimui ir gerokai vėluodama išvažiavau į kalakutienos troškinio vakarėlį. Kai pasiekiau Alkonberių namą ir paspaudžiau jų durų skambutį, kuris groja visą rotušės varpų melodiją, plūduriavau keistame vaizduotės pasaulyje, kupiname šleikštulio, galvos skausmo ir negailestingai ėdančio rėmens. Be to, dar nebuvo praėjęs vairavimo įtūžis, nes užuot įsukusi į autostradą M1, netyčia nuvažiavau M6, ir tik prie pat Birmingemo radau kur apsisukti. Buvau taip persiutusi, kad koja be paliovos spaudžiau greičio pedalą, norėdama išlieti pyktį, o tai labai pavojinga. Pasirengusi blogiausiam tyliai stebėjau, kaip artėja ciklameno spalvos kostiumėliu aptaisytas Unos Alkonberi siluetas, intriguojamai iškreiptas banguoto durų stiklo.

– Bridžita! O mes galvojam, kur gi tu dingai! Su Naujais metais! Jau norėjom pradėti be tavęs.

Per vieną sekundę ji spėjo mane pabučiuoti, nuvilkti paltą, užmesti jį ant turėklų, nuvalyti man nuo skruosto lūpų dažus ir priversti pasijusti neįtikėtinai kalta; kad neparpulčiau, atsirėmiau į drožinėtą lentyną.

– Atsiprašau. Buvau pasiklydusi.

– Pasiklydai? Čia dabar! Tai ką mums su tavim daryti? Nagi įeik!

Pro šarmoto stiklo duris ji mane įvedė į kambarį, šaukdama:

– Jūs tik paklausykit, ji buvo pasiklydusi!

– Bridžita! Su Naujais metais! – tarė Džefris Alkonberis, apsirengęs geltonu, rombais išmargintu megztiniu. Šokio žingsniu priėjo artyn ir taip mane apkabino, kad turėčiau tuoj pat paduoti jį į teismą.

– Ahem, – ištarė išraudęs ir pasitempė kelnių juosmenį. – Kokioj sankryžoj pasukai?

– Devynioliktoj, bet ten buvo apylanka...

– Devynioliktoj! Una, ji pasuko devynioliktoj sankryžoj! Tu dar nespėjai iš namų išvažiuoti, o jau pridėjai mažiausiai valandą kelio! Na, eime, įpilsiu išgerti. Tai kaip tavo meilės reikaliukai?

O *Dieve mano*. Kodėl vedę žmonės niekaip nesugeba suprasti, kad šito klausti jau seniai nebedera? Mes juk nepuolam prie jų klykdami: „Na, tai kaip jūsų santuoka? Dar miegat kartu?" Visi puikiausiai žino, kad peržengus trisdešimt, pasimatymai nebėra toji lengva ir maloni atvira konkurencija, kokia buvo sulaukus dvidešimt dvejų, ir kad sąžiningas atsakymas veikiau būtų: „Tiesą sakant, vakar vakare pas mane atėjo mano vedęs meilužis, apsimovęs moteriškas kojines, su žavingu trumpučiu angorinės vilnos megztuku, prisipažino, jog yra gėjus/seksoholikas/narkomanas/paniškai bijo ilgalaikių santykių ir primušė mane vibratorium", o ne: „Ačiū, puikiai".

Iš prigimties nesu melagė, todėl susigėdusi sumurmėjau Džefriui Alkonberiui: „Gerai", o jis tuoj pat sugriaudėjo:

– Tai *vis dar* neturi vaikino!

– Bridžita! Na *ką* mums su tavim daryti! – prisidėjo Una. – Jau tos dirbančios merginos! Tiesiog nežinau! Atsimink, negalima atidėlioti be galo! Tik-tak, tik-tak.

– Tikrai. Kaip tau pavyko sulaukti tokio amžiaus neištekėjus? – užbaubė Brajanas Enderbis (Meivisės Enderbi vyras, buvęs Keteringo „Rotary" klubo prezidentas), mojuodamas chereso taure. Laimė, mane išgelbėjo tėtis.

– Labai džiaugiuosi, kad atvažiavai, Bridžita, – tarė jis imdamas mane už parankės. – Motina jau pastatė ant ausų visą Northemptono grafystės policiją, jie tik laukia komandos, kad pradėtų dantų šepetukais šukuoti aplinkinius krūmus ir ieškoti į gabalus sukapoto tavo kūno. Ateik ir jai pasirodyk, tada aš galėsiu pradėti linksmintis. Kaip tavo ratuotasis lagaminas?

– Be proto didžiulis. Kaip tavo žirklutės ausų plaukams karpyti?

– O, žinai, tiesiog stebuklingai... *žirkliškos*.

Turbūt nieko baisaus. Jei nebūčiau atvažiavusi, jausčiau sąžinės graužimą, bet Markas Darsis... ūūū. Jau kelias savaites motina paskambinusi užsiveda: „Bet, meilute, tu tikrai prisimeni *Darsius*. Kai mes gyvenom Bakingeme, jie buvo atvažiavę, judu su Marku dar žaidėte tvenkinyje", arba: „O! Ar sakiau, kad Malkolmas ir Eleinė atsiveš Marką į Unos naujametį kalakutienos troškinio vakarėlį? Kiek supratau, jis ką tik grįžo iš Amerikos. Išsiskyręs. Ieško namo Holand Parke. Sako, jam baisiai nepasisekė su žmona. Japonė. Žinai, japonai tokia žiauri rasė".

Arba vėl, nei iš šio, nei iš to: „Meilute, atsimeni Marką Darsį? Malkolmo ir Eleinės sūnų? Tą klasišką aukščiausios kategorijos advokatą? Jis išsiskyręs. Eleinė sako, kad dabar visą laiką dirba ir yra siaubingai vienišas. Tiesa, man atrodo, jis atvažiuos į Unos naujametį kalakutienos troškinio vakarėlį".

Neįsivaizduoju, kodėl neišdrožia tiesiai: „Meilute, imk ir pasidulkink su Marku Darsiu tiesiai prie kalakutienos troškinio. Jis *labai* turtingas".

– Eikš čia ir susipažink su Marku, – užgiedojo Una Alkonberi man dar nespėjus gurkšnio nuryti. Būti prieš savo valią peršamai vyriškiui yra vienas dalykas, bet kai tave, kamuojamą rūgščių pagirių, Una Alkonberi tiesiogine prasme tempia prie jo, o tą vaizdą stebi pilnas kambarys tėvų draugų – tokio pažeminimo reikia gerai paieškoti.

Turtingasis Markas, išsiskyręs su žiauria japone žmona, – tarp kita ko, pakankamai aukštas, – stovėjo nusisukęs nuo svečių ir apžiūrinėjo Alkonberių knygų lentynas, pilnas oda įrištų leidinių apie Trečiąjį Reichą, kuriuos Džefris užsisako per „Reader's Digest". Pagalvojau, kad visai juokinga, kai žmogus vadinasi ponas Darsis* ir niūrus bei vienišas stovi pilname svečių kambaryje. Tai tas pat kaip vadintis Hitklifu** ir visą vakarą praleisti sode, šaukiant „Kete!" bei daužant galva į medžius.

– Markai! – ištarė Una tarsi fėja iš Santa Klauso palydos. – Štai, paruošiau tau malonią pažintį.

Jam atsisukus pasirodė, kad iš nugaros normalus tamsiai mėlynas megztinis priekyje turi trikampio formos iškirptę ir yra išmargintas geltonais bei melsvais rombais – tokius mėgsta itin nusenę sporto žurnalistai. Mano draugas Tomas dažnai sako, kad stačiai neįtikėtina, kiek sutaupytum laiko ir pinigų, jei eidamas į pasimatymą daugiau dėmesio skirtum smulkmenoms. Pakanka baltų kojinių, raudonų petnešų, pilkų įsispiriamų batų ar svastikėlės – ir gali nesivarginti užsirašinėdamas te-

---

*Mr. Darcy – romantiškas Jane Austen romano „Puikybė ir prietarai" *(Pride and Prejudice)* herojus.
**Heathcliff – nežabotas, aistringas įsimylėjėlis iš Emily Bronte romano „Vėtrų kalnas" *(Wuthering Heights)*.

lefono numerį ar švaistydamas pinigus brangiems pietums: iš karto aišku, kad nieko nebus.

– Markai, čia Kolino ir Pamės duktė Bridžita, – iškaitusi sučiulbo Una. – Ji dirba leidybos srityje, ką, Bridžita?

– Taip, tai tiesa, – kažkodėl atsakiau, tarsi dalyvaučiau kokioje radijo viktorinoje ir ketinčiau tuoj paklausti Unos, ar galiu perduoti linkėjimus savo draugams Džudei, Šeron ir Tomui, broliui Džeimiui, brangiems bendradarbiams, mamai ir tėčiui, o taip pat visiems, susirinkusiems į kalakutienos troškinio vakarėlį.

– Na, jaunime, tai gal aš jus paliksiu vienus, – tarė Una. – Nieko sau! Tikriausiai tie seni iškvėšėliai jums jau mirtinai įkyrėjo.

– Visiškai ne, – nesmagiai atsakė Markas Darsis, gana nevykusiai mėgindamas nusišypsoti; tai pamačiusi Una pavartė akis, prisidėjo ranką prie krūtinės ir skambiai it varpelis nusikvatojo, paskui krestelėjo galvą ir paliko mudu stovėti šiurpioje tyloje.

– Aš. Em. Ar skaitai ką nors, em... Ar pastaruoju metu skaitei kokią gerą knygą? – paklausė jis.

O Viešpatie.

Ėmiau karštligiškai raustis smegenyse norėdama prisiminti, kada paskutinį kartą skaičiau normalią knygą. Kai dirbi leidykloje, tai skaityti laisvalaikiu atrodo tas pats, kaip dirbant šiukšlininku kas vakarą raustis šiukšlių konteineryje. Buvau beveik įpusėjusi „Vyrai kilę iš Marso, moterys – iš Veneros", kurią man paskolino Džudė, bet nepanašu, kad Markas Darsis, kad ir koks iš pažiūros keistas, jau pasirengęs susitaikyti su tuo, jog yra marsietis. Staiga man nušvito protas.

– Tiesą sakant, kaip tik skaitau Sjuzen Faludi „Susirėmimą", – pergalingai pareiškiau. Ha! Aišku, kad neskaičiau, bet tiek prisiklausiau iš Šeron, jog jaučiuosi tarsi perskaičiusi. Užtat puikus pasirinkimas, nes kas jau kas, o tas gerietis rombais papuoštu megztiniu tikrai nebus skaitęs penkių šimtų puslapių apimties feministinio manifesto.

– Aha. Tikrai? – atsakė jis. – Aš tą knygą perskaičiau, kai tik pasirodė. Ar nemanai, kad ji gerokai tendencinga?

– Ėė ne, ne taip jau *labai*... – nutęsiau pasimetusi ir vėl ėmiau kankintis, kaip čia pakeitus temą. – Ar tu Naujus metus sutikai pas tėvus?

– Taip, – džiugiai linktelėjo jis. – Tu irgi?

– Taip. Ne. Vakar buvau tokiam vakarėly Londone. Tai dabar truputį kamuoja pagirios. – Susinervinusi stengiausi kuo daugiau kalbėti, kad Una ir mama nepagalvotų, jog visiškai nemoku elgtis su vyrais ir nesugebu užkalbinti net Marko Darsio. – Manau, kad naujametiai pažadai techniškai turi įsigalioti tik nuo sausio antros, o kaip tau atrodo? Nes, matai, tęsiasi naujametė naktis, rūkoriai įsirūkė, negi ims ir staiga mes išmušus vidurnaktį, kai organizmas jau pilnas nikotino. Dar labai kvaila sausio pirmą laikytis dietos, nes protingai valgyti neįmanoma, reikia atsipalaiduoti ir leisti organizmui rinktis tą, kas geriausiai padeda nuo pagirių. Man atrodo, būtų daug protingiau, jei visi pažadai prasidėtų sausio antrą.

– Gal norėtum ko nors užkąsti? – atsakė jis ir staiga puolė bufeto link, palikęs mane stovėti prie knygų lentynų, o visi susirinkusieji stebeilijosi į mane galvodami: „Tai štai kodėl Bridžita neištekėjo. Vyrai ja bjaurisi".

Blogiausia buvo tai, kad Una Alkonberi ir mama niekaip nesusitaikė su pralaimėjimu. Jos vertė mane vaikščioti po kambarį nešiną padėklais su marinuotais agurkėliais ir saldaus chereso taurėmis, beviltiškai tikėdamos, jog mudviejų su Marku Darsiu keliai vėl susikirs. Galiausiai abi iš sielvarto taip įsiaudrino, kad vos aš su visais agurkėliais atsidūriau už metro nuo Marko, Una liuoktelėjo per kambarį tarsi Vilas Karlingas* ir tarė:

– Markai, prieš išeidamas būtinai užsirašyk Bridžitos telefoną, tada būdamas Londone galėsi jai paskambinti.

---

* Willas Carlingas – regbio rinktinės kapitonas, išgarsėjęs romanu su princese Diana.

Prieš savo valią skaisčiai išraudau. Jaučiau, kaip raudonis kyla kaklu aukštyn. Aišku, dabar Markas pagalvos, kad tai aš jį užsiundžiau.

– Esu tikras, ponia Alkonberi, kad Bridžita Londone ir taip turi ką veikti, – atsakė jis. Hm. Ne taip jau baisiai norėjau, kad užsirašytų tą telefoną ar ką, bet neapsidžiaugiau, kai taip aiškiai visiems davė suprasti, jog neturi nė mažiausio noro tą daryti. Nuleidau akis ir pamačiau, kad jis apsimovęs baltas kojines su geltonomis kamanėmis.

– Gal galėčiau pasiūlyti agurkėlį? – paklausiau norėdama įrodyti, jog priėjau ne be priežasties ir jog toji priežastis susijusi anaiptol ne su telefono numeriais, bet su marinuotais agurkais.

– Ačiū, ne, – atsakė jis, žiūrėdamas į mane truputį sunerimęs.

– Tikrai? O gal kimštą alyvą? – neatstojau.

– Ne, tikrai ne.

– Marinuotą svogūną? – gundžiau. – Buroko griežinėlį?

– Ačiū, – beviltiškai atsakė jis ir paėmė alyvą.

– Gero apetito, – pergalingai pareiškiau.

Pobūviui baigiantis pamačiau, kaip Marką užvaldė jo motina bei Una, kuri už rankos jį atvedė prie manęs ir saugojo užnugarį, kol šis nerangiai pratarė:

– Gal tave parvežti į Londoną? Aš pasilieku, bet galiu tau duoti savo automobilį.

– Kaip, ir aš jį vairuosiu? – paklausiau.

Jis kvailai sumirksėjo.

– Na čia dabar! Kvailele, Markas turi bendrovės automobilį su vairuotoju, – paaiškino Una.

– Ačiū, tai labai malonu, – atsakiau. – Bet geriau grįšiu rytoj vienu iš savo traukinių.

2 nakties. O, kodėl aš tokia nepatraukli? Kodėl? Nepatikau net vyrui, mūvinčiam kojines su kamanėmis. Nekenčiu Naujų metų. Visų nekenčiu. Išskyrus Danielį Klyverį. Užtat ant naktinio stalelio turiu nuo Kalėdų užsilikusį milžinišką „Cadbury's" šokoladą, dar juokingą mažytį buteliuką džino su tonika. Suvartosiu, paskui dar parūkysiu.

SAUSIO 3, ANTRADIENIS

59 kg (prieš akis baugiai žioji nutukimo liūnas – kodėl? kodėl?), alkoholio vienetai 6 (puiku), cigaretės 23 (l.g.), kalorijos 2472.

9 ryto. Och. Negaliu net pagalvoti apie darbą. Vienintelė menka paguoda, kad vėl pamatysiu Danielį, bet žinau, kad neturėčiau jam rodytis: esu stora, ant smakro išaugo spuogas, noriu tik sėdėti ant sofos, valgyti šokoladą ir žiūrėti šventines televizijos laidas. Negražu ir neteisinga, kad Kalėdos, kupinos varginančių ir nesuvaldomų emocinių bei finansinių problemų, pirmiausia primetamos visiškai prieš mūsų valią, o paskui grubiai atimamos kaip tik tada, kai žmogus pradedi truputį apsiprasti. Jau tikrai džiaugiausi, kad normalus gyvenimas atšauktas, kad galima kiek tik nori drybsoti lovoje, valgyti viską, ko užsigeisi, ir gerti alkoholinius gėrimus bet kokiu metu, net iš pat ryto. O dabar viens du privalau susiimti ir atgauti vidinę drausmę, kaip perkaręs jaunas skalikas.

10 ryto. Och. Perpetuja, kuri užima truputį aukštesnes pareigas ir dėl to galvoja esanti mano viršininkė, šiandien kaip niekad pasipūtusi ir įžūli, iki apsivėmimo šneka apie naujausią pusės milijono vertės namą, kurį ketina pirkti kartu su turtingu, perdėtai aristokratišku savo draugu Hugu: „Taip, *na taip*, langai išeina į šiaurę, bet užtat įrengtas kažkoks baisiai prašmatnus apšvietimas".

Pavydžiai žiūrėjau į jos milžinišką gumbuotą užpakalį, aptemptą raudonu sijonu ir apdrėbtą keista dryžuota liemene iki pusės šlaunų. Kokia palaima turėti tiek įgimtos slouniškos* arogancijos! Net jei Perpetujos masė prilygtų „Renault Espace", jai būtų nė motais. Kiek valandų, mėnesių, metų aš praleidau kamuodamasi dėl savo svorio, kol Perpetuja patenkinta rausė Fulem Roudo senienų parduotuves ir ieškojo lempų su porcelianiniais kačių pavidalo stovais? Užtat vienas laimės šaltinis jai nepažįstamas. Nuomonių apklausos įrodė, kad laimę suteikia ne meilė, turtas ar valdžia, bet veržimasis pasiekiamų tikslų link; argi dieta nėra geriausias tikslas?

Protestuodama prieš švenčių pabaigą, pakeliui į namus nusipirkau pakelį nukainotų šokoladinių eglutės žaisliukų ir butelį norvegiško, pakistanietiško ar panašaus putojančio vyno už 3.69 svaro. Viską surijau prie šviečiančios Kalėdų eglutės, dar porą pyragėlių su mėsa, kalėdinio pyrago likučius bei truputį „Stiltono" sūrio, žiūrėdama per televizorių „Eastenders" ir apsimetusi, jog tai šventinė laida.

Tiesa, dabar man gėda ir šlykštu. Aiškiai jaučiu, kaip kūnas aptenka riebalais. Na, nieko. Kartais tiesiog būtina pasinerti į nuodingas nutukimo gelmes, kad paskui tarsi feniksas išplasnotum iš cheminės dykumos, tyra ir daili Mišelės Pfaifer dvynė. Rytoj prasideda naujas spartietiškas sveikatos ir grožio režimas.

Mmmm. Aha, Danielis Klyveris. Man patinka, kad jis toks protingas ir kietas, o kartu atrodo nerūpestingas ir lengvabūdis. Šiandien labai juokingai pasakojo apie savo tetą, kuri jo motinos dovanotą onikso strypą popieriniams rankšluosčiams užmauti palaikė penio modeliu. Tikrai buvo baisiai sąmojingas. Be to, aiškiai flirtuodamas paklausė manęs, ar gavau Kalėdoms ką gražaus. Ko gero, rytoj apsisegsiu trumpą juodą sijoną.

---

* Nuo Londono centre esančios Slouno aikštės (Sloan Square) pavadinimo: taip vadinami aukštesniajai klasei priklausantys jaunuoliai, mokęsi elitinėse mokyklose, pasižymintys konservatyviomis pažiūromis ir nepaisantys mados reikalavimų.

SAUSIO 4, TREČIADIENIS

60 kg (panika, tarsi riebalai per visas šventes kaupėsi kokioje kapsulėje, o dabar po truputį išleidžiami į poodinį sluoksnį), alkoholio vienetai 5 (jau geriau), cigarečių 20, kalorijų 700 (l.g.)

4 valanda popiet. Darbe. Aliarmas. Ką tik mobiliuoju telefonu paskambino ašaromis paplūdusi Džudė ir vos pajėgė graudžiai išstenėti, kad ką tik atsiprašiusi išbėgo iš valdybos posėdžio (ji vadovauja „Brightlings" bendrovės termininių transakcijų skyriui), nes nebegalėjo ištverti neapsiverkusi, ir įstrigo tualete, kad dabar jos akys atrodo kaip Eliso Kuperio, o kosmetinės neturi. Džudės draugas Bjaurybė Ričardas (brandžių santykių vengiantis egocentrikas), su kuriuo Džudė susitikinėja su pertraukomis pusantrų metų, ką tik ją metė už tai, kad ji paklausė, ar nenorėtų atostogauti kartu. Tipiška, bet Džudė, aišku, kaltino tik save.

– Esu nuo jo liguistai priklausoma. Pernelyg daug reikalavau, norėdama patenkinti poreikį būti reikalinga. O, jei galėčiau atsukti laikrodį atgal.

Tuoj pat paskambinau Šeron ir 6.30 sušaukėme skubų susitikimą „Cafe Rouge". Tikiuosi, pavyks išsmukti neįsiutinus prakeiktosios Perpetujos.

11 valanda vakaro. Vakaras praėjo dramatiškai. Šeron nedelsdama pateikė savo teoriją apie Ričardą: tai esąs „emocinis užknisinėjimas", kuris tarsi epidemija kerta visus trisdešimties sulaukusius vyriškius. Šezė tvirtina, kad moterims artėjant prie trisdešimt subtiliai keičiasi galių pusiausvyra. Net aršiausios koketės suminkštėja, pirmąkart susidūrusios su egzistenciniu nerimu: baime, kad mirsi visiškai viena ir lavoną, apgraužtą Elzaso av ganio, ras tik po trijų savaičių. Stereotipinės pakopų, besisukančių ratų ir seksualinių griuvėsių sąvokos verčia jaustis kvaila, kad ir kiek mąstytum apie Džoaną Lamli* ar Sjuzen Sarandon.

* Joanna Lumley – puikios išvaizdos populiari vidutinio amžiaus britų aktorė.

– O tokie vyrai kaip Ričardas, – putojo Šeron, – naudojasi mažiausiu plyšeliu, kad tik pabėgtų nuo įsipareigojimų, brandumo, garbingo elgesio, natūralios vyro ir moters santykių raidos.

Čia mudvi su Džude ėmėme puse burnos šnypšti: „Ššš, ššš" ir nugrimzdome gilyn į savo paltus. Juk visi žino, kad niekas taip neatstumia vyro, kaip siautėjanti feministė.

– Kaip tu drįsti sakyti, kad per daug norėjai prašydama jį kartu praleisti atostogas? – suriko Šeron. – Ką jis *išvis* kalba?

Įsisvajojusi apie Danielį Klyverį drįsau pratarti, kad ne visi vyrai tokie kaip Ričardas. Tada Šeron labai vaizdingai išpylė ilgiausią sąrašą emocinio užknisimo ženklų, kurie reiškiasi mūsų draugių gyvenime: viena turi vaikiną, kuris po trylikos metų draugystės nenori net užsiminti apie galimybę gyventi kartu; kita keturis kartus susitiko su vyru, ir šis ją metė, nes pajuto, kad tai darosi rimta; trečią vaikinas persekiojo tris mėnesius, karštai melsdamas už jo tekėti, o kai ji sutiko, tas po trijų savaičių dėjo į krūmus ir pakartojo visą programą su jos geriausia drauge.

– Mes, moterys, esame labai pažeidžiamos, nes priklausome pirmajai kartai, kuri nesutinka su kompromisais meilėje ir pasikliauja savo ekonominiu pajėgumu. Po dvidešimt metų vyrai nedrįs mūsų užknisinėti, nes imsime *kvatoti jiems į akis*, – riaumojo Šeron.

Kaip tik tuo momentu į kavinę įėjo Šeron bendradarbis Aleksas Volkeris su pritrenkiančia blondine, kokius aštuonis kartus patrauklesne už jį. Aleksas mus pamatė ir priėjo pasisveikinti.

– Čia tavo nauja draugė? – paklausė Šeron.

– Na. Hm. Na, žinai, ji taip mano, bet šiaip niekur nevaikštom, tiktai kartu miegam. Tiesą sakant, turėčiau su ja baigti, bet žinai... – atsakė baisiai patenkintas savimi.

– Ką tu čia paistai, bailus, nesubrendęs, nepilnavertis šikniau. Tvarkoj. Einu pakalbėsiu su ta moterim, – paskelbė Šeron kildama nuo kėdės. Mudvi su Džude jėga ją sulaikėme, o persigandęs Aleksas nubėgo atgal pas merginą, ketindamas tęsti emocinį užknisinėjimą.

Pagaliau mes trise sukūrėme strategiją, kurios turi laikytis Džudė. Ji privalo nebesigraužti, išmesti pro langą knygą „Moterys, kurios per stipriai myli" ir verčiau apmąstyti „Vyrai kilę iš Marso, moterys – iš Veneros"; tada Ričardo elgesys nebeatrodys jos liguistos priklausomybės ir per stiprios meilės padarinys, o santykiai su juo veikiau primins marsietišką guminę juostelę, kuri tai išsitempia, tai vėl natūraliai susitraukia.

– Gerai, bet ką tai reiškia: skambinti jam ar ne? – paklausė Džudė.

– Ne, – atsakė Šeron, o aš tuo momentu ištariau: „taip".

Kai Džudė išėjo – jai reikia keltis be penkiolikos šeštą, kad prieš darbą spėtų nueiti į sporto klubą ir susitikti su savo stiliste (beprotė), – Šeron ir mane apniko baisūs sąžinės priekaištai, kad nepatarėme Džudei tiesiog mesti Bjaurybę Ričardą, nes jis tikras bjaurybė. Paskui Šeron priminė, kad kai aną kartą taip patarėme, jie susitaikė, Džudė iš džiaugsmo jam papasakojo viską, ką buvom sakiusios, ir dabar kas kartą jį susitikus mums nors po stalu lįsk, o jis mus laiko pamišusiom laukinėm kalėm – Džudė aiškina, jog taip sakyti netikslu: nors ir esame jau atradusios laukinį pradą savo viduje, tačiau dar nesiėmėme priemonių jį išlaisvinti.

SAUSIO 5, KETVIRTADIENIS

58,5 kg (puiki pažanga – pusę kilogramo nejučiom ištirpdė džiaugsmas ir seksualiniai lūkesčiai), alkoholio vienetai 6 (kaip baliukui l.g.), cigarečių 12 (taip ir toliau), kalorijų 1258 (meilė išstūmė poreikį apsiryti).

11 valanda ryto. Darbe. O Viešpatie! Danielis Klyveris ką tik man atsiuntė žinutę. Mėginau rašyti savo CV (paruošiamasis darbas būsimai karjerai), kai monitoriaus viršuje sumirgėjo užrašas „Nauja žinutė". Apsidžiaugusi – visad džiaugiuosi tuo, kas nesusiję su darbu, – skubiai paspaudžiau komandą „Skaityti" ir vos nenukritau nuo kėdės, apačioje pamačiusi parašą *Klyvas*. Iš karto pagalvojau, gal jis prisijungė prie mano kompiuterio ir pamatė, kuo užsiiminėju. Bet štai ką perskaičiau:

```
Kam: Džouns
Ko gero, būsi pamiršusi sijoną. Regis,
tavo darbo sutartyje aiškiai parašyta,
kad darbuotojai privalo atvykti į įstaigą
visiškai apsirengę.
Klyvas
```

Ho! Aiškus flirtas! Truputį pagalvojau, apsimetusi, kad tyrinėju nežmoniškai nuobodų kažkokio bepročio rankraštį. Niekad nesu siuntusi žinutės Danieliui Klyveriui, bet elektroninis paštas tuo ir puikus, kad net viršininkui galima rašyti laisvai ir neoficialiai. Be to, galima sukurti milijoną variantų. Štai ką išsiunčiau:

```
Kam: Klyvui
Pone, jūsų laiškas mane įskaudino. Tiesa,
sijoną galima sąlygiškai pavadinti šykš-
toku (taupumas yra mūsų, redaktorių, kre-
do), tačiau tvirtinti, jog jo nėra, būtų
šiurkštus perdėjimas, dėl kurio ketinu
skųstis profesinei sąjungai.
Džouns
```

Susijaudinusi laukiau atsakymo. Ir tikrai. Netrukus sumirgėjo „Nauja žinutė". Paspaudžiau „Skaityti".

```
Kreipiuosi į žmogų, kuris nepagalvojęs
paėmė nuo mano stalo suredaguotą KAFKOS
```

MOTOCIKLO rankraštį: malonėk jį tuoj pat
padėti į vietą.
Diana

Aaaa. O paskui – špyga.

Vidudienis. O Viešpatie. Danielis neatsakė. Tikriausiai
įsiuto. Gal rimtai rašė apie tą sijoną. Dieve Dieve. Sugundyta
neformalių komunikacijos priemonių įžūliai pasielgiau su vir-
šininku.

12.10. Gal jis dar negavo žinutės? Gal galima ją susigrąžin-
ti? Ko gero, eisiu pasivaikščioti; pažiūrėsiu, gal pavyktų įsigauti
į Danielio kabinetą ir ją ištrinti.

12.15. Cha. Viskas paaiškėjo. Jis pasitarime su Saimonu iš
rinkodaros skyriaus. Kai ėjau pro šalį, mane nužvelgė. Aha.
Ahahahaha. „Nauja žinutė".

Kam: Džouns
Jei eidama pro kabinetą mėginai įrodyti
sijono egzistavimą, tai bandymas skanda-
lingai žlugo. Nebeliko nė mažiausios abe-
jonės: sijono nerasta. Gal jis serga?
Klyvas

Tuoj po to – dar viena „Nauja žinutė".

Kam: Džouns
Jei sijonas tikrai serga, malonėk patik-
rinti, kiek dienų praėjusiais metais tu-
rėjo biuletenį. Dažni susirgimai leidžia
įtarti simuliaciją.
Klyvas

Atsakiau:

```
Kam: Klyvui
Turiu įrodymų, kad sjonas sveikas ir atvy-
ko į darbo vietą. Skaudu, kad vadoivybė
diskriminuoja mažesnius sijonus. Perdėtas
domėjimasis sijonais leidžia spėti, kad
serga ne sijonas, o vadovybė.
Džouns
```

Hmm. Gal geriau paskutinį sakinį ištrinsiu, nes dar pagalvos, kad kaltinu seksualiniu priekabiavimu, o man labai patinka būti Danielio Klyverio seksualiai užkabinėjamai.

Aaaaa. Ką tik pro šalį praėjo Perpetuja ir pradėjo skaityti man per petį. Vos spėjau paspausti „Keisti tekstą", tačiau nieko gero neišėjo, nes monitoriuje išniro mano CV.

– Pasakyk, kai baigsi skaityti, – ištarė Perpetuja su bjauria šypsenėle. – Baisu net pagalvoti, kad tu čia *nuobodžiauji*.

Kai tik ji vėl užsėdo telefoną – „*Nia*, bet rimtai, pone Birketai, kam rašyti „trys keturi" miegamieji, kai atėję apžiūrėti iškart pamatysim, kad tas ketvirtas miegamasis tik didelė spinta?" – aš grįžau prie darbo. Štai ką ketinu išsiųsti:

```
Kam: Klyvui
Turiu įrodymų, kad sjonas sveikas ir atvy-
ko į darbo vietą. Skaudu, kad vadoivybė
diskriminuoja mažesnius sijonus. Būsiu
priversta remtis darbo teise, kreiptis į
bulvarinę spaudą ir pan.
Džouns
```

Oi. Tuoj gavau atsakymą:

```
Kam: Džouns
Sijonas, Džouns, o ne sjonas. Ir ne vadoi-
vybė, o vadovybė. Prašyčiau pasistengti
```

```
ir išmokti rašyti bent dažniausiai varto-
jamus žodžius. Nors kalba yra lanksti,
nuolat prisitaikanti prie gyvenimo reik-
mių bendravimo priemonė (žr. Hionigsval-
dą), bet gramatiką tikrinti reikia.
Klyvas
```

Jaučiausi visai palaužta, kai pro šalį praėjo Danielis su Sai-
monu iš rinkodaros skyriaus ir labai seksualiai nužvelgė mano
sijoną, pakėlęs antakį. Elektroninis paštas yra nuostabus išra-
dimas. Bet teks atidžiau tikrinti rašybą. Šiaip ar taip, esu bai-
gusi filologiją.

SAUSIO 6, PENKTADIENIS

5.45 popiet. Neįsivaizduojamas džiugesys. Visą popietę ne-
silioviau susirašinėti sijono buvimo/nebuvimo klausimu. Ne-
manau, kad mano gerbiamas viršininkas išvis dirbo. Painiava
su Perpetuja (antra pagal svarbą viršininke), kuri matė, kad su-
sirašinėju, ir l. niršo, bet taip pat matė, kad žinutės skirtos
aukščiausiam viršininkui, todėl išgyveno vidinį konfliktą – ir
visai be reikalo, nes kiekvienas protingas žmogus tuoj pat pa-
sakytų, jog pirmenybė priklauso aukščiausiam viršininkui.
Paskutinė žinutė buvo tokia:

```
Kam: Džouns
Norėčiau savaitgalį pasiųsti sunegalavu-
siam sijonui gėlių. Prašyčiau pateikti
namų koordinates, nes dėl suprantamų
priežasčių negaliu pasitenkinti adresu
„Džouns", o telefonų knygoje bijau pasi-
mesti.
Klyvas
```

Valio! Valio! Danielis Klyveris klausia mano telefono! Aš nuostabi. Magiška sekso deivė. Taip!

SAUSIO 8, SEKMADIENIS

58 kg (velniškai gerai, bet kas iš to?), alkoholio vienetai 2 (puiku), cigaretės 7, kalorijų 3100 (prastai).

2 valanda popiet. Dieve, kodėl aš tokia nepatraukli? Įsikalbėjau, jog savaitgalį tyčia niekur neisiu, nes turiu dirbti, o pati ištempusi ausis laukiu, gal paskambins Danielis ir pasiūlys susitikti. Dvi klaikios, tuščiai praleistos dienos, vien psichopatiškas dėbsojimas į telefoną ir ėdimas. Kodėl jis nepaskambino? Kodėl? Kažkas manyje ne taip. Kam klausti telefono numerio, jei neketini skambinti, o jei ketino, tai juk tikrai savaitgalį? Reikia labiau susikaupti. Paprašysiu Džudės paskolinti tinkamą patarimų knygą, geriausia kokią rytietišką.

8 valanda vakaro. Telefonas pagaliau suskambėjo, bet tai tik Tomas, kuris norėjo paklausti, kaip man sekasi. Tomas, kuris save kritiškai vadina homofeministu, man labai padeda ištverti Danielio krizę. Tomas sukūrė teoriją, kad homoseksualistus ir trisdešimtį peržengusias netekėjusias moteris sieja natūrali simpatija: abi grupės jau apsiprato su tuo, kad tėvai iš jų nieko gero nesitiki, o visuomenė laiko pabaisomis. Ištikus nepatrauklumo krizei, jis man leido iki valios išsilieti – pirmiausia papasakojau apie Marką Darsį, paskui apie šūdžių Danielį, tik staiga Tomas sukluso ir, sakyčiau, visai neterapiškai paklausė:

– Markas Darsis? Ką, gal tas garsusis advokatas – tas, kuris gina žmogaus teises?

Hmmm. Na, tiek to. O kas apgins mano žmogaus teisę nesikamuoti nuo klaikaus nepatrauklumo komplekso?

11 valanda vakaro. Jau per vėlu ir Danielis tikrai nepaskambins. Jaučiuosi l. liūdna ir nelaiminga.

SAUSIO 9, PIRMADIENIS

58 kg, alkoholio vienetai 4, cigaretės 29, kalorijų 770
(l. gerai, bet kokia kaina?).

Košmariška diena darbe. Visą rytą stebėjau duris, laukdama įeinant Danielio: neįėjo. Be penkiolikos dvyliktą ne juokais įsinervinau. Gal paskelbti pavojų ir paiešką?

Staiga Perpetuja užriaumojo į telefono ragelį:

– Danielį? Jis išvykęs į susitikimą Kroidone. Bus tik rytoj. – Trenkė ragelį ir pareiškė: – Siaubas, tos jo mergos skambina ir skambina.

Apimta panikos čiupau „Silk Cut". Kokios mergos? Apie ką ji kalba? Nežinia kaip atsėdėjau iki vakaro, parsivilkau namo ir pasidavusi akimirkos beprotybei palikau Danielio atsakiklyje tokią žinutę (Jėzau, dabar negaliu patikėti, kad tai buvau aš): „Labas, čia Džouns. Norėjau tik paklausti, kaip tau sekasi, gal nori susitikti ir aptarti sijonų sveikatos klausimus, kaip minėjai".

Vos padėjusi ragelį aiškiai supratau, kad to negalima leisti, ir paskambinau Tomui, kuris šaltai pareiškė viską sutvarkysiąs: kelis kartus paskambins į atsakiklį, sužinos kodą, galės perklausyti žinutes ir manąją ištrinti. Jau buvo beveik sužinojęs, bet ištiko nelaimė: atsiliepė Danielis. Tomas, užuot pasakęs: „Atsiprašau, ne ten pataikiau", padėjo ragelį. Taigi dabar Danielis ne tik gaus mano išprotėjusią žinutę, bet dar pagalvos, jog tai aš jam šįvakar skambinau keturiolika kartų, o kai pagaliau pavyko prisiskambinti, mečiau ragelį.

*57,5 kg, alkoholio vienetai 2, cigarečių 0, kalorijos 998
(nuostabu, l. gerai, elgiuosi kaip tikra šventoji).*

Įslinkau į darbo kabinetą persikreipusi vien nuo minties
apie aną žinutę. Nusprendžiau visiškai atsiriboti nuo Danielio,
bet jis netrukus pasirodė, neįsivaizduojamai seksualus, ir ėmė
visus juokinti: neišlaikiau.

Staiga mano kompiuterio monitoriuje sublyksėjo „Nauja
žinutė".

```
Kam: Džouns
Ačiū už skambutį.
Klyvas
```

Nustėrau. Taip, aš jam skambinau ir siūliau susitikti. Kas
per žmogus atsako į tokį pasiūlymą paprastu „ačiū", nebent jis
visiškai... tačiau truputį pamąsčiusi atsakiau:

```
Kam: Klyvui
Prašyčiau netrukdyti. Esu labai ori ir
užsiėmusi.
Džouns
```

Dar po keleto minučių jis atrašė:

```
Kam: Džouns
Atleisk už trukdymą, Džouns, tikriausiai
neriesi iš kailio. Paskendusi darbuose
iki kaklo.
P.S. Tavo papukai labai dailiai atrodo po
šita palaidinuke.
Klyvas
```

...ir prasidėjo. Kaip pamišę svaidėmės žinutėmis visą savaitę, kol jis pasiūlė susitikti sekmadienį vakare, o aš, apsvaigusi iš laimės, sutikau. Kartais apsidairau kabinete, peržvelgiu į visus bendradarbius, patyliukais kalenančius klavišais, ir pagalvoju: kažin, ar bent vienas ką nors dirba?

(Turbūt darausi paranojiška, bet sekmadienio vakaras pirmam susitikimui skamba keistai. Kažkaip ne taip, panašiai kaip šeštadienio rytas arba ankstyva pirmadienio popietė.)

SAUSIO 15, SEKMADIENIS

57 kg (nuostabu), alkoholio vienetų 0, cigaretės 29 (l.l. blogai, juolab kad tik per 2 valandas), kalorijos 3879 (pasišlykštėtina), negatyvios mintys 942 (apskaičiuota apytiksliai, remiantis vidurkiu per minutę), laikas, praleistas skaičiuojant negatyvias mintis, – 127 min. (apytiksliai).

6 valanda vakaro. Visą dieną ruošiausi susitikimui ir dabar esu išsunkta kaip skuduras. Moterims gyventi sunkiau negu valstiečiams, joms reikia tiek visko prižiūrėti ir kultivuoti: depiliuoti kojas, skusti pažastis, pešioti antakius, brūžuoti kulnus, šveisti ir drėkinti odą, valyti spuogus, dažyti ataugusias plaukų šaknis, tušu storinti blakstienas, šlifuoti nagus, atlikti celiulito masažą bei pratimus pilvo raumenims. Viskas taip suderinta, kad apleidus kurią nors sritį bent porą dienų visas pastatas griūva tarsi kortų namelis. Kartais pagalvoju, kaip atrodyčiau, atsidavusi gamtos valiai – blauzdos apaugusios tankiais garbanotais plaukais, antakiai kaip Brežnevo, veidas padengtas negyvų odos ląstelių kapinynu ir pilnas sprogstančių spuogų, kreivi geltoni žiežulos nagai, kaip drebučiai liulantis išdribęs kūnas ir dar akla kaip šikšnosparnis be kontaktinių lęšių. Brr! Ir dar žmonės stebisi, kad merginos nepasitiki savim?

7 valanda vakaro. Negaliu patikėti, kad taip atsitiko. Ėjau į vonią meistro ranka brūkštelėti paskutinių štrichų ir pastebėjau, kad dega atsakiklio lemputė: Danielis.

– Klausyk, Džouns, aš tikrai labai atsiprašau. Atrodo, šiandien nieko neišeis. Rytoj dešimtą turiu prezentaciją, o iki tol dar reikia peržiūrėti keturiasdešimt penkis duomenų segtuvus.

Neįtikėtina. Suvedžiojo ir metė. Visos dienos pastangos, visa pulsuojanti kūno įtampa šuniui ant uodegos. Na, nieko: negalima gyvenimo apriboti tik vyrais, reikia pasitenkinti savimi, tapti savo vertę aiškiai suvokiančia moterimi.

9 valanda vakaro. Nors, aišku, jo darbas tikrai atsakingas. Gal nenorėjo pirmo susitikimo gadinti nerimu ir mintimis apie rytojaus prezentaciją.

11 valanda vakaro. Chm. Aišku, galėjo paskambinti dar kartą. Ne, tikriausiai susitinka su plonesne mergina.

5 valanda ryto. Kodėl man taip nesiseka? Esu visiškai viena. Nekenčiu Danielio Klyverio. Gyvenime neturėsiu su juo nieko bendro. Einu, pasisversiu.

SAUSIO 16, PIRMADIENIS

58 kg (iš kur? kodėl???), alkoholio vienetų 0, cigarečių 20, kalorijų 1500, pozityvių minčių 0.

10.30 ryto. Darbe. Danielis tebesėdi prezentacijoje. Gal tai ir buvo *tikroji* priežastis.

1 valanda popiet. Ką tik pamačiau Danielį išeinant pietauti. Nieko man nepasakė, neparašė, ničnieko. L. prislėgta. Eisiu į parduotuves.

11.50 vakaro. Vakarieniavau su Tomu parduotuvės „Harvey Nichols" penktojo aukšto restorane; Tomas neužsičiaupdamas pasakojo apie „laisvai samdomą režisierių", vardu Džeromas, mano galva, baisiai pretenzingą. Aš jam skundžiausi savo nelaimėmis su Danieliu, kuris visą popietę praleido įvairiuose susirinkimuose ir tik pusę penkių prabėgdamas metė: „Labas, Džouns, kaip sijono reikalai?" Tomas liepė nebūti paranojike, duoti žmogui laiko, bet aiškiai mačiau, kad mano gyvenimas jam nerūpi ir seksualinio geidulio užvaldytas nori kalbėti tik apie Džeromą.

SAUSIO 24, ANTRADIENIS

Stebuklinga diena. Pusę šešių tarsi iš rojaus nusileido Danielis, prisėdo ant mano stalo krašto nugara į Perpetują, išsitraukė kalendorių ir tyliai sumurmėjo:
– Kaip atrodo tavo penktadienis?
Valio! Valio!

SAUSIO 27, PENKTADIENIS

58,5 kg (visa išsipūtusi nuo genujietiško maisto), alkoholio vienetai 8, cigarečių 400 (taip atrodo), kalorijos 875.

Fūūū. Buvau su svajonių vyriškiu intymiame genujietiškame restorane prie pat Danielio namų.
– Ėėė... na, tai aš išsikviesiu taksi, – nejaukiai suveblenau, kai pavalgę stovėjome gatvėje. Jis švelniai nubraukė man nuo kaktos plaukus, suėmė veidą rankomis ir godžiai, nesivaldydamas pabučiavo. Po kiek laiko stipriai apkabino ir kimiai sušnibždėjo:
– Manau, Džouns, tau nereikės kviesti taksi.
Vos įžengę į jo butą puolėme vienas kitam į glėbį kaip laukiniai, batais ir švarkais nuklodami kelią prie sofos.

– Šitas sijonas atrodo labai nekaip, – sumurmėjo Danielis. – Jam aiškiai reikėtų prigulti ant grindų. – Segdamas užtrauktuką, pakuždėjo: – Klausyk, čia tik pramoga, gerai? Ko gero, neverta planuoti ką nors rimtesnio.

Išaiškinęs padėtį vėl ėmėsi užtrauktuko. Jau būčiau bejėgiškai nuleipusi ant jo rankų, jei ne Šeron, ne užknisinėjimas ir ne ką tik išgertas beveik pilnas butelis vyno. Tuoj pat pašokau ant kojų, traukdama sijoną į vietą.

– Ką tu čia man šneki, bailus, nesubrendęs, nuodingas šikniau, – suburbuliavau. – Kaip drįsti būti toks psichopatiškas? Apsieisiu ir be tavo emocinio užknisimo. Sudie.

Buvo puiku. O, kad būtumėt matę jo veidą! Tiesa, parvažiavusi namo panirau į liūdesį. Tikriausiai buvau teisi, bet žinau, kaip man atmokės gyvenimas: mirsiu vieniša, o kūną apgrauš Elzaso aviganis.

VASARIS

VALENTINO DIENOS ŽUDYNĖS

VASARIO 1, TREČIADIENIS

57 kg, alkoholio vienetai 9, cigaretės 28 (per gavėnią ketinu mesti, tad kol kas galiu prisirūkyti iki blogumo), kalorijos 3856.

Visą savaitgalį stengiausi išlaikyti žvalų atsainumą ir nepasiduoti Danielio užknisinėjimui. Kad nuslopinčiau sieloje aidintį ilgesingą „Aš jo trrrokštu", reguliariai kartojau „savigarba" ir „fui", kol visai apsisuko galva. Prasirūkiau kaip kaminas. Atrodo, Martino Eimiso knygoje yra veikėjas, taip beprotiškai prisirišęs prie cigarečių, kad rūkydamas vieną, jau svajoja pradėti naują. Aš tokia pat. Šiek tiek pagerėjo paskambinus Šeron ir pasigyrus, kokia esu geležinė, bet kai paskambinau Tomui, jis iškart viską suprato, tarė: „Oi vargšiukė", o aš nutilau, nenorėdama prapliupti savigailos ašaromis.

– Bet žiūrėk, – perspėjo Tomas. – Dabar jis jau tikrai prie tavęs prisivils. Kaip lapas.

– Neprisivils, – liūdnai atsakiau. – Aš viską sudirbau.

Sekmadienį nuėjau pas tėvus valgyti gausių, taukais varvančių pietų. Motina ką tik grįžo po savaitės Albufeiroje, kur važiavo su Una Alkonberi ir Naidželo Kolso žmona Odre; dabar jos plaukai morkų spalvos, o ji pati sprendžia apie viską dar griežčiau negu iki tol.

Mama šįryt buvo bažnyčioje ir netikėtai apšviesta, tarsi šv. Paulius pakeliui į Damaską, suvokė, jog mūsų parapijos kunigas gėjus.

– Meilute, tai tik paprasčiausia tinginystė, – pareiškė ji nuomonę apie homoseksualizmo problemą. – Jie tiesiog nenori vargintis ir kurti santykius su priešinga lytimi. Štai kad ir tavo Tomas. Nė kiek neabejoju, jei nebūtų toks mulkis, tai elgtųsi su tavim kaip vaikinas su mergina, o ne žaistų kažkokią kvailą „draugystę".

– Mama, – pasakiau, – Tomas jau nuo dešimties metų žino, kad yra homoseksualus.

– Ai, meilute! Ką čia šneki! Gerai žinai, kaip žmonės įsikala į galvą kokią kvailystę. Puikiausiai galima juos perkalbėti.

– Nori pasakyti, kad jei aš labai įtikinamai su tavim pakalbėčiau, tu mestum tėtį ir pradėtum romaną su teta Odre?

– Na žinai, meilute, tu paprasčiausiai nusišneki, – atsakė ji.

– Šventa teisybė, – pritarė tėtis. – Teta Odrė panaši į arbatinuką.

– Dėl Dievo meilės, Kolinai, – piktai sudraudė mama, ir tai man pasirodė keista, nes paprastai ji taip nedaro.

Tėtis irgi buvo kažkoks keistas ir prieš man išvažiuojant išreikalavo, kad leisčiau kruopščiai apžiūrėti automobilį, nors ir kaip įtikinėjau, jog viskas tvarkoj. Ta proga dar apsijuokiau, nes pamiršau, kaip atidaryti variklio gaubtą.

– Ar nepastebėjai, kad mama kažin kokia keista? – paklausė jis keistai sutrikęs, ištraukė alyvos tikrinimo strypelį, nuvalė jį skuduru ir įgrūdo atgal. Froido sekėjui tokie judesiai sukeltų nerimą. Bet aš ne froidistė.

– Turi galvoje ne tik jos morkų spalvą? – atsakiau.

– Na taip, ir dar... na žinai, jos įprastus, em, *bruožus*.

– Iš tiesų, piktinosi homoseksualistais kaip niekad.

– Ai ne, ją tik šįryt suerzino naujas kunigo apdaras. Tiesą sakant, ir man jis pasirodė perdėm lengvabūdiškas, visas rožinis. Jis ką tik grįžo iš Romos, kur buvo su Damfrio abatu. Ne, aš norėjau paklausti, ar nepastebėjai, kad mama *kitokia* negu paprastai?

Susimąsčiau.

– Atvirai šnekant, nepastebėjau, tik man ji pasirodė labai savimi pasitikinti ir atsigavusi.

– Hmmm, – nutęsė. – Na, nieko. Dabar jau važiuok, kol dar nesutemo. Perduok linkėjimus Džudei. Kaip ji gyvena?

Po to trenkė per variklio gaubtą, tarsi norėdamas palinkėti gero kelio, bet smūgis buvo toks smarkus, kad sunerimau, ar nesusilaužė rankos.

Maniau, kad pirmadienį Danielio istorija išaiškės, tačiau jo nebuvo darbe. Vakar irgi. Dabar eidama į darbą jaučiuosi taip, tarsi išsiruoščiau į vakarėlį, ketindama po to su kuo nors pakvailioti, o atėjusi pamatyčiau, kad tas žmogus neatėjo. Nerimauju dėl ambicijų, karjeros perspektyvos ir moralės, nes atrodo, jog man, kaip paauglei, rūpi tik seksas. Pagaliau pavyko ištraukti iš Perpetujos, kad Danielis išvažiavęs į Niujorką. Neabejoju, kad jau spėjo permiegoti su perkarusia kietuole amerikiete, vardu Vainona, kuri reguliariai sportuoja, nešiojasi ginklą ir yra absoliučiai tokia, kokia aš nesu.

Tarsi to dar būtų negana: šįvakar turiu eiti pas Magdą ir Džeremį vakarienės Patenkintų Sutuoktinių draugijoje. Tokie įvykiai tiesiog triuškina mano ego, bet tai nereiškia, kad nesidžiaugiu, jog esu pakviesta. Mėgstu Magdą ir Džeremį. Kartais vaikštau po jų namus, gėriuosi standžiomis išlygintomis paklodėmis bei indais su įvairiausių rūšių makaronais ir įsivaizduoju, kad jie mano tėvai. Bet kai sueinu į draugiją su jų vedusiais draugais, pradedu jausti, jog virstu mis Hevišem*.

11.45 vakaro. Dieve. Susirinko kompanija: aš, keturios vedusios poros ir Džeremio brolis (beviltiškas, raudonom petnešom ir raudonu veidu, merginas vadina „tiolkom").

– Na, – suriaumojo Kozmas, pildamas man išgerti, – tai kaip tavo meilės reikaliukai?

O ne. Kodėl jie taip daro? Kodėl? Gal Patenkinti Sutuoktiniai bendrauja tik su kitais Patenkintais Sutuoktiniais, todėl nebemoka kalbėtis su nevedusiais asmenimis? Gal jie nuoširdžiai žvelgia į mus iš aukšto ir tyčia verčia pasijusti visiškais

---

* Miss Havisham – Charleso Dickenso romano „Didžiosios viltys" herojė, sužadėtinio palikta vestuvių išvakarėse ir nutarusi likti senmerge.

menkystomis? O gal taip pasinėrė savo sekso rutinoje, kad galvoja: „Jie gyvena visai kitame pasaulyje" ir patyliukais tikisi, jog juos sužadins mūsų erotiški pasakojimai apie audringus seksualinius išgyvenimus.

– Taip, kodėl tu dar netekėjusi, Bridžita? – pasidomėjo Vonė (maloninis pavadinimas Fijonos, kuri ištekėjusi už Džeremio draugo Kozmo), pridengdama pasityčiojimą plonytėliu rūpesčio sluoksniu ir glostydama savo nėščią pilvą.

Nes nenoriu tapti tokia stora, nyki Slouno pieninė karvė kaip tu, turėjau atkirsti, arba: *Nes jei man tektų pagaminti Kozmui vakarienę, o paskui gultis su juo į vieną lovą bent vieną kartą, jau nekalbant apie visą gyvenimą, tuoj pat nusitraukčiau galvą ir ją suryčiau,* arba: *Nes žinai, Vone, po drabužiais mano visas kūnas padengtas žvynais.* Turėjau atkirsti, bet neatkirtau, nes, kad ir kaip tai būtų ironiška, nenorėjau jos įskaudinti. Todėl atsiprašydama nusišypsojau, ir kaip tik tada kažkoks Aleksas sucipo:

– Na matai, sulaukus tam tikro amžiaus...

– Teisybė. Visi ko nors verti vyrukai jau išgraibstyti, – pritarė Kozmas, plekšnodamas sau per storą pilvą ir taip kvatodamas, kad net žandai drebėjo.

Prie stalo Magda mane pasodino tarp Kozmo ir nuobodžiojo Džeremio brolio.

– Ne, aš nejuokauju, Bridžita, tau reikia kuo greičiau prasimanyti vaikų, – kalbėjo Kozmas, vienu mostu susipylęs į gerklę kokius du šimtus gramų 1982 m. „Pauillaco". – Laikas nelaukia.

Bet aš ir pati spėjau gerokai paragauti „Pauillaco".

– Kiek ten tų santuokų baigiasi skyrybomis, kas trečia ar kas antra? – nutęsiau, bejėgiškai stengdamasi būti sarkastiška.

– Rimtai, moteriške, – atsakė jis nekreipdamas dėmesio į mano pastabą. – Mano darbe pilna netekėjusių trisdešimtmečių. Visos kuo puikiausios fizinės formos. O bernų susirasti negali.

– Tiesą sakant, aš tokių problemų neturiu, – iškvėpiau, mojuodama ore cigarete.

– Oooi. Papasakok, – prikibo Vonė.

– Tai kas jis toks? – paklausė Kozmas.

– Gauni pasidulkinti, ką? – susidomėjo Džeremis. Visi užgniaužę kvapą sužiuro į mane. Atrodė, lyg slapčia rytų seilę.

– Tai ne jūsų reikalas, – atrėžiau iš aukšto.

– Nieko ji neturi, – suniekino mane Kozmas.

– Dieve mano, jau vienuolika, – sukliko Vonė. – Mūsų auklė! Visi pašoko ir ėmė rengtis namo.

– Viešpatie, atsiprašau už tuos visus. Ar išgyvensi? – sušnibždėjo Magda, kuri suprato, kaip jaučiuosi.

– Tai ką, gal pavežti namo? – pasiteiravo Džeremio brolis ir tuoj pat sodriai atsiriaugėjo.

– Ne, dar eisiu į naktinį klubą, – sučiulbėjau bėgdama į gatvę. – Ačiū, vakaras buvo nuostabus!

Įsėdau į taksi ir prapliupau žliumbti.

Vidurnaktis. Che che. Ką tik paskambinau Šeron.

– Reikėjo jiems pasakyti: „Aš netekėjusi todėl, kad noriu likti laisvu žmogum, jūs siaurapročiai, be laiko susenę, savim patenkinti miesčionys, – siautėjo Šezė. – O be to, galima gyventi įvairiai: kas ketvirtas šalies gyventojas yra viengungis, daugelis karališkosios šeimos narių nevedę, o apklausų duomenys parodė, kad jauni vyriškiai *visiškai netinkami santuokai,* todėl susiformavo nauja karta tokių merginų kaip aš, turinčių savas pajamas ir būstą, kurios gyvena kuo puikiausiai ir anaiptol netrokšta skalbti kokio pūzro kojines! Būtume baisiai laimingos, jei tik tokie idiotai kaip jūs, iš pavydo susimokę, neverstų mūsų jaustis kvailėm".

– Laisvas žmogus! – suklykiau patenkinta. – Tegyvuoja laisvi žmonės!

VASARIO 5, SEKMADIENIS

Iš Danielio vis dar jokių žinių. Negaliu net pagalvoti apie tai, kaip sekmadienį kiūtosiu viena, o visi kiti lovoje su kuo nors kikens ir užsiiminės seksu. O blogiausia, kad iki neišvengiamo pažeminimo per Valentino dieną liko tik savaitė su trupučiu. Tikrai negausiu nė vieno sveikinimo. Atėjo į galvą mintis pradėti energingą flirtą su kuo nors, ką būtų galima įtikinti atsiųsti atviruką, bet supratau, kad taip elgtis amoralu. Teks sutelkti orumą ir iškęsti visus pažeminimus.

Hmmm. Sugalvojau. Nuvažiuosiu dar kartą aplankyti mamos su tėčiu, nes dėl jo šiek tiek nerimauju. Galėsiu jaustis kaip rūpestingas angelas ar šventoji.

2 valanda popiet. Man iš po kojų išmuštas paskutinis mažytis saugumo pagrindėlis. Kilniaširdiškai pasiūliau netikėto angeliško aplankymo perspektyvą, tačiau ragelyje išgirdau keistą tėvo balsą:

– Ė... dar nežinau, brangute. Gal gali truputį palaukti?

Apmiriau. Jaunystės (na taip, aš sakau „jaunystės") pasipūtimas kužda, kad vos tik praneši tėvams, jog ketini apsilankyti, šie viską mes ir iškėtę rankas puls pasitikti. Tėtis vėl paėmė ragelį.

– Klausyk, Bridžita, mes čia su tavo mama turim tokių problemų. Gal aš tau paskambinsiu į savaitės pabaigą?

Problemų? Kokių problemų? Pamėginau išklausti, tačiau nepavyko. Kas darosi? Ar visas pasaulis pasmerktas kęsti emocines traumas? Vargšas tėtis. Tai dabar, be kita ko, dar tapsiu suluošinta iširusios šeimos auka?

VASARIO 6, PIRMADIENIS

56 kg (slegiantis vidinis svoris išnyko kaip dūmas – visiška paslaptis), alkoholio vienetas 1 (l.g.), cigaretės 9 (l.g.), kalorijų 1800 (g.).

Šiandien Danielis grįš į darbą. Aš būsiu rami ir susitelkusi, nepamiršiu, jog esu giliai savo vertę jaučianti moteris, kurios gyvenime nebūtinas vyriškis, juo labiau jis. Neketinu jam siųsti žinučių, ir išvis nekreipsiu į jį dėmesio.

9.30 ryto. Chm. Atrodo, Danielio dar nėra.

9.35 ryto. Vis dar jokio ženklo.

9.36 ryto. Dieve Dieve, o jei jis Niujorke įsimylėjo ir pasiliko ten gyventi?

9.47 ryto. Arba susituokė Las Vegase?

9.50 ryto. Hmmm. Eisiu, patikrinsiu makiažą, jei jis kartais pasirodytų.

10.05 ryto. Vos širdis neiššoko, kai grįždama iš tualeto pamačiau Danielį, stovintį prie dauginimo aparato su Saimonu iš rinkodaros skyriaus. Kai jį mačiau paskutinį kartą, gulėjo kaip avinas ant savo sofos, žiūrėdamas, kaip aš seguosi sijoną ir rėkauju apie užknisinėjimą. Dabar jam tiesiog ant kaktos parašyta „buvau išvažiavęs" – atrodo gaivus ir klestintis. Man praeinant, pabrėžtinai nužvelgė sijoną ir plačiai išsišiepė.

10.30 ryto. Monitoriuje pasirodė „Nauja žinutė". Paspaudžiau „Skaityti":

```
Kam: Džouns
Frigidiška karvė.
Klyvas
```

Susijuokiau. Negalėjau susilaikyti. Pažiūrėjau pro stiklo sieną į jo kabinetą ir pamačiau, kaip šypsosi man su palengvėjimu ir simpatija. Vis tiek neketinu nieko jam rašyti.

10.35 ryto. Nors neatsakyti būtų baisiai grubu.

10.45 ryto. Viešpatie, kaip man nuobodu.

10.47 ryto. Imsiu ir pasiųsiu jam trumpučiukę draugišką žinutę, neflirtuosiu, tik atkursiu gerus santykius.

11 valanda ryto. Chi chi. Tyčia pasinaudojau Perpetujos adresu, kad išgąsdinčiau Danielį.

```
Kam: Klyvui
Ir taip jau sunku atlikti visas jūsų numa-
tytas pareigas, o čia dar mano vadovaujami
žmonės švaisto laiką neesminiam susiraši-
nėjimui.
Perpetuja
P.S. Bridžitos sijonas pasijuto blogai,
teko jį parsiųsti namo.
```

10 valanda vakaro. Mmmm. Visą dieną susirašinėjau su Danieliu. Bet tegu nė nesvajoja, kad eisiu su juo į lovą.

Šįvakar dar kartą paskambinau tėvams, bet niekas nekėlė ragelio. L. keista.

VASARIO 9, KETVIRTADIENIS

58 kg (veikiausiai susikaupė žieminiai riebalai), alkoholio vienetai 4, cigarečių 12 (l.g.), kalorijos 2845 (l. šalta).

9 valanda vakaro. Negaliu atsidžiaugti žiemos pasaka už lango, primenančia, kad tebesame gaivalų valdžioje, tad nėra ko taip sunkiai dirbti bei lavintis, verčiau tūnoti šilumoje ir žiūrėti televizorių.

Jau trečią kartą šią savaitę paskambinau tėvams, tačiau atsakymo nesulaukiau. Gal jų namą užpustė ir atkirto nuo pasaulio? Iš nevilties susukau savo broliui Džeimiui, gyvenančiam Mančesteryje, tačiau išgirdau tik arklišką humorą, įrašytą jo atsakiklyje: tekančio vandens garsą ir Džeimį, apsimetinėjantį prezidentu Klintonu Baltuosiuose rūmuose, paskui tualete nuleidžiamas vanduo, o fone girdėti jo beviltiškos merginos kiknojimas.

9.15 vakaro. Tris kartus iš eilės susukau tėvų numerį ir kiekvieną kartą laukiau, kol telefonas suskambės dvidešimt kartų. Galų gale labai keistu balsu atsiliepė mama ir pasakė, kad dabar kalbėti negali, tačiau paskambins savaitgalį.

VASARIO 11, ŠEŠTADIENIS

56,5 kg, alkoholio vienetai 4, cigarečių 18, kalorijos 1467 (kurias sudeginau vaikščiodama po parduotuves).

Tik grįžau iš parduotuvių ir radau tėčio paliktą žinutę: klausė, ar galėsiu sekmadienį su juo papietauti. Nušiurpau. Tėtis niekada vienas nevažiuoja į Londoną, kad galėtų sekmadienį papietauti su manim. Jis sėdi namie su mama ir valgo keptą jautieną arba lašišą su šviežiom bulvėm.

– Neskambink man, – pasakė baigdamas. – Susitiksim rytoj.

Kas čia vyksta? Virpėdama nusileidau į apačią nusipirkti „Silk Cut". Grįžusi radau mamos žinutę. Atrodo, jog ji taip pat rytoj ketina pietauti su manimi. Atsiveš gabalą lašišos ir bus pas mane apie pirmą.

Vėl paskambinau Džeimiui, dvidešimt sekundžių klausiausi Briuso Springstino, o po to įrašyto į juostelę Džeimio urzgimo: „Viskas, įrašas baigėsi, nors galėčiau dar daug ką pridurti".

VASARIO 12, SEKMADIENIS

56,5 kg, alkoholio vienetai 5, cigaretės 23 (nieko nuostabaus), kalorijos 1647.

11 valanda ryto. Dieve, negalima leisti, kad jie abu atvažiuotų tuo pačiu metu. Būtų gryniausias farsas. O gal ta istorija su pietumis tėra tik tėvelių pokštas, kurį jie sumanė persižiūrėję kvailų skečų ir situacijų komedijų per komercinę televiziją? Gal mama atsiveš gyvą lašišą, elegantiškai parištą už pavadėlio, ir paskelbs, kad palieka tėtį ir nuo šiol gyvens su lašiša. O gal tėtis, apsirengęs tautiniais drabužiais, pakibs už mano lango žemyn galva, įvirs vidun pro išgrūstą stiklą ir ims daužyti mamos viršugalvį avies pūsle; arba staiga išgrius kiek ilgas iš spintos su nugaroje kyšančiu plastmasiniu peiliu. Tokią įtampą ištverti galima tik pasitelkus „Kruvinąją Merę". Be to, jau beveik popiet.

12.05 dienos. Mama paskambino.

– Na ir gerai, tegu *jis* atvažiuoja, – pareiškė. – Tegu tas šūdžius ir vėl padaro kaip jam geriau. (Mano mama niekad nesikeikia. Tik kartais ištaria „rupūs miltai" arba „jergutėliau".) – Aš pati velniškai puikiai susitvarkysiu. Išvalysiu namus, kaip kokia sušikta Žermena Grier* arba Nematoma Moteris. (Nejau, o Viešpatie, nejau gali būti, kad ji girta? Mama ničnieko negeria, išskyrus vieną saldaus chereso taurelę sekmadieniais, nuo pat 1952 metų, kai išgėrusi pusę litro sidro truputį apgirto Meivisės Enderbi dvidešimt pirmo gimtadienio vakarėlyje; šito ji nepamiršo ir nuolat primena kitiems: „Žinok, meilute, nėra nieko baisiau už girtą moterį".)

– Mama. Baik. Gal geriau susėskim visi pietauti ir aptarkim tuos dalykus? – paklausiau, tarsi mes būtume filme „Nemiga Sietle" ir pietums baigiantis mama su tėčiu susikibs už rankų,

* Germaine Greer – britų rašytoja feministė.

o aš, užsivertusi ant nugaros ryškiaspalvę kuprinę, gudriai merksiu akį prieš kamerą.

– Tu tik palauk, – pažadėjo ji niūriai. – Dar pamatysi, kokie tie vyrai.

– Bet aš jau... – prasižiojau.

– Dabar išeinu, meilute, – nukirto ji. – Einu, gal rasiu tinkamą *partnerį*.

Antrą valandą atvyko tėtis, nešinas dailiai sulankstytu „Sunday Telegraph“. Vos atsisėdo ant sofos, kaip jo veidas sugniužo, skruostais pasruvo ašaros.

– Ji taip pasikeitė nuo tada, kai nuvažiavo į Albufeirą su Una Alkonberi ir Odre Kols, – kūkčiojo jis, mėgindamas delnais šluostytis ašaras. – Kai tik grįžo, iškart ėmė sakyti, kad turėčiau jai mokėti už namų ruošą, kad pražudė visą gyvenimą mums vergaudama. – (*Mums?* Taip ir žinojau. Tai mano kaltė. Jei būčiau geresnė, mama nebūtų liovusis mylėti tėtį.) – Ji nori, kad aš kuriam laikui išsikelčiau, ir dar sako... sako... – jo kūną tampė bežadė rauda.

– Ką dar sako, tėti?

– Sako, kad aš įsitikinęs, jog klitoris – tai objektas iš Naidželo Kolso drugelių kolekcijos.

VASARIO 13, PIRMADIENIS

57,5 kg, alkoholio vienetai 5, cigarečių 0 (dvasiškai turtėdama atsikratau potraukio rūkyti – revoliucija), kalorijos 2845.

Gėda, bet turiu pripažinti, kad sielvartą dėl tėvus ištikusių nelaimių lydi tam tikras pasitenkinimas nauju guodėjos ir, drįstu pripažinti, išmintingos patarėjos vaidmeniu. Jau taip seniai esu dariusi ką nors kito žmogaus labui, kad šis pojūtis atrodo visiškai naujas ir labai svaigus. Štai ko man trūko gyvenime. Įsivaizduoju, jog galėčiau tapti samariete ar sekmadieninės mokyklos mokytoja, virčiau elgetoms sriubą (mano draugas Tomas siūlo verčiau gaminti dailutes mažytes itališkas bandeles su *pesto* užtepu), o gal net pakeisčiau profesiją ir tapčiau gydytoja. Nors gal dar geriau būtų už gydytojo ištekėti, patenkinant sykiu ir seksualinius, ir dvasinius poreikius. Ėmiau galvoti, ar nepasiuntus skelbimo į žurnalo „Lancet" pažinčių skyrelį. Galėčiau atsiliepinėti telefonu, kai jam skambins, siųsti velniop ligonius, kurie naktimis reikalauja gydytojo vizitų, kepti jam ožkos sūrio suflė ir galų gale sulaukusi šešiasdešimties metų pradėti jo nekęsti, kaip mano mama.

O Dieve. Rytoj Valentino diena. Kodėl? Kodėl, kodėl visas pasaulis tik ir stengiasi, kad žmonės, kuriems nesiseka meilė, jaustųsi paskutiniais idiotais; juk visi žino, kad iš meilės nieko gero neišeina. Jūs tik pažiūrėkit į karališkąją šeimą. Arba į mano mamą ir tėtį.

Aišku, kad Valentino diena yra absoliučiai ciniškas, verslininkų išgalvotas triukas. Esu jai totaliai abejinga.

VASARIO 14, ANTRADIENIS

57 kg, alkoholio vienetai 2 (romantiškos Valentino dienos vaišės – pastačiau sau du butelius alaus, cha), cigarečių 12, kalorijos 1545.

8 valanda ryto. Ūūūū, kaip žavu. Valentino diena. Įdomu, ar paštą jau atnešė? Gal bus koks atvirukas nuo Danielio? Ar nuo slapto gerbėjo? O gal gėlių ar širdies formos šokoladukų? Tiesą sakant, truputį jaudinuosi.

Aptikusi priebutyje puokštę rožių, išgyvenau trumpą, tačiau ekstazei prilygstantį džiaugsmą. Danielis! Nulėkiau žemyn ir švytėdama pačiupau gėles, tik staiga atsidarė pirmo aukšto durys ir išlindo Vanesa.

– Ūūū, kokios gražios, – pavydžiai nutęsė. – Nuo ko?

– Nežinau, – šelmiškai atrėžiau ir žvilgtelėjau į kortelę. – Ak... – prigesau. – Čia tau.

– Neimk į galvą. Žiūrėk, užtat šitas tau, – padrąsino Vanesa. Ir padavė man *Access* kortelės balansą.

Nutariau pakeliui į darbą pasilepinti kapučino kava ir šokoladiniais raguoliais: pakelti nuotaiką. Figūra man nerūpi. Būtų kvaila, nes esu niekam nereikalinga ir niekas manęs nemyli.

Važiuojant metro buvo aiškiai matyti, kurie žmonės gavo Valentino dienos sveikinimus, kurie ne. Gavusieji drąsiai ir ciniškai šypsodamiesi dairėsi aplinkui, o kiti droviai delbė akis.

Įėjusi į kabinetą pamačiau ant Perpetujos stalo avies didumo gėlių puokštę.

– Na, Bridžita, – užbliovė ji taip, kad visi girdėtų, – o tu kiek gavai?

Susmukau savo kėdėje, puse lūpų mūkdama: „Užsikimmmšk" it įskaudinta paauglė.

– Na baik! Kiek?

Jau pamaniau, kad tuoj nusuks man ausį ar iškrės ką panašaus.

– Tai kvailas ir beprasmis išsidirbinėjimas. Sugalvotas verslininkų pasipelnymui.

– Aš taip ir žinojau, kad nieko negavai, – uždainavo Perpetuja. Tik tada pamačiau, kad kitame kambario kampe stovi Danielis ir kvatojasi.

VASARIO 15, TREČIADIENIS

Netikėta staigmena. Jau buvau beišeinanti į darbą, kai ant prieškambario stalo pamačiau rausvą voką – neabejotiną suvėluotą Valentino sveikinimą – su užrašu: „Tamsiaplaukei gražuolei". Akimirką pamaniau, kad tai man, ir susijaudinau, pasijutusi paslaptingu, tamsiu vyriškų geismų objektu. Paskui prisiminiau prakeiktąją Vanesą ir jos žvilgančius juodus plaukus. Hrrr.

9 valanda vakaro. Ką tik grįžau, bet vokas tebeguli kur gulėjęs.

10 valanda vakaro. Jis tebeguli.

11 valanda vakaro. Negaliu patikėti. Vokas tebėra. Gal Vanesa dar negrįžo?

VASARIO 16, KETVIRTADIENIS

56 kg (svorio netekau lakstydama laiptais), alkoholio vienetų 0 (puiku), cigaretės 5 (puiku), kalorijos 2452 (nelabai gerai), 18 kartų lipta laiptais žemyn patikrinti, ar tebėra į Valentino dienos sveikinimą panašus vokas (psichologiškai blogai, užtat l.g. fizinei formai).

Vokas tebėra! Na aišku, čia kaip su paskutiniu saldainiu ar paskutiniu torto gabalėliu. Abi esam tokios mandagios, kad neimam nė viena.

VASARIO 17, PENKTADIENIS

56 kg, alkoholio vienetas 1 (l.g.), cigaretės 2 (l.g.), kalorija 3241 (blogai, bet sudeginau lakstydama laiptais), vokas patikrintas 12 kartų (tai jau apsėdimas).

9 valanda ryto. Vokas guli ant stalo.

9 valanda vakaro. Vokas tebeguli.

9.30 vakaro. Vokas tebeguli. Nebegaliu. Vanesa aiškiai namie, nes iš jos buto sklinda maisto kvapai, todėl pabeldžiau į duris.
– Man atrodo, kad čia tau, – pasakiau ištiesdama voką, kai ji atidarė duris.

– O aš maniau, kad tau, – atsakė.

– Gal atplėšiam? – pasiūliau.

– Okei. – Padaviau jai voką, o ji kikendama grąžino man. Aš vėl padaviau. Merginos yra tikras stebuklas.

– Nagi, – padrąsinau, ir ji atplėšė voką virtuviniu peiliu, kurį kaip tik laikė rankoje. Atvirukas atrodė meniškas, veikiausiai pirktas kokioje dailės galerijoje.

Ji išsiviepė.

– Man tai nieko nesako, – pareiškė ištiesdama atviruką.

Ten buvo parašyta: „Dar vienas objektas, sugalvotas verslininkų pasipelnymui, mano miela frigidiška karvute".

Garsiai sucypiau.

10 valanda vakaro. Ką tik paskambinau Šeron ir viską papasakojau. Ji liepė neleisti, kad pigus atvirukas apsuktų galvą, ir laikytis atokiau nuo Danielio, kuris nėra padorus žmogus ir nieko gero iš to neišeis.

Paskambinau Tomui, nes norėjau sužinoti kito žmogaus nuomonę, svarbiausia – skambinti Danieliui savaitgalį ar ne. „Neeee!" subliovė jis ir apipylė mane kontroliniais klausimais: pavyzdžiui, kaip elgėsi Danielis pastarąsias kelias dienas, kai pasiunčiau man atviruką nesulaukė jokios reakcijos. Atsakiau, jog atrodė meilesnis negu paprastai. Tomas liepė elgtis atsainiai ir palaukti pirmadienio.

VASARIO 18, ŠEŠTADIENIS

57 kg, alkoholio vienetai 4, cigaretės 6, kalorijos 2746, loterijoje atspėti skaičiai 2 (l.g.).

Pagaliau išsiaiškinau, kas darosi mamai ir tėčiui. Jau laukiau atostogų Portugalijoje parengtos atomazgos ir vaizdavausi, kaip atvertusi „Sunday People" nuotraukoje pamatysiu savo motiną nubalintais plaukais ir berankove palaidine leopardo kailio raštais, sėdinčią ant sofos šalia kokio nors Gonzaleso išblukusiais džinsais ir aiškinančią, kad kai žmogų tikrai myli, keturiasdešimt šešerių metų amžiaus skirtumas nieko nereiškia.

Šiandien ji pasiūlė susitikti pietums „Dickens and Jones" kavinėje, ir aš tiesiai paklausiau, ar ji ką nors susirado.

– Ne. Aš nieko nesusiradau, – atsakė stebeilydamasi į tolumą melancholišku, tačiau narsiu žvilgsniu (galėčiau prisiekti, kad jį nubeždžioniavo iš princesės Dianos).

– Tai kodėl taip bjauriai elgiesi su tėčiu? – paklausiau.

– Meilute, suprask: kai tavo tėvas išėjo į pensiją, aš staiga supratau, kad trisdešimt penkerius metus be pertraukos tvarkiau jo namus ir auginau jo vaikus...

– Mudu su Džeimiu ir *tavo* vaikai, – įsižeidusi pertraukiau.

– ...ir kad jo gyvenimo darbas jau baigtas, o mano ne, lygiai taip jausdavausi savaitgaliais, kai jūs buvot maži. Gyvenimas tik vienas. Aš ką tik apsisprendžiau kai ką pakeisti ir likusį gyvenimą labiau rūpintis savimi, o ne kitais.

Nuėjau prie kasos susimokėti, galvodama apie tai, ką ji pasakė; būdama feministė, stengiausi suprasti mamos požiūrį. Staiga žvilgsnį patraukė aukštas, aristokratiškos išvaizdos žilaplaukis vyriškis europietišku odiniu švarku, laikantis tokią vyrišką odinę rankinę. Jis žiūrėjo į kavinės vidų, stukseno pirštu į savo laikrodį ir kilnojo antakius. Apsisukusi pamačiau, kaip mano motina be garso taria: „Minutę palauk" ir atsiprašydama linkteli manęs link.

Tuosyk mamai nieko nesakiau, tik atsisveikinau, bet paskui apsigręžiau ir truputį juos pasekiau, kad įsitikinčiau, jog nesapnuoju. Ir tikrai netrukus radau ją kvepalų skyriuje su sidabraplaukiu gražuoliu: purškė sau ant riešų viską, ką radusi, kėlė rankas jam prie nosies ir koketiškai juokėsi.

Grįžau ir radau atsakiklyje brolio žinutę. Tuoj pat jam paskambinau ir viską išklojau.

– Eik tu, Bridže, dėl Dievo meilės, – atrėžė tas maurodamas iš juoko. – Tau tik seksas galvoj. Pamatytum, kaip mama eina Komunijos, tai pagalvotum, kad taikosi atsegti kunigui kelnes. Gavai sveikinimų Valentino dieną?

– Taip, jei nori žinoti, – suburbėjau. Jis vėl pratrūko kvatotis, paskui pasakė skubąs, nes jie su Beka eina į parką treniruotis *tai chi*.

VASARIO 19, SEKMADIENIS

56,5 kg (l.g., bet tik nuo jaudinimosi), alkoholio vienetai 2 (juk šventa diena), cigaretės 7, kalorijų 2100.

Paskambinau mamai ir tiesiai išdrožiau, kad viską žinau apie jos antros jaunystės gražuolį, su kuriuo buvo susitikusi po pietų.

– A, tu kalbi apie Džulianą, – sučiulbo ji.

Man iškart viskas paaiškėjo. Mano tėvai, kalbėdami apie savo draugus, niekad nevadina jų vardais. Visad sako: Una Alkonberi, Odrė Kols, Brajanas Enderbis: „Meilute, atsimeni Deividą Riketsą – Antėjos Rikets vyras, tos, kuri dirba „Lifeboat"*. Taip jie tylomis prisipažįsta žiną, jog aš neturiu nė mažiausio supratimo, kas tie Brajanas ir Meivisė Enderbiai, tačiau vis tiek šneka apie juos visą valandą taip, tarsi būčiau su jais artimai draugavusi nuo vaikystės.

Man tapo aišku kaip dieną, kad Džulianas tikrai nedalyvaus jokiuose labdaros pietuose ir neturės žmonos, aktyviai dirbančios „Lifeboat", Rotary ar „Šv. Jurgio draugų" klube. Dar supratau, kad jie susitiko Portugalijoje prieš prasidedant tiems nemalonumams su tėčiu ir kad veikiausiai netrukus paaiškės, jog jis anaiptol ne Džulianas, bet Chulijus. Būkim atviri: supratau, kad Chulijus *ir yra* tikroji visų nelaimių priežastis.

* Viena seniausių ir populiariausių Britanijoje labdaros organizacijų.

Nesismulkindama išrėžiau, ką galvoju. Ji viską paneigė. Net sukūrė išdailintą, absoliučiai melagingą istoriją, kaip „Džulianas" atsitrenkė į ją „Marks and Spencer" parduotuvėje prie Marbl Arčo, kaip ji dėl to užsimetė sau ant kojos ką tik nusipirktą „Le Creuset" paštetų formą, kaip jis ją pakvietė į „Selfridges" išgerti kavos ir taip užsimezgė tvirta platoniška draugystė, palaikoma vien susitikimų universalinių parduotuvių kavinėse.

Kodėl žmonės, užmezgę romaną ir dėl to nutarę palikti partnerį, yra įsitikinę, jog būtinai reikia apsimesti, kad jų gyvenime daugiau nieko nėra? Ar jie mano, kad paliktasis partneris mažiau skaudinsis sužinojęs, kad buvo paliktas, nes palikėjas nebegalėjo jo pakęsti, ir kad po dviejų savaičių, kai paliktasis kas vakarą apsipila ašaromis vos pažvelgęs į buvusią bendrą stiklinaitę dantų šepetukams laikyti, palikėjas, lydimas stebuklingos sėkmės, sutinka aukštaūgį Omarą Šerifą su odine rankine ant riešo? Kodėl žmonės visad teisinasi išgalvodami melus, kai kartais žymiai lengviau pasakyti tiesą?

Kartą girdėjau, kaip mano draugas Saimonas skambina merginai, kuri jam rimtai rūpėjo, ir atšaukinėja sutartą pasimatymą, nes jam prie pat nosies išdygo bjaurus spuogas geltona viršūne, o be to, pristigęs švarių drabužių, atėjo į darbą su klaikiu senamadišku švarku, tikėdamasis normalųjį švarką per pietus pasiimti iš valyklos, tačiau pasirodė, kad jis dar neišvalytas.

Todėl sumanė pasakyti merginai, kad negali ateiti, nes pas jį netikėtai atvažiavo sesuo, kurią jam teks linksminti, ir dar kaip koks beprotis pridūrė iki ryto turįs peržiūrėti keletą vaizdajuosčių, kurių jam reikia darbui. Mergina tuoj pat jam priminė, jog sakęs neturįs nei brolių, nei seserų, ir pasiūlė atvažiuoti žiūrėti vaizdajuosčių pas ją, o ji pagaminsianti vakarienę. Jokių darbui reikalingų vaizdajuosčių niekur nebuvo, tad Saimonui teko toliau painiotis melo voratinklyje. Viskas baigėsi tuo, kad mergina, įsitikinusi, jog jis susitinka su kita (tai turėjo būti tik antras jųdviejų pasimatymas), pasiuntė jį po velnių, o Saimonas visą vakarą sėdėjo namie su šlykščiuoju švarku ir gėrė, žiūrėdamas į savo spuogą.

Pamėginau mamą įtikinti, kad kalba netiesą, bet ji buvo taip apimta geidulio, kad, sakyčiau, nieko nepaisė.

– Meilute, tu daraisi baisiai ciniška ir įtari, – rėžė ji. – Chulijus (aha! ahahahahaha!) man tik draugas. Tiesiog man reikia *atsigauti*.

Pasirodė, kad tėtis, nenorėdamas painiotis jai po kojomis, išsikelia į mirusios Alkonberių senelės butą jų sodo gale.

VASARIO 21, ANTRADIENIS

L. pavargau. Tėtis įprato skambinti po kelis kartus per naktį, sako norįs pasikalbėti.

VASARIO 22, TREČIADIENIS

57 kg, alkoholio vienetai 2, riebalų vienetai 8 (netikėtai su pasišlykštėjimu išvydau sielos akimis, kaip mano užpakalis ir šlaunys apauga taukų pagalvėmis. Nuo rytojaus vėl skaičiuosiu kalorijas).

Tomas buvo absoliučiai teisus. Buvau taip susirūpinusi tuo, kas dedasi tėvams, taip pervargusi nuo naktinių pokalbių su tėčiu, kad beveik nustojau pastebėti Danielį: stebuklingas tokios taktikos rezultatas – jis prilipo prie manęs kaip musė prie medaus. Tiesa, šiandien klaikiai pasišiukšlinau. Nutariau nusipirkti sumuštinį, įlipau į liftą ir pamačiau jame Danielį su Saimonu iš rinkodaros skyriaus; jie kalbėjosi, kaip futbolininkai pardavinėja rungtynes.

– Ar esi apie tai girdėjusi, Bridžita? – paklausė Danielis.

– Aišku, – pamelavau, karštligiškai stengdamasi ką nors sugalvoti. – Tiesą sakant, man tai atrodo smulkmena. Žinau, kad taip elgtis negražu, bet jei žmogus gali pas juos nusipirkti bilietą pigiau negu kasoje, tai nėra ko čia kelti triukšmą.

Saimonas pažvelgė į mane kaip į beprotę, o Danielis iš pradžių stebeilijosi tylomis, tik staiga pratrūko kvatotis. Kvatojosi kaip hiena, kol liftas sustojo, juodu su Saimonu išlipo, tada Danielis atsigręžė ir prieš pat užsiveriant lifto durims ištarė: „Tekėk už manęs". Hmmmm.

VASARIO 23, KETVIRTADIENIS

56,5 kg (o, jei galėčiau taip ir išsilaikyti žemiau penkiasdešimt septynių kilogramų, užuot šokčiojusi aukštyn žemyn it taukuose skęstantis lavonas), alkoholio vienetai 2, cigarečių 17 (suprantama – prieš seksą žmogus jaudinasi), kalorijos 775 (paskutinis beviltiškas mėginimas iki rytojaus pasiekti 54 kg ribą).

8 valanda vakaro. O velnias. Kompiuterinis susirašinėjimas užsisuko ne juokais. Šeštą valandą ryžtingai užsimečiau paltą ir išėjau, tačiau aukštu žemiau į liftą įlipo Danielis. Atsidūrėme vienu du galingame elektromagnetiniame lauke, neatsispiriamai traukiami vienas kito tarsi du magnetai. Staiga liftas sustojo, mes giliai alsuodami atšokom į skirtingas puses, ir įėjo Saimonas iš rinkodaros skyriaus, riebų kūną aptempęs šlykščiu kreminiu lietpalčiu.

– Bridžita, – tarė jis, su bjauria šypsenėle žiūrėdamas, kaip aš nevalingai išlyginau sijoną, – atrodai tarsi pagauta pardavinėjant rungtynes.

Kai ėjau pro lauko duris, Danielis iššoko iš paskos ir paklausė, ar nesutikčiau rytoj su juo papietauti. Taip!

Vidurnaktis. Ūch. Jaučiuosi išsunkta kaip kempinė. Juk nenormalu ruoštis pasimatymui tarsi pokalbiui dėl darbo? Įtariu, kad reikalams vystantis neįtikėtina Danielio erudicija gali tapti tam tikra kliūtimi. Gal reikėjo įsimylėti jaunesnį ir kvailesnį personažą, kuris gamintų man valgį, skalbtų visus drabužius ir sutiktų su kiekvienu mano žodžiu? Po darbo vos nesusilaužiau nugaros, kankindamasi aerobikos treniruotėje, paskui septynias minutes gremžiau visą kūną aštriu šepečiu, paskui sutvarkiau butą, pripirkau pilną šaldytuvą maisto, išsipešiojau antakius, peržvelgiau laikraščius ir „Ugningo sekso vadovą", įdėjau skalbti skalbinius ir pati vašku depiliavau kojas, nes buvo per vėlu skambinti kosmetologei. Viskas baigėsi tuo, kad dabar klūpau ant rankšluosčio ir žiūriu „Panoramą", nes noriu žinoti, kas dedasi pasaulyje, kartu iš visų jėgų plėšdama nuo užpakalinės blauzdos pusės vaškuotą juostą. Diegia nugarą, skauda galvą, o kojos ryškiai raudonos ir aplipusios vaško gniutulais.

Išmintingi žmonės pasakytų, kad turėčiau Danieliui patikti tokia, kokia esu, bet aš išauklėta „Cosmopolitan" kultūros, traumuota supermodelių bei psichologinių testų, todėl puikiai žinau, jog nei mano asmenybė, nei kūnas be titaniškų pastangų nieko neverti. Šito spaudimo nebeištversiu. Geriau atšauksiu pasimatymą ir visą vakarą valgysiu spurgas, apsivilkusi nutąsytu megztiniu su kiaušinio dėmėmis.

VASARIO 25, ŠEŠTADIENIS

55 kg (stebuklas: seksas išties pasirodė geriausia fizinė mankšta),
alkoholio vienetų 0, cigarečių 0, kalorijų 200
(pagaliau atskleidžiau paslaptį, kaip susilaikyti nevalgius:
maistą reikia pakeisti seksu).

6 valanda vakaro. Kokia palaima. Visą dieną jaučiuosi tarsi apgirtusi nuo sekso, išsišiepusi slampinėju po butą, imu įvairius daiktus ir vėl dedu į vietą. Buvo tik du minusai: 1) tuoj po to Danielis sumurmėjo: „O velnias, pamiršau atiduoti automobilį į servisą", ir 2) kai atsikėliau eiti į vonią, jis pasakė, kad man prie blauzdos prilipusios pėdkelnės.

Tačiau dabar rausvi debesys pradeda sklaidytis ir aš juntu augantį nerimą. Kas toliau? Nieko apie tai nekalbėjom. Staiga suvokiau, kad ir vėl laukiu, kol suskambės telefonas. Kaip čia yra, kad po pirmos kartu praleistos nakties lyčių situacija išlieka tokia nepakeliamai neaiški? Tarsi būčiau ką tik išlaikiusi egzaminą ir dabar laukčiau įvertinimo.

11 valanda vakaro. O Dieve, kodėl Danielis nepaskambino? Tai ar mes dabar kartu, ar kaip? Kodėl mano mama gali švilpaudama peršokti nuo vieno romano prie kito, o man niekas nesiseka? Gal jos kartos žmonėms tiesiog geriau sekasi kurti ir puoselėti santykius? Gal jie nebijo atrodyti paranojiški ir nedrąsūs? O gal geriausia išvis neskaityti psichologinių elgesio vadovų.

VASARIO 26, SEKMADIENIS

57 kg, alkoholio vienetai 5 (skandinau sielvartą), cigaretės 23 (mėginau išrūkyti sielvartą), kalorijos 3856 (dusinau sielvartą taukų antklode).

Nubudau viena savo lovoje ir įsivaizdavau mamą su Chulijum. Staiga pasibjaurėjau tėvų, veikiau vieno iš tėvų, sekso vaizdiniais; pasipiktinau už tėvą; paskui pajutau sveiką, beatodairišką džiaugsmą suvokusi, kad manęs laukia dar bent trisdešimt nevaldomos aistros metų (pripažįstu, jog paveikė dažnos mintys apie Džoaną Lamli ir Sjuzen Sarandon); tačiau pagrindinis jausmas – beribis savo menkystės suvokimas ir kvailas pavydas, nes štai aš sekmadienio rytą guliu viena, o mano septintą dešimtį pradėjusi motina turbūt jau antrą kartą... O Viešpatie. Ne. Negaliu net pagalvoti.

KOVAS

KLAIKUS SIAUBAS, SUSIJĘS SU GIMTADIENIU, KAI TAU PER TRISDEŠIMT

KOVO 4, ŠEŠTADIENIS

57 kg (ir kokio velnio visą vasarį laikiausi dietos, jei kovo
pradžioje sveriu lygiai tiek pat, kiek vasario pradžioje?
Chm. Užteks, nebesisversiu ir nebeskaičiuosiu kasdien
tų nesąmonių, nes nieko iš to gero).

Motina tapo jėga, kurios nebeatpažįstu. Šį rytą įsiveržė pas
mane, kai sėdėjau susivėlusi, įsisupusi į chalatą, niūriai laka-
vau kojų nagus ir žiūrėjau žirgų lenktynių pradžią.

– Meilute, ar galiu tuos porai valandų čia palikti? – sučiul-
bo ji ir nuliuoksėjo į miegamąjį, sviedusi į kampą krūvą par-
duotuvės maišelių.

Po keleto minučių mane užgraužė smalsumas, tad nušlep-
sėjau iš paskos pažiūrėti, ką ji ten veikia. Mama, apsivilkusi ka-
vos spalvos apatinuku, kuris atrodė velniškai brangus, sėdėjo
priešais veidrodį ir plačiai išsižiojusi dažė blakstienas (būtiny-
bė išsižioti kaip krokodilui dažant akis yra viena daugelio ne-
išaiškintų gamtos mįslių).

– Kaip manai, meilute, ar tau ne laikas apsirengti?

Ji atrodė stulbinančiai: oda švyti, plaukai blizga. Netyčia
pamačiau savo atspindį veidrodyje. Dabar jau visiškai aišku,
kad vakar prieš gulantis reikėjo nusivalyti makiažą. Plaukai
vienoje galvos pusėje buvo visiškai susiploję, užtat kitoje tarsi
plunksnos styrojo kuokštais. Galima pagalvoti, kad mano
plaukai gyvena savą slaptą gyvenimą: dieną elgiasi visiškai pa-
doriai ir laukia, kol aš užsnūsiu, o tada leidžiasi laigyti ir siau-
tėti kaip vaikai, cypaudami: „Na, ką čia dar tokio iškrėtus?"

– Žinai, – kalbėjo mama, kvėpindama iškirptę „Givenchy II", – tavo tėvas visą laiką tiek pasakojo apie mokesčių deklaracijas ir sąskaitas, aiškiai norėdamas išsisukti nuo indų plovimo. Tai va, atėjo laikas pristatyti mokesčių deklaraciją, aš ir pagalvojau, eina jis sau, imsiu ir užpildysiu pati. Aišku, iš pradžių nieko nesupratau, tai paskambinau į mokesčių inspekciją. Tas inspektorius pradėjo kalbėti labai atšiauriai: „Na žinot, ponia Džouns, – sako, – niekaip neįsivaizduoju, ko čia nesuprasti." Aš jam sakau: „Paklausykit, pone, o ar *jūs* galėtumėt iškepti sviestinį raguolį?" Tada jis suprato, viską man paaiškino, ir užpildžiau per penkiolika minučių. Be to, šiandien mane pakvietė pietų. Mokesčių inspektorius! Tu įsivaizduoji?

– Ką? – sumekenau, staiga įsitvėrusi durų staktos. – O kaip Chulijus?

– Jei aš „draugauju" su Chulijum, tai anaiptol nereiškia, kad negaliu turėti jokių kitų „draugų", – saldžiu balseliu atrėžė ji, vilkdamasi geltoną dviejų dalių kostiumėlį. – Patinka? Ką tik nusipirkau. Ta citrinos spalva tiesiog fantastiška, ką? Na gerai, turiu bėgti. Po pirmos penkiolika susitarėm susitikti „Debenham's" parduotuvės kavinėje.

Kai ji išlėkė, suvalgiau truputį javainių tiesiai iš pakelio ir subaigiau šaldytuve buvusius vyno likučius.

Jau žinau, kokia jos paslaptis: moteris pajuto savo valdžią. Ji turi valdžią tėčiui, nes tas nori, kad ji grįžtų. Be to, dar valdo Chulijų ir mokesčių inspektorių: Visi tą valdžią jaučia ir nori ją patirti savo kailiu, o nuo to ji darosi dar patrauklesnė. Vadinasi, man tereikia tik susirasti ką nors, ką galėčiau valdyti, ir tada... o Viešpatie. Aš juk negaliu suvaldyti net savo plaukų.

Jaučiuosi baisiai prislėgta. Danielis visą savaitę buvo be galo draugiškas, plepus ir net galantiškas, bet nė karto neužsiminė, kas vyksta tarp mūsų, tarsi miegoti su bendradarbe būtų normaliausias dalykas pasaulyje. Darbas, anksčiau tik erzinantis ir nuobodus, dabar virto žiauria kankyne. Kas kartą, kai jis išeina pietauti arba darbui baigiantis velkasi paltą, aš išgyvenu šiurpią traumą: kur jis eina? su kuo? kas ji?

Perpetuja įsigudrino suversti man visus savo darbus ir leidžia dienas prie telefono, pasakodama Arabelai ar Pigei apie tą butą Fuleme už pusę milijono, kurį juodu su Hugo ketina pirkti. „Taip. Nia. Taip. Nia, tu *absoliučiai* teisi. Bet matai, koks klausimas: ar verta mokėti dar trisdešimt gabalų už ketvirtą miegamąjį?"

Penktadienį penkiolika po keturių man į darbą paskambino Šeron.

– Mes su Džude susitarėm rytoj susitikti, ateisi?

– Em... – sunerimusi nutilau, galvodama: *o jei Danielis pasiūlys ką nors savaitgaliui, prieš išeidamas namo?*

– Paskambink, jei jis nepakvies, – po pauzės sausai ištarė Šeron.

Be penkiolikos šeštą pamačiau Danielį, kuris jau su paltu slinko durų link. Skausmas, atsispindėjęs mano veide, tikriausiai net jį sugėdino, nes gudriai nusišiepė, mostelėjo galva kompiuterio link ir movė lauk.

Ir tikrai, monitoriuje švysčiojo užrašas „Nauja žinutė".
Nutariau perskaityti. Štai ką radau:

```
Kam: Džouns
Gero savaitgalio. Pyp pyp.
Klyvas
```

Nusiminusi pakėliau ragelį ir susukau Šeron.

– Kada rytoj susitinkam? – droviai suburblenau.

– Pusę devynių. „Cafe Rouge". Neliūdėk, mes tave mylim. Perduok jam nuo manęs, kad atsikabintų. Emocinis užknisinėtojas.

2 valanda nakties. Galings vakrėls su Šžeze Džude. Nrūpi nekiek man durnas Danelis durnas subinė. Dabar tik trupti bloga. Oi.

8 valanda ryto. Ūū. Geriau būčiau numirusi. Daugiau niekada, niekada gyvenime negersiu nė vieno lašo.

8.30 ryto. Oooch. Suvalgyčiau kokį bulvių traškutį.

11.30 ryto. Organizmas klaikiai trokšta vandens, bet geriau būti užsimerkus ir laikyti galvą stabiliai padėtą ant pagalvės, kad neišjudinčiau visų viduje kalančių dantračių.

Vidudienis. Buvo baisiai smagu, bet galutinai susipainiojau, kaip elgtis su Danieliu. Pirmiausia reikėjo gerai apsvarstyti Džudės problemas su Bjaurybe Ričardu, nes čia reikalas daug rimtesnis: jie draugauja pusantrų metų, o mes tik kartą pergulėjom. Todėl nebyliai laukiau savo eilės, kad galėčiau papasakoti naujausius Danielio nuotykius. Papasakojusi susilaukiau vieningo nuosprendžio: „Šikniškas užknisinėjimas".

Užtat Džudė papasakojo apie naują įdomią sąvoką – „vyrišką laiką", – pasigautą iš filmo „Painiava": taigi tos penkios dienos („septynios", neiškentusi įsikišau), kurias naujasis romanas po sekso epizodo kybo ore, vyriškiams atrodo anaiptol ne kančių kupina amžinybė, bet normalus jausmų susigulėjimo laikotarpis, po kurio galima eiti toliau. Džudė tvirtino, kad Danielis neabejotinai jaudinasi dėl to, kas vyksta darbe, ir t.t., ir pan., todėl reikia jo nespausti, elgtis draugiškai ir žaismingai: taip jis įsitikins, jog aš juo pasitikiu ir neketinu prisisiurbti it dėlė ar pulti į isteriją.

Tai išgirdusi Šeron vos neprispjovė į trintą parmezaną ir pareiškė, kad stačiai nežmoniška palikti moteriškę visiškai vieną po sekso du savaitgalius iš eilės, kad tai šiurpulingas piktnaudžiavimas mano pasitikėjimu ir kad turėčiau aiškiai iškloti, ką apie jį galvoju. Hmmm. Na, nieko. Geriau dar truputį numigsiu.

5.

2 valanda popiet. Ką tik pergalingai grįžau iš didvyriško žygio: buvau nulipusi laiptais žemyn pasiimti laikraščio, o po to išgėriau stiklinę vandens. Jutau, kaip krištolinė vandens srovė liejosi tiesiai į galvą, kuri jos labiausiai troško. Nors kai pagalvoju, tai negalėčiau tvirtai pasakyti, kad vanduo gali patekti tiesiai į galvą. Gal jis pernešamas su krauju. Kadangi pagirias sukelia dehidrataciją, tai gal smegenys traukia vandenį savo kapiliarais.

2.15 popiet. Perskaičiau laikraštyje pasakojimą apie tai, kaip dvejų metų vaikams reikia atlikti psichologinius testus prieš pradedant lankyti darželį, ir vos nepašokau iki lubų. Šiandien popiet turiu būti krikštasūnio Hario gimimo dienoje.

6 valanda popiet. Praktiškai mirdama lėkiau it patrakusi per pilką, lietaus permerktą Londoną pas Magdą, tik pakeliui sustojau „Waterstone" parduotuvėje nupirkti dovanos. Darėsi silpna vien pagalvojus, kad pavėlavusi ir pagiriota atvyksiu į gimtadienį, kur mane pasitiks buvusios dirbančios moteriškės, dabar tapusios tarpusavyje konkuruojančiomis mamomis. Magda anksčiau dirbo finansų maklere, o dabar meluoja sakydama, kiek Hariui metų, kad vaikas atrodytų labiau išsivystęs. Jau būdama nėščia stengėsi perspjauti visas kitas moteris ir gėrė šešiskart daugiau folinės rūgšties bei mineralų negu reikėjo. Gimdymas buvo didingas. Ištisus mėnesius Magda išdidžiai pasakojo, kaip ji gimdys natūraliai, o praėjus dešimčiai minučių po pirmųjų sąrėmių jau klykė nesavu balsu: „Tuoj pat duok nuskausminančių, tu stora karve!"

Gimtadienio šventimas atrodė tikras košmaras: atsidūriau tarp krūvos nepakaltinamų motinų, kurių viena atsinešė net keturių savaičių kūdikį.

– Ojojoi, koks meilutis, – suburkavo Sara de Lail, ir staiga smogė: – O koks jo AGPAR rezultatas?

Nežinau, ko žmonės taip jaudinasi, kad testuojami dvimečiai – pavyzdžiui, tas AGPAR įvertinimas atliekamas, kai naujagimiui tik *dvi minutės*. Magda prieš dvejus metus apsigėdino prisigyrusi, kad jos Hario rezultatas buvo vienuolika: kita viešnia, pediatrė, pareiškė, kad testo skalę sudaro dešimt punktų.

Nenugalėta Magda pradėjo auklėms skleisti pagyras, neva jos sūnus esąs tikras kontroliuojamo tuštinimosi didmeistris, ir tuo sukėlė atsakomąją kitų mamų pagyrų bangą. Todėl mažvaikiai – aiškiai dar tokio amžiaus, kai vaikas turėtų būti nuo galvos iki kojų įsuktas į neperšlampamus vystyklus, – šliaužiojo po kambarį tik su seksualiomis „Baby Gap" kelnaitėmis. Po mano atėjimo nepraėjo nė dešimt minučių, o ant kilimo jau gulėjo trys kakučiai. Kilo iš pirmo žvilgsnio humoristinis, tačiau iš tiesų principinis ginčas dėl kakučių autorystės, po kurio vaikams nervingai buvo nutrauktos kelnaitės: tai įžiebė naują ginčą – apie kūdikių genitalijų dydį, o vėliau, žinoma, ir vyrų.

– Čia jau nieko nepadarysi, tai grynas paveldimumas. Kozmas juk neturi šios srities problemų, ką?

Maniau, kad nuo triukšmo plyš galva. Pagaliau atsiprašiau Magdos ir moviau namo, visą kelią džiaugdamasi, jog esu netekėjusi.

KOVO 6, PIRMADIENIS

11 valanda ryto. Darbe. Esu visiškai išsekusi. Vakar vakare maloniai gulėjau karštoje vonioje su cinamono aliejumi ir gurkšnojau degtinę su toniku, tik staiga suskambo durų skambutis. Ant slenksčio stovėjo apsiraudojusi mama. Prireikė nemaža laiko, kol išsiaiškinau, kas atsitiko, nes ji blaškėsi po virtuvę, karts nuo karto prapliupdama ašaromis ir kartodama, jog nenori apie tai kalbėti; buvau bepradedanti manyti, jog tėtis, Chulijus ir mokesčių inspektorius kaip susitarę nustojo ja domėtis, tad neseniai įgytas seksualinės galios pojūtis dingo it nebuvęs. Pasirodo, ne. Paprasčiausiai ji užsikrėtė sindromu „noriu visko tuoj pat".

– Jaučiuosi kaip tas žiogas, kuris visą vasarą šoko ir dainavo, – prisipažino ji (tą pačią sekundę, kai mano susidomėjimas krize ėmė slūgti). – Štai atėjo mano gyvenimo žiema, o aš nieko neturiu sukaupusi.

Norėjau priminti, jog trys apdūję iš meilės garbintojai, pusė namo ir nemažas pensijos fondas – anaiptol ne „niekas", bet laiku prikandau liežuvį.

– Nepadariau karjeros, – tarė ji. Kažin kur giliai manyje sukrutėjo pasitenkinimas, nes aš darau karjerą. Na – bent jau turiu darbą. Aš kaip tas žiogas, kuris krauna žiemai krūvas žolių, musių ar ko kito, ką maistui vartoja žiogai; tai kas, kad neturiu vaikino.

Šiaip taip pavyko mamą paguosti, kai leidau jai įsisukti į mano spintą ir iškritikuoti visus joje rastus drabužius, o paskui smulkiai išaiškinti, kodėl nuo šiol turėčiau vilkėti tik „Jaeger" ir „Country Casuals". Metodas suveikė taip puikiai, kad netrukus ji visai atsigavo, paskambino Chulijui ir susitarė susitikti „išgerti po taurelę prieš miegą".

Kai ji išėjo, jau buvo po dešimtos, todėl paskambinau Tomui, pranešiau kraupią žinią apie tai, jog Danielis neskambino visą savaitgalį, ir paklausiau, ką jis mano apie prieštaringus Džudės ir Šeron patarimus. Tomas pasakė, kad neklausyčiau nė vienos, neflirtuočiau ir nesakyčiau pamokslų, o darbe elgčiausi kaip tikra profesionalė, atsaini ir šalta it sniego karalienė.

Jis tvirtina, jog vyrai nuolat keberiojasi tam tikrais seksualiniais laiptais, o moterys stovi ant aukštesnių arba žemesnių pakopų. Jei moteris stovi „žemiau" (kitaip sakant, nori su juo permiegoti ir kitaip rodo entuziazmą), tada jis, kaip Graučo Marksas*, tyčia nenori turėti su ja nieko bendra. Tokia pasaulėžiūra mane nežmoniškai slegia, bet Tomas liepė nebūti naivia; jei tikrai myliu Danielį ir noriu užkariauti jo širdį, privalau jį ignoruoti ir atrodyti šalta bei nepasiekiama.

---

* Groucho Marxas – vienas iš populiarių komikų „Marx Brothers"; turimas galvoje jo posakis: „Nenoriu būti narys klubo, kuris sutinka mane priimti".

Vidurnaktį pagaliau nuėjau miegoti visiškai susipainiojusi, o naktį tris kartus paskambino tėtis ir pažadino.

– Kai tave myli, jautiesi taip, tarsi širdis būtų apklostyta antklode, – pasakė jis, – ir kai ją staiga nutraukia... – jis prapliupo verkti. Skambino iš senelės buto Alkonberių sodo gale; apsistojo ten „tik kol viskas susitvarkys", kaip pats tikisi.

Staiga supratau, kad viskas pasikeitė, ir dabar ne mano tėvai mane globoja, o aš juos; man tai atrodo keista ir nenatūralu. Negi jau esu tokia sena?

KOVO 6, PIRMADIENIS

56 kg (l.l.g. – pagaliau supratau dietos esmę: reikia nesisverti).

Galiu visiškai oficialiai patvirtinti, kad mūsų dienomis vyro širdį pavergti pavyksta ne grožiu, maistu, seksu ar viliojančiais asmenybės bruožais, o paprasčiausiu sugebėjimu apsimesti, kad jis tau nerūpi.

Visą dieną nekreipiau jokio dėmesio į Danielį, apsimečiau, kad esu baisiai užsiėmusi (pamėginkit nesijuokti). Monitoriuje švysčiojo užrašas „Nauja žinutė", bet aš tik dūsavau ir vėdavau plaukais tarsi spinduliuojanti garsenybė, prislėgta nepakeliamos darbo naštos. Į vakarą pamačiau, kad vyksta stebuklas – kaip mokykloje per chemijos laboratorinius, mėginant fosforo ar kokio lakmuso testus, – mano metodas veikia. Jis nenuleido nuo manęs akių ir darė reikšmingas grimasas. Pagaliau, Perpetujai kažkur išėjus, net priėjo prie mano stalo, stabtelėjo ir sumurmėjo:

– Džouns, tu dieviška esybe. Kodėl mane ignoruoji?

Ištižusi nuo staiga užplūdusio džiaugsmo ir meilės jau buvau beprasižiojanti ir beišplepanti viską apie prieštaraujančias Tomo, Džudės ir Šeron teorijas, bet apvaizda man šypsojosi: suskambo telefonas. Atsiprašydama pakėliau akis į lubas ir čiupau ragelį, tada į kabinetą įvirto Perpetuja, užpakaliu nušlavė

nuo stalo šūsnį korektūrų, užbaubė: „A, Danieli. Žiūrėk, čia..."
ir nusitempė jį prie savo stalo; baisi sėkmė, nes kaip tik pa-
skambino Tomas, kuris liepė nieku gyvu neatsisakyti sniego
karalienės įvaizdžio ir padiktavo mantrą, kurią turiu kartoti,
kai pajusiu, jog skystu: „Šalta, tolima princesė. Šalta, tolima
princesė".

KOVO 7, ANTRADIENIS

*59, 58 ar 60 kg (??), alkoholio vienetų 0, cigarečių 20,
kalorijų 1500, momentinės loterijos bilietai 6 (prastai).*

9 valanda ryto. Aaa. Kaip galėjau nuo nakties vidurio pri-
augti pusantro kilogramo? Kai ėjau miegoti, svėriau 59 kg,
penktą ryto – 58 kg, o atsikėlusi – 59,5 kg. Suprasčiau, jei svo-
ris būtų *nukritęs* – gal išgaravo su skysčiais ar organizmo pašal-
intas į tualetą, – bet kaip galėjo *priaugti?* Nejau suvalgytas
maistas sureagavo su kitu maistu, padvigubino jo tankį bei kie-
kį, o paskui sukietėjo ir virto sunkiais, skalsiais riebalais? Neat-
rodau storesnė. Galiu užsisegti 1989 metais pirktų džinsų sa-
gą, tiesa, užtrauktuko ne. Tai gal visas mano kūnas mažėja, ta-
čiau didėja jo tankis? Primena visokias kultūrizmo čempiones;
bloga vien nuo tos minties. Paskambinau Džudei, norėdama
pasiguosti nelaime, ji liepė sąžiningai užsirašyti viską, ką suval-
gau, ir pažiūrėti, ar tikrai laikausi dietos. Sudariau sąrašą.

Pusryčiai: karšta bandelė (Skarsdeilo dietos variacija: ten siūlo-
ma suvalgyti riekę rupios duonos); „Mars" batonėlis (ne visai
tikslus Skarsdeilo dietos siūlomos greipfruto puselės pakai-
talas).

Priešpiečiai: du bananai, dvi kriaušės (perėjau prie vaisių dietos,
nes jaučiuosi išbadėjusi ir negaliu net pažiūrėti į Skarsdeilo
dietos siūlomas nevirtas morkas). Pakelis apelsinų sulčių (žalių
daržovių dieta, skirta kovai su celiulitu).

Pietūs: su lupenom virta bulvė (Skarsdeilo vegetariška dieta) ir humusas (Hėjaus dieta – bulvės labai tinka, nes grynas krakmolas, o pusryčiai ir priešpiečiai suteikė organizmui gyvybiškai svarbių medžiagų, išskyrus „Marsą" ir bandelę, bet tai nereikšmingas nukrypimas).

Vakarienė: keturios taurės vyno, kepta žuvis su bulvių traškučiais (Skarsdeilo ir Hėjaus dietos – organizmui būtini baltymai); viena porcija tiramisu; mėtinis šokoladukas „Aero" (iš girtumo).

Aš suprantu, kad nesunku rasti dietą, leidžiančią valgyti kaip tik tą, ko tuo metu nori; kad negalima dietų maišyti ir rankiotis iš jų atskirus patiekalus, reikia pasirinkti vieną ir atkakliai jos laikytis: kaip tik taip ir darysiu, kai tik suvalgysiu šitą sviestinį raguolį su šokoladu.

KOVO 14, ANTRADIENIS

Katastrofa. Visiška katastrofa. Apsvaigusi nuo Tomo pasiūlytos sniego karalienės teorijos rezultatų, persimečiau, taip sakant, prie Džudės teorijos ir vėl ėmiau rašinėti žinutes Danieliui, norėdama užtikrinti, jog juo pasitikiu, jog neprisisiurbsiu it dėlė ir nepulsiu į isteriją. Sniego karalienės taktika, papuošta „Vyrai kilę iš Marso, moterys – iš Veneros" elementais, suveikė puikiai: apie vidudienį Danielis priėjo prie manęs, kai stovėjau šalia kavos automato, ir paklausė:

– Ar važiuosi kitą savaitgalį su manim į Prahą?

– Ką? Ėėhahahaha, kitą savaitgalį, tai tą, kuris bus po šito?

– Taaaaip, kitą savaitgalį, – atsakė jis padrąsinamai ir kiek globėjiškai, tarsi mokytų mane kalbėti angliškai.

– Ooooooch, *žinoma*, – atsakiau, iš susijaudinimo pamiršusi sniego karalienės mantrą.

Po to jis priėjo paklausti, ar nenorėčiau eiti užkąsti čia pat už kampo. Sutarėme susitikti lauke, kad niekas nieko neįtartų, ir viskas atrodė labai įdomu bei slapta, tik staiga einant į alinę jis išrėžė:

– Klausyk, Bridže, aš labai atsiprašau, bet, atrodo, šūdas gaunasi.

– Ką? Kodėl? – paklausiau ir dar nebaigusi prisiminiau mamą: tikriausiai reikėjo sakyti: „Atsiprašau?“

– Kitą savaitgalį negaliu važiuoti į Prahą. Nežinau, kaip man šovė tokia mintis. Bet gal kitą kartą pavyks.

Mano galvoje sužviegė sirena ir užsižiebė milžiniškas neono ženklas – Šeron lūpos, kartojančios: „UŽKNISINĖJA, JAU UŽKNISINĖJA“.

Sustojau ant šaligatvio kaip stulpas ir įbedžiau į jį triuškinantį žvilgsnį.

– Kas atsitiko? – paklausė jis, aiškiai pralinksmėjęs.

– Šito man jau per daug, – įniršusi pareiškiau. – Dar kai pirmą kartą mėginai atsegti man sijoną, aš tau labai aiškiai pasakiau, kad nesiduosiu emociškai užknisinėjama. Jau pakankamai blogai, kad flirtavai su manim, paskui permiegojai ir net nepaskambinai sužinoti, kaip gyvenu, o dabar apsimeti, kad nieko nebuvo. Tikriausiai pasiūlei važiuoti į Prahą tik tam, kad įsitikintum, jog vėl galėsi miegoti su manim kada panorėjęs, lyg stovėtume ant skirtingų laiptų pakopų?

– Pakopų, Bridže? – paklausė Danielis. – Kokių pakopų?

– Užsikimšk, – riktelėjau. – Su tavim grynas stumdymasis. Arba normaliai bendrauk su manim ir elkis kaip dera, arba palik ramybėje. Jau sakiau, kad užknisinėjimas manęs nedomina.

– Kas tau šią savaitę darosi? Iš pradžių net nežiūri į mane kaip kokia sniego karalienė iš hitlerjugendo, paskui virsti seksualia katyte ir vartai akis iš už kompiuterio, tarsi sakydama „imk mane čia ir dabar“, o dabar nei iš šio, nei iš to droži pamokslą.

Spoksojom vienas į kitą kaip du pasiruošę kautis Afrikos gyvūnai iš Deivido Atenborou programos. Staiga Danielis pasisuko ir nuėjo į alinę, palikęs mane linkstančiomis kojomis parsigauti atgal į darbą; nėriau tiesiai į tualetą, užsirakinau duris ir atsisėdau, viena akimi vėpsodama į duris. O Dieve!

5 valanda popiet. Ho ho. Esu nuostabi. Jaučiuosi labai patenkinta savimi. Po darbo surengiau „Cafe Rouge" aukščiausio lygio susitikimą krizei įveikti, kuriame dalyvavo Šeron, Džudė ir Tomas, sužavėti santykių su Danieliu eigos ir kiekvienas įsitikinęs, jog sėkmę lėmė jo patarimai. Be to, Džudė per radiją girdėjo, kad tūkstantmečio pradžioje trečdalis žmonių gyvens po vieną: tai aiškiai įrodo, kad mes nesam nevykėliai ir pabaisos. Šezė sužvengė ir pareiškė: „Trečdalis? Jau veikiau devyni dešimtadaliai". Mat Šeron įsitikinusi, jog vyrai – aišku, išskyrus čia esančius, tai yra Tomą, – taip katastrofiškai atsiliko evoliucijos procese, jog moterys greit juos laikys namuose kaip naminius gyvūnėlius sekso reikalams ir gyvens vienos, nes vyrams suręs būdas lauke. Šiaip ar taip, jaučiuosi labai sustiprėjusi. Nuostabu. Gal imsiu ir paskaitysiu Sjuzen Faludi „Susirėmimą".

5 valanda ryto. Dieve, kokia aš nelaiminga dėl to Danielio. Aš jį myliu.

KOVO 15, TREČIADIENIS

57 kg, alkoholio vienetai 5 (gėda: šėtono myžalai!), cigarečių 14 (šėtono žolė – po gimimo dienos mesiu), kalorijos 1795.

Chm. Nubudau ir net bloga pasidarė. Maža visų tų nelaimių, tai dar iki gimimo dienos beliko dvi savaitės: teks pažvelgti į akis faktui, kad praėjo dar vieneri metai, per kuriuos visi kiti, tik ne aš, virto Patenkintais Sutuoktiniais, apteko krūvomis vaikų, uždirba šimtus tūkstančių svarų ir užkopė į aukščiausius visuomenės sluoksnius, o aš, be krypties gyvenime ir be vyro, plūkiuosi įklimpusi į liguistus asmeninius santykius ir profesinę stagnaciją.

Negaliu liautis stebeilijusi į veidrodį, skaičiuoti raukšlių veide ir nervingai vartyti „Hello!", tikrindama, kiek kam metų, beviltiškai ieškodama sektino pavyzdžio (Džeinei Seimur keturiasdešimt dveji!) – karžygiškai kovoju su giliai pasąmonėje slypinčia baime, jog sulaukus trisdešimties staiga ateina diena, kai kūnas, tarsi specialiųjų efektų filme, apauga didžiule stora krimpleno suknele, pirkinių krepšiu, kietai susuktomis pusmetinėmis garbanomis ir sudribusiais žandais. Tada jau viskas. Labai stengiuosi galvoti apie Džoaną Lamli ir Sjuzen Sarandon.

O dar rūpinuosi, kaip atšvęsti gimimo dieną. Buto ir banko sąskaitos dydis aiškiai byloja, jog puotos nesurengsiu. Gal pakviesti draugus vakarienės? Bet tada teks visą dieną it vergei arti virtuvėje ir svečius pasitiksiu kunkuliuodama neapykanta. Galima būtų visiems drauge eiti kur pavalgyti, bet jausiuosi kalta prašydama susimokėti už save, savanaudiškai privertusi praleisti nuobodų ir brangiai kainuojantį vakarą tik norėdama priminti, jog tai mano gimimo diena – bet sumokėti už visus irgi negaliu. Dieve. Ką daryti? Geriau būčiau išvis negimusi, o nekaltai pradėta kaip Jėzus, tada bent neturėčiau gimimo dienos ir nereikėtų jos švęsti. Užjaučiu Jėzų: kaip jam veikiausiai nesmagu, kad jo gimimo diena jau du tūkstantmečius primetama švęsti didžiajai Žemės rutulio daliai.

Vidurnaktis. Sugalvojau labai gudrią išeitį. Pakviesiu visus išgerti kokteilių, gal „Manhetenų". Tokiu būdu priimsiu ir pavaišinsiu svečius kaip tikra aukštuomenės dama, o jei jie išgėrę užsimanys eiti kur pietauti, tai jau jų reikalas. Tiesa, pagalvojau, kad nelabai žinau, kas tas „Manhetenas". Bet galiu nusipirkti knygą apie kokteilius. Et, juk pažįstu save, tikrai nenusipirksiu.

KOVO 16, KETVIRTADIENIS

*57,5 kg, alkoholio vienetai 2, cigaretės 3 (l.g.), kalorijų 2140
(bet beveik vien vaisiai), minutės, praleistos sudarinėjant
svečių sąrašą, 237 (blogai).*

Aš	Šezė
Džudė	Bjaurybė Ričardas
Tomas	Džeromas (brr)
~~Maiklas~~	
Magda	Džeremis
Saimonas	
Rebeka	Martinas Nuobodyla
Vonė	Kozmas
Džoana	
Danielis?	Perpetuja? (ūūū) ir Hugo?

Ne, ne, ne. Ką daryti?

KOVO 17, PENKTADIENIS

Ką tik paskambinau Tomui, kuris be galo išmintingai pastebėjo:

– Tai tavo gimimo diena, todėl turi kviesti vien tik tuos žmones, kuriuos nori matyti.

Reiškia, taip, tada aš pakviesiu:

> Šezę
> Džudę
> Tomą
> Magdą ir Džeremį

ir pati visiems pagaminsiu vakarienę.

Vėl paskambinau Tomui, papasakojau savo planą, ir jis paklausė:

– O Džeromas?

– Ką?

– O kaip Džeromas?

– Na, pamaniau, kaip sakei, kad pakviesiu tik tuos... – staiga nutilau supratusi, kad jei pasakysiu „kuriuos noriu matyti", tai reikš, jog kitų „nenoriu matyti", o būtent nepakenčiamo, pretenzingo Tomo draugo.

– A! – gerokai per garsiai suklikau, – tu klausi apie *tą* Džeromą? Tai aišku, kad pakviesiu tavo Džeromą, asile! Cho! Bet kaip manai, ar nieko, jei nepakviesiu to Džudės Bjaurybės Ričardo? Ir Slounės Vonės – tiesa, praėjusią savaitę ji pakvietė mane į savo gimtadienį...

– Iš kur ji sužinos?

Kai pasakiau Džudei, kas bus gimtadienyje, ji šelmiškai paklausė: „O, tai ateinam su antrom pusėm?", kitaip sakant, su Bjaurybe Ričardu. Be to, dabar jau nebe šeši žmonės, todėl reikės pakviesti ir Maiklą. Na, nieko. Devyni – tai dar neblogai. Dešimt. Nieko, bus gerai.

Tuoj po to paskambino Šeron.

– Tikiuosi, aš tau nieko nesugadinau? Ką tik buvau sutikusi Rebeką ir paklausiau, ar ji ateis į tavo gimimo dieną. Atrodo, ji labai įsižeidė.

Dieve, tai dabar turėsiu pakviesti ir Rebeką su Martinu Nuobodyla. Bet tai reiškia, kad teks kviesti ir Džoaną. Šūdas, visiškas šūdas. Jau pasakiau, kad valgį gaminsiu pati, nebeišeina persigalvoti ir pasiūlyti eiti į restoraną: pasirodysiu ne tik tingi, bet ir klaiki šykštuolė.

Dieve, dar ne viskas. Parėjusi namo įsijungiau atsakiklį ir išklausiau ledinę įsiskaudinusios Vonės žinutę:

– Kaip tik su Kozmu svarstėme, ką šiais metais norėtum gauti dovanų gimimo dienai. Būk gera, paskambink.

Na ką gi, praleisiu gimimo dieną gamindama ėdalą šešiolikai žmonių.

56,5 kg, alkoholio vienetai 4 (vemti nuo visko norisi), cigaretės 23
(l.l. blogai, nes per dvi valandas), kalorijos 3827 (pasišlykštėtina).

2 valanda popiet. Hrrr. Tik to betrūko. Į mano butą įskrie-
jo mama, visiškai atsikračiusi praėjusią savaitę kamavusios ne-
apdairaus ir netaupaus žiogo krizės.

– O jergutėliau, meilute! – uždususi klyktelėjo, braudama-
si per koridorių į virtuvę. – Gal tu šią savaitę sirgai, ar šiaip kas
negero? Kaip klaikiai atrodai, tarsi šimtametė senė. Žinai ką,
meilute? – atsigręžė su arbatinuku rankoje, kukliai nuleido
akis, o paskui visa švytėdama pažvelgė į mane.

– Ką? – nenoriai burbtelėjau.

– Aš dirbsiu televizijos laidų vedėja.

Einu į parduotuves.

KOVO 19, SEKMADIENIS

56 kg, alkoholio vienetai 3, cigarečių 10, kalorijos 2465
(daugiausia šokoladas).

Valio. Visai naujomis akimis pažvelgiau į gimtadienio rei-
kalą. Kalbėjausi su Džude apie naują jos skaitomą knygą, kur
aprašomi primityvių kultūrų ritualai bei šventės, ir dabar jau-
čiuosi rami bei laiminga.

Supratau, kaip lėkšta ir niekinga galvoti, jog mano butas
per ankštas devyniolikai žmonių, kaip egoistiška vengti mais-
to gaminimo ir trokšti, jog sekso dievaitis su milžiniška auksi-
ne kredito kortele nusivestų mane į prabangų restoraną. Nuo
šiol galvosiu apie savo draugus kaip apie didžiulę, draugišką
afrikiečių, o gal geriau turkų, šeimą.

Mūsų kultūroje visiems terūpi tik išorė, amžius ir sociali-
nė padėtis. O juk svarbiausia yra meilė. Šie devyniolika žmo-

nių yra mano draugai, jie nori, kad šiltai sutikčiau juos savo namuose, priimčiau su meile ir pavaišinčiau paprastu naminiu maistu, o ne teisčiau ar kritikuočiau. Iškepsiu jiems bulvių apkepą su mėsa, tikrą britišką naminį apkepą. Tegu tai bus stebuklinga, jauki šeimos šventė, kokios dar pasitaiko Trečiojo pasaulio šalyse.

KOVO 20, PIRMADIENIS

57 kg, alkoholio vienetai 4 (imu pagauti kablį), cigaretės 27 (bet nuo rytojaus metu), kalorijos 2455.

Nutariau suteikti valgiaraščiui šiek tiek elegancijos ir patiekti dar belgiškas endivijų salotas, šoninės suktinukus su rokforo sūriu ir pakepintas chorizo dešreles (niekad nesu nė vieno iš tų patiekalų gaminusi, bet jie tikrai nesunkūs), o pabaigai – mažučius suflė su „Grand Marnier" likeriu. L. laukiu gimtadienio. Tikrai pagarsėsiu kaip puiki virėja ir žavi šeimininkė.

KOVO 21, ANTRADIENIS: GIMIMO DIENA

57 kg, alkoholio vienetai 9*, cigaretės 42*, kalorijos 4295*.
*Kada žmogui siautėti, jei ne per nuosavą gimtadienį?

6.30 popiet. Daugiau nebegaliu. Pamiršusi, kad virtuvės grindys bei kiti paviršiai nukloti įvairiais indais su faršu bei bulvėmis, ką tik įlipau į puodą su bulvių koše, apsiavusi naujais aukštakulniais juodos zomšos bateliais iš „Pied à terre" (dabar veikiau „Pied à pomme-de-terre"*). Jau pusė septynių, o man

---

* Žodžių žaismas: *Pied à terre* – priebėga (pažodžiui „koja ant žemės"), *pomme de terre* – bulvė *(pranc.)*.

dar reikia nueiti į parduotuvę nusipirkti „Grand Marnier" likerio bei keletą kitų pamirštų mažmožių. O Viešpatie – staiga prisiminiau, kad vonioje ant kriauklės krašto tikriausiai guli kontraceptinio gelio tūtelė. Dar reikia paslėpti virtuvės indus, ant kurių nupieštos nemadingos voverytės, ir sveikinimą nuo Džeimio: atviruką su ėriuku ant kalvelės ir užrašu: „Sveikinu su Gimtadieniu, atspėk, kur čia tu?" Kitoje pusėje atsakymas: „Tu jau ritiesi į pakalnę". Chm.

Darbų eiga:

6.30. Nueiti į parduotuvę.

6.45. Grįžti nešinai pamirštais produktais.

6.45–7.00. Paruošti apkepą ir įkišti į orkaitę (o Dieve, tikiuosi, kad visko užteks).

7.00–7.05. Paruošti suflė su „Grand Marnier". (Tiesą sakant, verčiau iš pradžių paragausiu to „Grand Marnier". Pagaliau tai mano gimimo diena.)

7.05–7.10. Mmm. „Grand Marnier" tiesiog nuostabus. Patikrinti lėkštes ir stalo įrankius, ar nematyti aplaidaus plovimo ženklų; dailiai sudėlioti ant stalo. Aha, dar reikia nusipirkti servetėlių.

7.10–7.20. Sutvarkyti kambarį ir išstumdyti baldus į kampus.

7.20–7.30. Pagaminti salotas ir suktinukus su šoninuke ir rokforiuku.

Po visko dar lieka geras pusvalandis pasiruošti pačiai, taigi nėra ko jaudintis. Reikia parūkyti. Aaaa. Jau be penkiolikos septynios. Kaip tai? Aaaaaa.

7.15 vakaro. Ką tik grįžau iš parduotuvės ir prisiminiau, kad nenupirkau sviesto.

7.35 vakaro. Šūdas, o koks šūdas. Apkepas teberiogso puoduose ant virtuvės grindų, o aš net plaukų nespėjau išsiplauti.

7.40 vakaro. O Dieve. Ieškojau pieno ir prisiminiau, kad palikau parduotuvėje maišą su produktais. Ten buvo ir kiaušiniai. Vadinasi... Dieve, ir alyvų aliejus... reiškia, salotų nebus.

7.40 vakaro. Hmmm. Protingiausia bus pagulėti vonioje su taure šampano, o paskui pradėti ruoštis. Jei gražiai atrodysiu, tai galėsiu gaminti ir svečiams atėjus, gal net pavyks pasiųsti Tomą nupirkti visko, ko trūksta.

7.55 vakaro. Aaaa! Skambutis. Stoviu šlapiais plaukais su liemenėle ir kelnaitėm. Apkepas vis dar ant grindų. Staiga pajutau, kad nekenčiu svečių. Kaip vergė triūsiau dvi dienas, o jie tuoj įšuoliuos ir ims kaip gegutės reikalauti maisto. Norėčiau atidaryti duris ir iš širdies surikti: „O, eikit jūs visi šikti!"

2 valanda nakties. Baisiai susijaudinau. Už durų stovėjo Magda, Tomas, Šezė ir Džudė su buteliu šampano. Liepė man greičiau ruoštis; kol džiovinau plaukus ir rengiausi, jie išvalė mano virtuvę ir išmetė lauk apkepą. Pasirodo, Magda užsakė didelį stalą „192" ir visiems liepė eiti ten, o ne pas mane; už to stalo jie ir laukė su dovanomis, pasirengę pavaišinti mane vakariene. Magda sako, jog keista, beveik antgamtiška nuojauta jiems pakuždėjusi, kad „Grand Marnier" suflė ir kepinti suktinukai nepasiteisins. Myliu savo draugus labiau už didelę turkų šeimą su jų idiotiškom skarom.

Pradėdama naujus gyvenimo metus, ketinu laikytis visų naujametių pažadų, prie kurių pridedu štai ką:

Šiais metais aš
Nebebūsiu tokia neurotikė ir nieko nebebijosiu.

Daugiau niekada
Nemiegosiu su Danieliu Klyveriu ir nekreipsiu į jį jokio dėmesio.

BALANDIS

VIDINĖ PUSIAUSVYRA

BALANDŽIO 2, SEKMADIENIS

57 kg, alkoholio vienetų 0 (stebuklas), cigarečių 0, kalorijų 2250.

Laikraštyje perskaičiau, kad Ketlina Tainan, velionio Keneto Tainano* velionė žmona, pasižymėjo nepaprasta „vidine pusiausvyra" ir rašydavo laiškus sėdėdama prie mažo stalelio kambario viduryje, apsirengusi elegantiškais rūbais ir gurkšnodama atšaldytą baltą vyną. Jei Ketlina Tainan būtų suvėlavusi parašyti recenziją Perpetujai, ji persigandusi nedrybsotų su visais drabužiais po antklode, nerūkytų milijonų cigarečių ir nelaktų iš puodelio šaltos sakės, isteriškai dažydamasi veidą. Ketlina Tainan niekad neleistų Danieliui Klyveriui miegoti su ja kada jis užsimano, bet nelaikyti savęs jos draugu. Dar, aišku, ji neprisigertų iki proto užtemimo ir paskui nesirgtų. Norėčiau būti kaip Ketlina Tainan (aišku, tik ne velionė).

Todėl pastaruoju metu, kai reikalai smarkiai pablogėja, aš mintyse kartoju frazę „vidinė pusiausvyra" ir įsivaizduoju, kaip apsitaisiusi baltu lininiu kostiumėliu sėdžiu prie gėlėmis papuošto stalo. „Vidinė pusiausvyra". Jau šešias dienas nerūkiau. Su Danieliu elgiuosi oriai ir iš aukšto, jau tris savaites jam nerašiau, neflirtavau ir nesidulkinau. Trys niekingi alkoholio vienetai, suvartoti praėjusią savaitę, buvo nuolaida Tomui: jis pasiskundė, kad bendraudamas su naująja manimi, pertekusia dorybių, jaučiasi tarsi vakarieniautų su sraige, medūza ar kitu glebiu jūros gyvūnu.

* Kennethas Tynanas (1927–1980) – įtakingiausias XX a. antros pusės britų teatro kritikas.

82

Mano kūnas – tai šventovė. Kažin, ar dar ne laikas eiti miegoti? O ne, dar tik pusė devintos. Vidinė pusiausvyra. Ooo. Telefonas.

9 valanda vakaro. Skambino tėvas. Kalbėjo keistu, tolimu balsu tarsi ateivis.

– Bridžita. Įsijunk televizorių. BBC 1.

Perjungiau kanalą ir iš siaubo susigūžiau. Rodė Anės ir Niko šou anonsą. Tarp jų ant sofos, sustingusi vaizdo efektų apibrėžtame keturkampyje, išdažyta ir pašiaušta riogsojo mano motina, tarsi kokia prakeikta Opra Vinfri.

– Nikai, – maloniai tarė Anė.

– ...O dabar pristatome naują pavasario laidų ciklą, – atsakė Nikas, – kuris vadinasi „Netikėtos viengungės". Su šia problema mūsų laikais susiduria vis daugiau moterų. Ane.

– Taip pat pristatome naują laidos vedėją, žavingąją Pamę Džouns, – tarė Anė. – Ji pati ką tik netikėtai tapo viengunge ir debiutuoja televizijoje.

Anei kalbant, kvadratas su mano motinos vaizdu atgijo, išplaukė į pirmą planą, užstojo Anę su Niku ir pasirodė, jog motina kiša mikrofoną po nosim kažkokiai blankiai moterytei:

– Ar esat galvojusi apie savižudybę? – sugriaudėjo motina.

– Taip, – cyptelėjo moterytė ir apsiliejo ašaromis; vaizdas vėl sustingo, kvadratas apsisuko ir nuskriejo atgal į ekrano kampą, atskleisdamas Anę su Niku, iškilmingais veidais sėdinčius ant sofos.

Tėtis buvo pritrenktas. Mama jam nesakė, kad dirbs televizijoje. Atrodo, jis stengiasi neigti problemą ir tikėti, kad mamą ištiko gyvenimo pabaigos krizė, kad ji jau suprato klydusi, tačiau labai gėdijasi ir nenori atsiprašyti pirma.

Tiesą sakant, aš visa širdim pritariu neigimui. Gali save įtikinti kuo tik nori ir jaustis laiminga kaip vieversėlis – žinoma, jei tik buvęs partneris staiga neiššoka tau prieš akis televizoriaus ekrane ir nepradeda daryti karjeros iš to, kad tave metė. Mėginau apsimesti, kad tai visai ne beviltiška, kad laidų serijos pabaigai mama suplanavo jaudinantį šeimos susivienijimą, tačiau net pati tuo nepatikėjau. Vargšas tėtis. Manau, kad jis nežino nei apie Chulijų, nei apie mokesčių inspektorių. Paklausiau, ar jis nenorėtų rytoj atvažiuoti, galėtume šeštadienį vakare kur nors nueiti pavalgyti, o sekmadienį pasivaikščioti, bet jis atsakė, jog jam ir ten bus gera. Šeštadienį vakare Alkonberiai rengia senovinę anglišką vakarienę „Lifeboat" nariams.

BALANDŽIO 4, ANTRADIENIS

Nutariau nedelsdama užkirsti kelią nuolatiniam vėlavimui į darbą ir tuoj pat susidoroti su visais dalykiniais laiškais, susikaupusiais į milžinišką krūvą. Tobulėjimo programą pradėsiu išsamia esamos padėties ir elgesio studija.

7 valanda ryto. Sveriuosi.

7.03. Grįžtu atgal į lovą ir liūdžiu, kad esu per stora. Psichikos būklė bloga. Neįmanoma nei keltis, nei miegoti toliau. Mąstau apie Danielį.

7.30. Alkio kančios išstumia iš lovos. Plikau kavą, mąstau apie greipfrutą. Atšildau šokoladinį raguolį.

7.35–7.50. Žiūriu pro langą.

7.55. Atidarau spintą. Spoksau į drabužius.

8 valanda ryto. Išsirenku palaidinę. Mėginu atrasti trumpą juodą sijoną su lykra. Pasinėrusi į ieškojimus, išverčiu drabužius iš apatinio spintos stalčiaus. Išnaršau visus stalčius, apieškau vonioje už kėdės. Išrausiu skalbinius, sudėtus lyginimui. Patikrinu nešvarių skalbinių dėžę. Sijonas dingo. Norėdama pasiguosti, užsidegu cigaretę.

8.20. Sausu šepečiu masažuoju kūną (kova su celiulitu), maudausi ir plaunu plaukus.

8.35. Pradedu rinktis apatinius. Švarių skalbinių trūkumas reiškia, kad liko tik didžiulės baltos medvilnės kelnaitės. Neįmanoma net pagalvoti, kad su jomis eičiau į darbą (psichologinė trauma). Grįžtu prie drabužių, padėtų lyginimui. Išsitraukiu visiškai netinkamas siaurutes juodų nėrinių kelnytes – jos graužia, bet vis tiek geriau už aną seniokišką klaikybę.

8.45. Pereinu prie juodų matinių pėdkelnių. Pirma pora aiškiai susitraukė – klynas kabo sulig keliais. Apsiavusi antrą porą, randu blauzdoje skylę. Išmetu. Staiga prisimenu, kad dėvėjau juodą sijoną su lykra, kai grįžau namo su Danieliu. Einu į svetainę. Pergalingai ištraukiu sijoną iš už sofos pagalvėlių.

8.55. Grįžtu prie pėdkelnių. Trečia pora suplyšusi tik ties pirštais. Apsiaunu. Iš skylės nueina akys, kurios bus aiškiai matyti apsiavus batą. Grįžtu prie lygintinų drabužių. Randu paskutinę juodų matinių pėdkelnių porą, susuktą tarsi virvė ir aplipusią popierinių servetėlių skiautėmis. Išpainioju ir nurankioju popieriaus skutus.

9.05. Jau su pėdkelnėm. Apsisegu sijoną. Pradedu lyginti palaidinę.

9.10. Staiga suvokiu, kad plaukai džiūsta netinkamu pavidalu. Ieškau plaukų šepečio. Jis rankinėje. Džiovintuvu džiovinu plaukus. Niekaip negula kaip turėtų. Purškiu vandeniu iš laistytuvo gėlėms ir džiovinu toliau.

9.40. Grįžtu prie lyginimo lentos ir pamatau palaidinės priekyje ryškią dėmę. Visos kitos tinkamos palaidinės purvinos. Pamatau, kiek laiko, ir persigąstu. Stengiuosi išskalbti dėmę. Palaidinė varva. Džiovinu lygintuvu.

9.55. Jau l. vėlu. Iš nevilties užsidegu cigaretę ir norėdama nusiraminti penkias minutes skaitau turizmo firmų reklaminius leidinius.

10 valanda ryto. Stengiuosi prisiminti, kur padėjau rankinę. Ji dingo. Geriau pažiūrėsiu, gal atėjo koks mielas laiškas.

10.07. Tik *Access* sąskaita ir raginimas pagaliau įmokėti reikalaujamą minimumą. Stengiuosi prisiminti, ko prieš tai ieškojau. Vėl imuosi ieškoti rankinės.

10.15. Katastrofiškai vėluoju. Prisiminiau, kad nešiausi rankinę į miegamąjį, kai ėmiau šepetį, bet dabar jos ten nebėra. Pagaliau randu iš spintos išverstų rūbų krūvoje. Sumetu drabužius atgal į spintą. Apsivelku švarką. Tuoj eisiu į darbą. Nerandu raktų. Persiutusi kratau visą butą.

10.25. Raktai rankinėje. Tiesa, pamiršau plaukų šepetį.

10.35. Išeinu iš namų.

Trys valandos ir trisdešimt penkios minutės nuo pabudimo iki išėjimo – tai daug. Ateityje kelsiuosi vos tik pabudusi ir tobulinsiu skalbimo sistemą. Atsiverčiu laikraštį ir skaitau apie Amerikos kalėjime sėdintį žudiką, kuris įsitikinęs, jog kalėjimo valdžia jam į sėdmenis įsodino mikrodaviklį ir seka visus jo, taip sakant, judesius. Pašiurpau pagalvojusi, kas būtų, ypač rytais, jei pati užpakalyje turėčiau panašų daviklį.

BALANDŽIO 5, TREČIADIENIS

56,5 kg, alkoholio vienetai 5 (viskas per Džudę), cigaretės 2 (bet kam taip gali atsitikti – visai nereiškia, kad vėl pradėjau rūkyti), kalorijos 1765, momentinės loterijos bilietai 2.

Šiandien papasakojau Džudei viską apie vidinę pusiausvyrą, o ji man pasakė labai įdomų dalyką, kurį ką tik perskaitė dzeno vadovėlyje. Pasirodo, dzeno filosofiją galima pritaikyti absoliučiai visiems gyvenimo atvejams – vaikščiojimui po parduotuves, buto ieškojimui ir pan. Svarbiausia – ne priešintis įvykių tėkmei, o leistis jos nešamai. Pavyzdžiui, jei susiduri su problema ar matai, kad viskas klostosi ne taip, kaip norėtum, negalima pykti ir stengtis įveikti kliūtis: verčiau atsipalaiduoti ir atrasti savyje harmoningą tėkmę, tada viskas susireguliuos. Džudė sakė, kad panašiai būna, kai niekaip negali atrakinti spynos: jei pradėsi iš visų jėgų sukioti raktą, bus tik blogiau, bet jei ramiai jį ištrauksi, patepsi lūpų blizgesiu ir pasikliausi judesiais – eureka! Tik negalima apie tai pasakoti Šeron, nes ji mano, jog tai blūdas.

BALANDŽIO 6, KETVIRTADIENIS

Susitikau su Džude, ketindama dar šiek tiek pakalbėti apie tėkmę, ir staiga pamačiau kampe sėdinčią pažįstamą kostiumuotą figūrą, panašią į nuotraukas mezgimo žurnaluose: pasirodė, jog čia vakarieniauja ir Magdos Džeremis. Pamojau jam ir pastebėjau veide šmėkštelėjusią siaubo išraišką, todėl tuoj pat pasižiūrėjau į jo bičiulę, kuri: a) buvo ne Magda, b) dar neturėjo trisdešimt ir c) vilkėjo tą kostiumą iš „Whistles", kurį du kartus matavausi ir pagaliau turėjau atsisakyti, nes buvo per brangus. Ragana.

Aiškiai mačiau, kad Džeremis ketino apsieiti metęs „labas, dabar negaliu", tai yra pripažinti seną ir negęstančią mudviejų draugystę, kartu duodamas suprasti, jog dabar ne metas gaivinti jausmus bučiniais ir ilgais pokalbiais. Jau buvau prie jo beprisitaikanti, tik staiga pagalvojau: minutėlę! Seseriški jausmai! Moteriškas solidarumas! Magda! Jei Magdos vyras nesidrovi pripažinti, jog tikrai vakarieniauja su šita niekinga *mano* kostiumo grobike, tai jis mus supažindins!

Pajudėjau jų staliuko link; tai pamatęs, jis pasinėrė į pokalbį su grobike, o man einant pro šalį pakėlė akis ir žvaliai, pasitikėdamas nusišypsojo, tarsi sakydamas: „Dalykinis susitikimas". Aš jam atsakiau žvilgsniu, kuris bylojo: „Nepudrink man smegenų", ir nuėjau savo keliu.

Gerai, bet ką dabar daryti? Viską pasakyti Magdai? Nieko nesakyti Magdai? Paskambinti Magdai ir paklausti, ar pas juos viskas tvarkoj? Paskambinti Džeremiui ir pagrasinti, kad jei nemes raganos mano kostiumėliu, viską pasakysiu Magdai? O gal nelįsti ne į savo reikalus?

Prisiminiau dzeną, Ketliną Tainan ir vidinę pusiausvyrą, tada mintyse pasveikinau saulę (atsimenu iš tų laikų, kai lankiau jogos kursus) ir sukoncentravau dėmesį į vidinį ratą, kol pajutau tėkmę. Tada pasiryžau niekam nieko nesakyti, nes apkalbos yra greitai sklindantys nuodai. Geriau labai dažnai skambinsiu Magdai ir visad būsiu šalia, tada ji, pajutusi ką nors negera (aišku, kad pajus, juk yra moteris ir turi intuiciją), pati man pasakys. Tik tada, jei tėkmė leis, papasakosiu Magdai, ką kadaise mačiau. Kovodama nepasieksi nieko svarbaus; padėti gali tik tėkmė. Dzenas ir gyvenimo menas. Dzenas. Tėkmė. Hmmm, bet ar ne tėkmė mane atnešė prie Džeremio ir niekingos raganos? Tai ką dabar daryti?

BALANDŽIO 11, ANTRADIENIS

55,5 kg, alkoholio vienetų 0, cigarečių 0, momentinės loterijos
bilietai 9 (reikia liautis).

Atrodo, kad pas Magdą ir Džeremį viskas normalu, tai gal ten tikrai buvo dalykinis susitikimas? Gal tėkmės idėja išties teisinga, nes nėra jokių abejonių, kad atsipalaidavusi ir įsiklausiusi į vidinius virpesius pasielgiau tinkamai. Kitą savaitę esu pakviesta į baisiai prašmatnią „Kafkos motociklo" prezentaciją. Todėl pasiryžau nebijoti, nesislapstyti kampuose ir neprisilupti iki sąmonės netekimo, o tobulinti socialinius įgūdžius, rodyti įgytą pasitikėjimą ir elgtis taip, kad jausčiausi Vakarėlio Karaliene – visai neseniai apie tai skaičiau žurnale.

Sako, jog žurnalo „New Yorker" redaktorė Tina Braun tiesiog talentingai elgiasi įvairiuose priėmimuose, žavingai skrajoja nuo vieno žmogaus prie kito ir tokiu balsu šūkauja: „Martinas Eimisas! Nelsonas Mandela! Ričardas Giras!", jog kiekvienam asilui iš karto aišku, ką ji turi galvoje: „Dievulėliau, dar niekad gyvenime nesijaučiau tokia laiminga! Ar jau susipažinai su nuostabiausiu vakaro svečiu, žinoma, po tavęs? Pasikalbėkit! Na, kol kas, turiu apibėgti visus! Ikiiiii!" Norėčiau būti kaip Tina Braun, aišku, tik ne tokia persidirbusi.

Tame žurnalo straipsnyje buvo krūvos vertingų patarimų. Pasirodo, jog prezentacijose negalima su vienu žmogumi kalbėti ilgiau kaip dvi minutes. Kai laikas baigiasi, paprasčiausiai pasakai pašnekovui: „Panašu, jog turėtume cirkuliuoti. Buvo labai malonu susipažinti", ir eini sau. O jei pasimeti, išgirdusi kaip žmogus į klausimą: „Ką jūs veikiate?" atsako: „Dirbu laidojimo kontoroje" arba „Nagrinėju alimentų bylas", tereikia paklausti: „Ir kaip jums tai patinka?" Kai supažindini žmones, būtinai pridurk vieną kitą gerai apgalvotą sakinį, kad jie iš karto turėtų apie ką šnekėtis. Pavyzdžiui: „Tai Džonas – jis iš Naujosios Zelandijos ir mėgsta banglenčių sportą". Arba: „Džina yra aistringa parašiutininkė ir gyvena baržoje".

Tačiau svarbiausia tai, kad į vakarėlį negalima eiti be aiškiai apibrėžto tikslo: tai gali būti „cirkuliavimas", siekiant praplėsti turimus profesinius bei asmeninius kontaktus; noras arčiau susipažinti su konkrečiu žmogumi; ar tiesiog galimybė „sutvarkyti" labai svarbų sandorį. Dabar man aišku, kodėl taip nesisekė anksčiau, kai eidavau į vakarėlius turėdama vienintelį tikslą: per daug neprisigerti.

BALANDŽIO 17, PIRMADIENIS

56 kg, alkoholio vienetų 0 (l.g.), cigarečių 0 (l.g.), momentinės loterijos bilietai 5 (bet išlošiau 2 svarus, todėl grynų išlaidų tik 3 svarai).

Gerai. Rytoj *„Kafkos motociklas".* Sudarysiu aiškiai apibrėžtų tikslų sąrašą. Tuojau pat. Tik pažiūrėsiu reklamas ir paskambinsiu Džudei.

Na gerai.

1) Per daug neprisigerti.
2) Išplėsti turimus profesinius kontaktus.

Hmmm. Tiek to, vėliau sugalvosiu dar.

11 valanda vakaro. Gerai.

3) Praktiškai išmėginti straipsnyje aprašytus socialinius įgūdžius.

~~4) Priversti Danielį pastebėti, kokia stipri mano vidinė pusiausvyra, kad jis vėl užsinorėtų su manim miegoti. Ne. Ne.~~

~~4) Susipažinti su sekso simboliu ir su juo permiegoti.~~

4) Užmegzti įdomius kontaktus su leidybos pasaulio žmonėmis, o gal ir su kitų sričių specialistais, kurie padėtų pakeisti darbą.

O Dieve. Visai nenoriu į tą siaubingą prezentaciją. Geriau liksiu namie su buteliu vyno ir žiūrėsiu „Eastenders".

BALANDŽIO 18, ANTRADIENIS

57 kg, alkoholio vienetai 7 (o varge), cigarečių 30, kalorijų... (negaliu net pagalvoti), momentinės loterijos bilietas 1 (puiku).

Vakarėlis prasidėjo siaubingai. Nemačiau nė vieno pažįstamo žmogaus, kurį galėčiau kam nors pristatyti. Įsipyliau išgerti ir staiga pastebėjau Perpetują, kuri kalbėjosi su Džeimsu iš „Telegraph". Drąsiai prie jų priėjau, pasirengusi strimgalviais pulti į veiksmą, bet Perpetuja manęs tarsi nematė. Užuot pasakiusi: „Džeimsai, Bridžita kilusi iš Northemptonširo ir labai mėgsta sportą" (tuoj vėl pradėsiu lankyti aerobiką), ji ramiausiai plepėjo toliau, gerokai peržengdama dviejų minučių ribą.

Kurį laiką pastovėjau šalia, jausdamasi visiška idiotė, kol pamačiau Saimoną iš rinkodaros skyriaus. Vykusiai apsimečiau, kad nė neketinau kištis į Perpetujos pokalbį, ryžtingai patraukiau prie Saimono, ruošdamasi sušukti: „Saimonas Barnetas!", kaip tai daro Tina Braun. Tačiau priėjusi visai arti pamačiau, kad Saimonas, nelaimei, kalbasi su Džulianu Barnesu. Įtardama, kad nesugebėsiu pakankamai garsiai ir *džiugiai* sušukti: „Saimonas Barnetas! Džulianas Barnesas!", neryžtingai stabtelėjau ir ėmiau trauktis atgal. Kaip tik tuo metu Saimonas atsisuko ir susierzinusio viršininko balsu (kurį kažkodėl pamiršta, kai taikosi mane priremti prie dauginimo aparato) paklausė:

– Ar ko norėjai, Bridžita?

– A! Taip! – atsakiau klaikiai persigandusi ir nesugalvodama, ko čia panorėjus. – Ehm.

– Taaaaip? – Saimonas ir Džulianas Barnesas klausiamai sužiuro į mane.

– Gal žinai, kur čia tualetai? – išpyškinau. Velnias! Kam? Kam taip pasakiau? Pamačiau, kaip plonose, tačiau patraukliose Džuliano Barneso lūpose pasirodė šypsena.

– Ee, tiesą sakant, jau matau, anava ten. Puikumėlis. Ačiū, – išpyliau ir nudrožiau išėjimo link. Išsiveržusi pro duris susmukau prie sienos stengdamasi atgauti kvapą ir įnirtingai mąstydama: „vidinė pusiausvyra, vidinė pusiausvyra". Iki šiol sekėsi ne kažin kaip, nieko nepasakysi.

Ilgesingai pažvelgiau į laiptus. Idėja pareiti namo, apsivilkti naktinius marškinius ir įsijungti televizorių ėmė rodytis kankinamai patraukli. Tačiau prisiminiau aiškiai apibrėžtus vakarėlio tikslus, giliai įkvėpiau pro nosį, sumurmėjau: „vidinė pusiausvyra" ir grįžau atgal. Perpetuja tebestovėjo prie durų ir kalbėjosi su savo šlykštdraugėmis Pige ir Arabela.

– A, Bridžita, – tarė ji. – Gal eini įsipilti gėrimo? – ir ištiesė savo taurę. Kai grįžau nešina trimis vyno taurėmis ir stikline „Perrier", jos buvo įsivažiavusios ne juokais.

– O aš jums pasakysiu, kad tai tiesiog šlykštu. Išeina, kad mūsų laikais ištisa jaunų žmonių karta pažįsta didžiuosius literatūros kūrinius – Ostin, Eliot, Dikensą, Šekspyrą ir kitus – tik iš televizijos ekranizacijų.

– Visiškai teisingai. Ne, tai absurdiška. Tiesiog nusikaltimas.

– Absoliučiai. Ir jie dar mano, kad tai, ką akies krašteliu pamato, perjunginėdami kanalus nuo „Noel's House Party" į „Meilę iš pirmo žvilgsnio", *ir yra* tikroji Ostin ar Eliot.

– „Meilę iš pirmo žvilgsnio" rodo šeštadieniais, – įsiterpiau.

– Atsiprašau? – atsisuko į mane Perpetuja.

– Šeštadieniais. „Meilę iš pirmo žvilgsnio" rodo šeštadieniais, penkiolika po septynių, iškart po „Gladiatorių".

– Tai ką? – lediniu balsu paklausė Perpetuja, dirstelėjusi į Arabelą ir Pigę.

– Tų garsiųjų romanų ekranizacijų šeštadienių vakarais nerodo.

– O, žiūrėkit, ten Markas, – pertraukė Pigė.

– Viešpatie, tikrai, – sucypė Arabela. – Jis issiskyręs su žmona, ar ne?

– Aš tik norėjau pasakyti, kad kai rodo literatūros šedevrus, daugiau niekas nerodo nieko tokio gero, kaip „Meilė iš pirmo žvilgsnio", todėl nemanau, kad labai daug kas perjunginėtų kanalus.

– A, tai „Meilė iš pirmo žvilgsnio" tokia gera, ką? – tyčiojosi Perpetuja.

– Taip, labai gera.

– O tu, Bridžita, bent įsivaizduoji, kad „Midlemarčas" pradžioje buvo knyga, ir tik paskui sukurtas serialas?

Kaip aš nekenčiu tokių Perpetujos fintų. Iškvėšusi storašiknė pamaiva.

– Matai, o aš maniau, kad knygą parašė pagal scenarijų, – subumbėjau, niūriai čiupau nuo pro šalį nešamo padėklo saują krevečių ant pagaliukų ir susikišau į burną. Pakėlusi akis pamačiau tiesiai priešais save tamsiaplaukį vyriškį su kostiumu.

– Labas, Bridžita, – tarė jis. Vos nepaspringau krevečių pagaliukais. Tai buvo Markas Darsis. Tačiau nevilkėjo tuo sporto komentatoriaus megztiniu su rombais.

– Labas, – ištariau pilna burna, stengdamasi susivaldyti. Prisiminusi straipsnį, pasisukau į Perpetują.

– Markai, Perpetuja... – pradėjau ir sustingau nebaigusi sakinio. Ką sakyti? Perpetuja baisiai stora ir ištisas dienas mane gainioja? Markas labai turtingas ir turėjo itin žiaurios rasės žmoną?

– Taip? – padrąsino Markas.

– ... yra mano viršininkė ir perka butą Fuleme, o Markas, – beviltiškai pasisukau į Perpetują, – yra labai garsus žmogaus teisių advokatas.

– O, labas, Markai, daug apie tave girdėjau, – suklego Perpetuja, tarsi ji būtų Prunela Skeils iš „Folčio viešbučio", o jis – Edinburgo hercogas.

– Markai, labas, – suburkavo Arabela, plačiai atmerkdama akis ir lapatuodama blakstienomis, veikiausiai įsitikinusi, jog atrodo be galo patraukliai. – Šimtą metų tavęs nemačiau. Kaip laikosi *Big Apple*?

– Mes kaip tik kalbėjome apie kultūrų hierarchiją, – užriaumojo Perpetuja. – Pasirodo, Bridžita įsitikinusi, kad tas „Meilės iš pirmo žvilgsnio" momentas, kai ekranas užtemsta, įtaiga prilygsta finaliniam Otelo monologui, – baigė sprogdama iš juoko.

– Aha. Vadinasi, Bridžita yra tobula postmodernistė, – atsakė Markas Darsis. – Čia Nataša, – pridūrė mostelėjęs ranka link aukštos, lieknos, baisiai elegantiškos merginos, stovinčios šalia jo. – Nataša labai garsi šeimos teisės specialistė.

Man pasirodė, kad jis iš manęs šaiposi. Apsišikęs pižonas.

– Tiesą sakant, – įsiterpė Nataša, šypsodamasi išmananančia šypsena, – aš asmeniškai manau, kad žmonės, kurie ketina žiūrėti filmą klasikinio literatūros kūrinio motyvais, pirmiausia turėtų įrodyti, jog skaitė knygą.

– O taip, *visiškai* teisingai, – nusičiupo Perpetuja, toliau baubdama iš juoko. – Kokia nuostabi mintis!

Tiesiog mačiau, kaip ji mintyse sodina Marką Darsį ir jo Natašą tarp savo Pūkuotukų ir Knysliukų naujajame Fulemo bute, prie pietų stalo.

– O tiems, kurie neįrodė, kad yra nuo pradžios iki galo išklausę „Turandot", – kikeno Arabela, – reikėjo uždrausti klausytis „Pasaulio Taurės" įžanginio signalo.

– Nors turiu pasakyti, – staiga surimtėjo Marko Nataša, tarsi sunerimusi, kad pokalbis nukrypo netinkama vaga, – jog mūsų kultūros demokratizacijoje įžvelgiu daug *pozityvių aspektų*...

– Tik ne ponas Blobis*, kurį vos gimusį derėjo sutraiškyti, – spiegė Perpetuja. Nejučia žvilgtelėjau į jos užpakalį ir pagalvojau: „Tu tik pažiūrėk, kas kritikuoja", ir pagavau ten pat nukreiptą Marko Darsio žvilgsnį.

– Tačiau štai kas man kelia *tikrą* pasipiktinimą, – toliau varė išbalusi ir drebulio apimta Nataša, tarsi kalbėtų Oksfordo ar Kembridžo diskusijų klube, – tai tas, pasakyčiau, arogantiškas individualizmas, kai kiekviena karta kažin kodėl įsivaizduoja galinti sukurti pasaulį iš naujo.

– Bet juk būtent tai ir daro, – romiai atsakė Markas Darsis.

– A, jei tu ketini nagrinėti problemą šiame lygmenyje... – gindamasi pareiškė Nataša.

– Kokiame lygmenyje? – paklausė Markas Darsis. – Joks čia ne lygmuo, paprasčiausiai rimtas argumentas.

– Ne. Ne. Atsiprašau, bet tu tyčia apsimeti, jog manęs nesupranti, – atsakė Nataša ryškiai išraudusi. – Man nerūpi demonstruoti naujas dekonstrukcionalistines vizijas. Aš kalbu apie visišką kultūrinio lauko *vandalizaciją*.

Atrodė, jog Markas Darsis tuoj prapliups kvatotis.

– Noriu pasakyti, kad jei žmogus gina tokią simpatišką, moraline prasme reliatyvistinę poziciją ir sako, jog „Meilė iš pirmo žvilgsnio" yra gera laida... – tęsė ji, nemeiliai dirstelėjusi mano pusėn.

– Aš nieko neginu, man tikrai ji patinka, – atsakiau. – Tiesa, man atrodo, kad geriau jau leistų dalyviams patiems sugalvoti atsakymus, o ne verstų skaityti tuos idiotiškus ruošinius, pilnus žodžių žaismo ir seksualinių užuominų.

– Visiškai teisingai, – įsiterpė Markas.

– Užtat „Gladiatorių" negaliu pakęsti. Kai juos žiūriu, jaučiuosi stora, – pridūriau. – Malonu buvo su jumis susipažinti. Iki!

Stovėjau eilėje prie palto ir mąsčiau, kokią lemtingą įtaką

* Mr. Blobby – personažas rausvo latekso kostiumu, panašus į rupūžę, vienas iš „Noel's House Party" personažų.

megztinis su rombais gali daryti žmogaus patrauklumui, tik staiga pajutau, kaip kažkas apkabino mane per liemenį.

Atsisukau.

– Danieli!

– Džouns! Kas čia dabar, ko taip anksti pabėgi? – Jis pasilenkė ir pabučiavo mane. – Mmmm, kaip maloniai kvepi, – ir pasiūlė cigaretę.

– Ačiū, ne, aš atgavau vidinę pusiausvyrą ir mečiau rūkyti, – atsakiau mechanišku balsu, galvodama, koks velniškai patrauklus tas Danielis, kai atsiduri su juo akis į akį.

– Matai kaip, – nusišaipė jis, – sakai, vidinę pusiausvyrą?

– Taip, – griežtai nukirtau. – Ar buvai vakarėlyje? Aš tavęs nemačiau.

– Žinau, kad nematei. Užtat aš tave mačiau. Kalbėjai su Marku Darsiu.

– Iš kur tu pažįsti Marką Darsį? – paklausiau apstulbusi.

– Kembridžas. Negaliu jo pakęsti. Perdžiūvęs pirmūnas. Iš kur tu jį pažįsti?

– Jis Malkolmo ir Eleinės Darsių sūnus, – pradėjau aiškinti ir jau beveik žiojausi sakyti: „Bet, mielasis, juk tu pažįsti Malkolmą ir Eleinę! Jie pas mus atvažiuodavo į svečius, kai gyvenom Bakingeme...“

– Kokių dar...

– Jie mano tėvų draugai. Kai buvau mažytė, žaidžiau su juo tvenkinyje.

– Neabejoju, – sumurmėjo, – mažoji pasileidėlė. Ar nori ateiti pas mane vakarienės?

Vidinė pusiausvyra, priminiau sau, vidinė pusiausvyra.

– Na einam, Bridže, – spyrėsi jis, gundančiai lenkdamasis prie manęs. – Turiu labai rimtai apsvarstyti tavo palaidinę. Ji nepaprastai plona. Geriau ištyrus, tiesiog peršviečiama. Ar niekad nepagalvojai, kad tavo palaidinė serga... *bulimija?*

– Turiu su kai kuo susitikti, – beviltiškai spyriausi.

– Einam, Bridže.

– Ne, – mano balsas nuskambėjo taip tvirtai, kad net pati nustebau.

– Labai gaila, – atsakė jis tyliai. – Tai iki pirmadienio, – ir nužvelgė mane tokiu seksualiu žvilgsniu, kad vos nepuoliau jam iš paskos staugdama: „Eime, tuoj pat eime į lovą!"

11 valanda vakaro. Paskambinau Džudei ir papasakojau apie nutikimą su Danieliu bei apie Malkolmo ir Eleinės Darsių sūnų, kurį mama su Una ketino man pripiršti kalakutienos troškinio vakarėlyje, ir kuris, elegantiškas bei simpatingas, staiga pasirodė prezentacijoje.

– Pala pala, – sustabdė mane Džudė. – Tu turi galvoje *Marką* Darsį? Tą advokatą?

– Taip. O ką, tu irgi jį pažįsti?

– Na taip. Kitaip sakant, buvau susidūrusi darbo reikalais. Jis nežmoniškai mielas ir žavus. Atrodo, tu sakei, kad anas iš kalakutienos troškinio buvo klaikus pabaisa.

Hmmm. Ragana Džudė.

BALANDŽIO 22, ŠEŠTADIENIS

54 kg, cigarečių 0, alkoholio vienetų 0, kalorijų 1800.

Šiandien džiugi ir įsimintina diena. Aštuoniolika metų stengiausi pasiekti penkiasdešimt keturių kilogramų svorį ir pagaliau man pavyko. Svarstyklės nemeluoja, faktą patvirtina džinsai. Esu plona.

Šito neįmanoma racionaliai paaiškinti. Praėjusią savaitę buvau dukart nuėjusi į aerobiką, bet toks reiškinys niekuo neypatingas, nors, tiesa, retas. Valgiau normaliai. Įvyko stebuklas. Paskambinau Tomui, ir jis pasakė, kad gal turiu kaspinuotį. Paaiškino, kaip juo atsikratyti: reikia po burna pasidėti dubenėlį šilto pieno ir turėti paruošus pieštuką. (Sako, kaspinuočiai dievina šiltą pieną. Tiesiog iš proto dėl jo eina.) Tada reikia išsižioti, ir kai išlenda kaspinuočio galva, atsargiai apvynioti jį aplink pieštuką.

– Klausyk, – atrėmiau, – šito kaspinuočio niekur netrauksiu. Aš jį myliu. Dabar aš ne tik plona, bet ir nebenoriu nei rūkyti, nei sriaubti vyną.

– Gal įsimylėjai? – įtariai ir pavydžiai paklausė Tomas. Jis visada taip. Pats nenori su manim būti, nes juk yra gėjus. Bet kai esi nevedęs, labiausiai pasaulyje nenori, kad tavo geriausia draugė užmegztų su kitu žmogumi ilgalaikius prasmingus santykius. Gerokai pamąsčiau ir staiga mane it žaibas nusmelkė netikėta įžvalga. Nebesu įsimylėjusi Danielio. Aš laisva.

BALANDŽIO 25, ANTRADIENIS

*54 kg, alkoholio vienetų 0 (puiku), cigarečių 0 (l.l.g.),
kalorijos 995 (svarbiausia nesustoti).*

Hm. Šiandien nuėjau pas Džudę į vakarėlį apsitempusi maža juoda suknele ir labai patenkinta savo figūra.

– Viešpatie, ar tu gerai jautiesi? – paklausė Džudė, kai tik įėjau. – Atrodai baisiai pavargusi.

– Jaučiuosi puikiausiai, – atsakiau truputį išmušta iš vėžių. – Numečiau tris kilus. O kas yra?

– Nieko. Ne, žinai, tik pagalvojau...

– Ką? Ką pagalvojai?

– Žinai, gal truputį per greitai numetei, ypač... nuo veido, – nutęsė, žiūrėdama į mano kiek suzmekusį biustą.

Saimonas neatsiliko.

– Bridžiiiita! Turi cigaretę?

– Ne, mečiau.

– Ojėzau, tada man aišku, kodėl taip atrodai...

– Kaip atrodau?

– Ne, nieko, nieko. Gal tik truputį... išvėsusi.

Ir taip visą vakarą. Nėra nieko baisesnio, kaip iš visų girdėti, jog atrodai pavargusi. Jau geriau tegu nesiceremonija ir tiesiai pasako, kad atrodau kaip lavonas. Jaučiausi labai patenkinta, kad negeriu, bet vakaras slinko, visi girtėjo, o aš išlikau tokia rami ir pasipūtusi, kad net pati susierzinau. Kažkaip vis įsipainiodavau į pokalbius, kuriuose neturėjau ką pasakyti, todėl sėdėjau ir labai išmintingai bei atsainiai linksėjau.

– Ar turi ramunėlių arbatos? – sykį paklausiau pro šalį netvirtai bėgančios Džudės, o ji ėmė nevaldomai kikenti, apglėbė mane per pečius ir dribo ant grindų. Nutariau, kad geriau eisiu namo.

Parėjusi atsiguliau į lovą ir padėjau galvą ant pagalvės, tačiau nieko neįvyko. Dėliojau galvą ir šiaip, ir taip, tačiau niekaip negalėjau užmigti. Šiaip tokiu metu jau seniai būčiau nulūžusi ir sapnuočiau traumų sukeltus košmarus. Uždegiau šviesą. Buvo tik pusė dvyliko. Gal reiktų ką nors nuveikti, pavyzdžiui, ee... išgerti? Vidinė pusiausvyra. Suskambo telefonas. Tomas.

– Ar tau viskas gerai?

– Taip. Viskas puiku. O ką?

– Kažkokia šįvakar buvai... kaip nesava. Visi taip sakė.

– Ne, viskas gerai. Ar pastebėjai, kokia aš plona?

Tyla.

– Tomai?

– Žinai, auksiuk, man tu anksčiau buvai gražesnė.

Dabar jaučiuosi nusivylusi ir sutrikusi – tarsi žemė būtų išslydusi iš po kojų. Aštuoniolika tuščiai praleistų metų. Aštuoniolika metų, iššvaistytų skaičiuojant kalorijas ir riebalų vienetus. Aštuoniolika metų ilgų sijonų ir palaidų megztinių, pastangų intymiose situacijose išeiti iš kambario šonu, kad nebūtų matyti užpakalio. Milijonai nesuvalgytų varškės pyragų ir tiramisu, dešimtys milijonų gabalėlių ementalio sūrio. Aštuoniolika metų kovų, pasiaukojimo ir didvyriškų pastangų – ir kas iš to? Atrodau „išvėsusi ir nesava". Jaučiuosi kaip mokslininkas, supratęs, jog jo viso gyvenimo darbas buvo didelė klaida.

Alkoholio vienetų 0, cigarečių 0, momentinės loterijos bilietų
12 (l.l. blogai, bet užtat visą dieną nesisvėriau ir negalvojau
apie dietą – l.g.).

Reikėtų nustoti pirkti tuos momentinės loterijos bilietus,
bet problema ta, kad gana dažnai išlošiu. Momentinė loterija
daug geresnė už paprastą, nes anos loterijos laimingųjų skai-
čių neberodo per „Meilę iš pirmo žvilgsnio" (šiuo metu per-
trauka), o kai parodo, labai dažnai ten nėra nė vieno iš tų, ku-
riuos išsirinkai, todėl iškart pasijunti bejėgė ir žiauriai apgau-
ta, tad nėra ką daryti, tenka sulamdyti bilietą ir mesti ant
grindų.

Momentinė loterija visai kas kita, joje jautiesi aktyviai daly-
vaujanti, ypač kai reikia nukrapštyti tuos šešis skaičius – darbas
nelengvas ir reikalaujantis nemenkų įgūdžių, – todėl niekad
nepasijunti atsidūrusi už žaidimo ribų. Kai trys skaičiai sutam-
pa, išloši, o mano patirtis rodo, kad laimėjimas dažnai būna
labai arti, pavyzdžiui, nutrynusi pamačiau du sutampančius
skaičius po 50.000 svarų.

Šiaip ar taip, negalima atsisakyti visų gyvenimo malonu-
mų. Dabar per dieną suvartoju tik kokius keturis ar penkis bi-
lietus, be to, vis tiek ketinu greitai liautis.

BALANDŽIO 28, PENKTADIENIS

Alkoholio vienetų 14, cigaretės 64, kalorijų 8400 (l.g.,
tik blogai, kad suskaičiavau. Labai nesveikas perdėtas susirūpi-
nimas plonėjimu), momentinės loterijos bilietų 0.

Vakar be penkiolikos devintą leidau vandenį voniai su at-
palaiduojančiais aromatiniais aliejais ir gurkšnojau ramunėlių
arbatą, kai staiga užklykė automobilio sirena. Aktyviai kovoju

prieš automobilių sirenas savo gatvėje, nes jos ne tik nepakenčiamos, bet ir niekam nereikalingos: jau veikiau į tavo automobilį įsilauš persiutęs kaimynas negu tikras vagis.

Tačiau šį kartą, užuot įniršusi ir paskambinusi policijai, tik giliai įkvėpiau ir sumurmėjau: „vidinė pusiausvyra". Suskambo lauko durų skambutis. Paėmiau telefonspynės ragelį. Balsas labai aristokratišku akcentu pro ašaras subliovė: „Tas subinė turi *mergą!*" ir pasigirdo isteriškas kūkčiojimas. Puoliau žemyn, kur už durų ašaromis paplūdusi Magda kažko rausėsi po vairu Džeremio „Saabe", neapsakomai garsiai aimanuojančiame „dolyyydolyyy-dolyyy" ir žybčiojančiame visomis šviesomis, o vaikas ant užpakalinės sėdynės žviegė tarsi žiauriai žudomas katės.

– Išjunk tuoj pat! – suriko kažkas iš trečio aukšto.

– Eikit šikti, aš negaliu! – klykė Magda, tampydama variklio gaubtą.

– Džeri! – sužviegė ji į mobilų telefoną, – Džeri, tu šlykštus pasileidėli! Kaip atidaryti „Saabo" gaubtą!

Magda labai aristokratiška. Mūsų gatvė – visiškai ne. Tai viena iš tų gatvių, kur iki šiol kabo plakatai: „Laisvę Nelsonui Mandelai".

– Pasikark, aš tau šimtą kartų sakiau, kad negrįšiu! – toliau rėkė Magda. – Tik noriu sužinoti, kaip atidaryti tą prakeiktą gaubtą!

Dabar jau mudvi abi lindėjome automobilyje ir traukėme visus įmanomus svertus, o Magda vis užsiversdavo „LaurentPerrier" butelį. Ėmė rinktis įtūžusi minia. Netrukus „HarleyDavidsonu" atriaumojo Džeremis. Tačiau užuot išjungęs signalizaciją, ėmė traukti nuo užpakalinės sėdynės vaiką, o Magda ant jo šaukė. Staiga Danas, mano apatinis kaimynas australas, atidarė langą:

– Ėhėj, Bridžita! – suriko jis. – Pro mano lubas laša!

– Velnias! Vonia!

Nuskuodžiau namo, bet pribėgusi prie durų prisiminiau, jog užtrenkiau jas iš lauko, o raktas liko viduje. Ėmiau daužyti į duris galva, rėkdama: „Šūdas, šūdas!"

Vestibiulyje pasirodė Danas.

– Jėzau, – pasakė jis, – gal geriau imk, va.

– Ačiū, – sukūkčiojau ir kone surijau pasiūlytą cigaretę.

Po ilgų manipuliacijų kredito kortele, paskatinusių surūkyti dar bene pusę pakelio, galiausiai įžengėme į vandeniu paplūdusį butą. Niekaip nepavyko užsukti čiaupo. Danas nubėgo apačion ir atnešė veržliaraktį bei butelį škotiško viskio. Kažin kaip užsukęs vandenį, pradėjo kartu su manim šluostyti grindis. Staiga automobilio signalizacija nutilo, ir mes abu puolėm prie lango: kaip tik spėjom pamatyti nurūkstantį „Saabą", kurį tarsi prilipęs vijosi „Harley-Davidsonas".

Pradėjome kvatotis – jau buvom gerai įkalę viskio. Staiga – pati nežinau, kaip čia buvo, – jis pradėjo mane bučiuoti. Etiketo požiūriu situacija buvo labai kebli, nes aš ką tik užtvindžiau jo butą ir sugadinau vakarą, tad nenorėjau pasirodyti nedėkinga. Žinau, kad tai neduoda jam teisės mane seksualiai persekioti, bet netikėtas santykių posūkis pasirodė išties gana malonus, ypač po šitiek dramų, vidinės pusiausvyros ir taip toliau. Staiga tarpduryje (buvo neužrakinta) išdygo žmogus baikerio drabužiais su picos dėže rankose.

– O velnias, – pasakė Danas. – Visai pamiršau, kad buvau užsakęs picą.

Tai suvalgėme picą, išgėrėm butelį vyno, paskui surūkėm dar po kelias cigaretes, baigėm viskį, jis vėl pradėjo mane bučiuoti, aš sunkiai išlemenau: „Ne ne, taip negalima", tada jis pasidarė kažkoks keistas ir ėmė burbėti: „Ojėzau Jėzau".

– Kas tau yra? – paklausiau.

– Aš vedęs, – atsakė jis. – Bet man atrodo, Bridžita, kad aš tave myliu.

Kai jis pagaliau išėjo, drebėdama susmukau ant grindų nugara į duris ir ėmiau rūkyti visas nuorūkas iš eilės. „Vidinė pusiausvyra", – netvirtai ištariau. Suskambo durų skambutis. Nekreipiau dėmesio. Vėl suskambo. Paskui ėmė skambėti be paliovos. Paėmiau ragelį.

– Mieloji, – ištarė kitas girtas balsas, kurį iškart pažinau.

– Eik velniop, Danieli, – sušnypščiau.
– Ne. Tuoj tau viską paaiškinsiu.
– Ne.
– Bridže... Įleisk mane.
Tyla. O Dieve. Kodėl Danielis mane vis dar taip traukia?
– Aš tave myliu, Bridže.
– Eik velniop. Tu girtas, – atsakiau griežčiau negu norėjau.
– Džouns?
– Ką?
– Galiu užeiti į tavo tualetą?

BALANDŽIO 29, SEKMADIENIS

Alkoholio vienetų 12, cigaretės 57, kalorijos 8489 (nuostabu).

Praėjo dvidešimt dvi valandos, išnyko keturios picos, vieni indiški pietūs į namus, trys pakeliai cigarečių ir trys buteliai šampano: Danielis tebėra. Aš įsimylėjusi. Be to, tikriausiai:

    a) vėl įsipainiojau į rūkymo pinkles,

    b) esu susižadėjusi,

    c) esu kvaila,

    d) esu nėščia.

11.45 vakaro. Ką tik buvau nusivemti. Tyčia sulindau kone iki pusės į klozetą, kad Danielis negirdėtų, tačiau jis netikėtai suriko iš miegamojo:

– Čia iš tavęs liejasi vidinė pusiausvyra, pampuška. Sakyčiau, ten jai ir vieta.

GEGUŽĖ

BŪSIMOJI MOTINA

GEGUŽĖS 1, PIRMADIENIS

Alkoholio vienetų 0, cigarečių 0, kalorijų 4200 (valgau už du).

Rimtai manau, kad esu nėščia. Kaip galėjau taip kvailai pa-
sielgti? Danielis ir aš tiesiog pasidavėme netikėto susitikimo
euforijai, ir tą akimirką atrodė, kad tikrovė neegzistuoja, o kai
taip atsitinka... ne, klausykit, nenoriu apie tai galvoti. Šį rytą
pajutau labai aišku šleikštulį, bet gal dėl to, kad išėjus Danie-
liui jaučiausi tarsi pagiriota ir ėmiau be saiko šlamšti, norėda-
ma pataisyti nuotaiką. Suvalgiau:

2 pakelius „Ementalio" sūrio riekelių,
1 litrą šviežiai išspaustų apelsinų sulčių,
1 šaltą bulvę su lupena,
2 gabaliukus nekepto citrininio varškės pyrago (labai nekalorin-
   gas; be to, tikriausiai jau turiu valgyti už du),
1 šokoladuką „Milky Way" (tik 125 kalorijos. Kūnas be galo entu-
   ziastingai priėmė varškės pyragą, o tai reiškia, jog kūdikiui rei-
   kalingas cukrus),
1 šokoladinį Vienos desertą su plakta grietinėle (kūdikis godus ir
   neįtikėtinai ėdrus),
garuose virtų brokolių (mėginimas suteikti kūdikiui sveiko mais-
   to, kad neišleptų),
4 šaltos Frankfurto dešrelės (daugiau jokių konservų spintelėje
   nebuvo, o aš pernelyg išsekinta nėštumo, kad dar kartą eičiau
   į parduotuvę).

O Viešpatie. Jau man pradeda patikti, kai įsivaizduoju save, jauną motiną Kalvino Kleino drabužiais, gal net trumpai apsikirpusią, spindulingai besišypsančią ir mėtančią kūdikį aukštyn labai brangios dujinės viryklės reklamoje ar jausmingame filme visai šeimai.

Šiandien darbe Perpetuja buvo šlykšti kaip niekad, 45 minutes prapliurpė telefonu su Dezdemona svarstydama, ar prie geltonų sienų tiks rožinės ir pilkos spalvų rauktos užuolaidos, o gal jiedviem su Hugo geriau pasirinkti kraujo raudonumo sienas su apvadu gėlių motyvais. Geras penkiolika minučių ji tik kartojo: „Be abejo... ne, jokių abejonių... be abejo, ne kitaip", o paskui susumavo: „Bet žinai, tiesą pasakius, tie patys argumentai tinka ir raudonai spalvai".

Užuot svajojusi, kaip pasiimu dokumentų segiklį ir segu įvairius daiktus jai prie galvos, aš sėdėjau palaimingai šypsodamasi ir galvojau, kaip greit man į visa tai bus nusispjaut, nes turėsiu rūpintis nauju mažyčiu žmogumi. Po to atradau ištisą svajonių Danielio pasaulį: Danielis neša kūdikį kengūros krepšyje, Danielis po darbo skuba namo, susijaudinęs atranda mudu abu vonioje, rausvus ir įšilusius, o dar po keleto metų savo išvaizda ir intelektu sukelia tikrą sensaciją mokyklos tėvų susirinkime.

Tačiau kaip tik tą akimirką pasirodė Danielis. Baisesnio jo dar nebuvau mačiusi. Paaiškinimas gali būti tik vienas: vakar, išėjęs iš manęs, jis nuėjo gerti toliau. Dėbtelėjo į mane kaip žudikas sadistas, ir staiga visas mano fantazijas užgožė kadrai iš filmo „Baro padraikos", kurio herojai, girtuokliai sutuoktiniai, be paliovos riejosi ir svaidė vienas į kitą butelius, arba iš serialo „Pašlemėkai" – Danielis man šaukia: „Bridže, blia, a negirdi, vaikas kaukia", o aš jam atrėžiu: „Danieli, atšok, matai, ka rūkau".

GEGUŽĖS 3, TREČIADIENIS

58 kg* (Ūūū. Pabaisa kūdikis auga antgamtiškai greitai),
alkoholio vienetų 0, cigarečių 0, kalorijų 3100
(tiesa, beveik vien bulvės, o Viešpatie).
* Reikia vėl pradėti reguliuoti svorį, vaiko labui.

Gelbėkit. Pirmadienį ir beveik visą antradienį galvojau, kad esu nėščia, bet iki galo tuo netikėjau – panašiai būna, kai vėlai vakare eini namo ir manai, jog kažkas seka iš paskos, tačiau iš tikrųjų nieko nėra. Tik staiga ima ir sugriebia už sprando... vėluoju jau dvi dienas. Visą pirmadienį Danielis nekreipė į mane dėmesio, paskui pasigavo šeštą vakaro ir pasakė: „Klausyk, iki savaitės galo būsiu Mančesteryje. Pasimatysim šeštadienį vakare, gerai?" Kol kas nepaskambino. Esu vieniša motina.

GEGUŽĖS 4, KETVIRTADIENIS

58,5 kg, alkoholio vienetų 0, cigarečių 0, bulvių 12.

Nuėjau į vaistinę, norėdama patyliukais nusipirkti nėštumo testą. Jau stūmiau paketėlį kasininkės link, nuleidusi galvą ir priekaištaudama sau, kad nesugalvojau užsimauti vestuvinio žiedo, kai vaistininkas užriko:

– Jūs norėjot nėštumo testo?

– Ššš, – sušnypščiau, dairydamasi aplink.

– Kiek dienų vėluoja mėnesinės? – toliau riaumojo jis. – Geriau imkit mėlyną. Jis nustato nėštumą jau pačią pirmą dieną, kai turėjo būti mėnesinės.

Griebiau siūlomą mėlyną, sviedžiau prakeiktus aštuonis svarus devyniasdešimt penkis pensus ir išbėgau iš vaistinės.

Šį rytą atėjusi į darbą geras dvi valandas vėpsojau į savo rankinę tarsi ten gulėtų nesprogusi bomba. Pusę dvyliktos nebeišturėjau, čiupau rankinę, įlėkiau į liftą ir nuvažiavau į tualetą dviem aukštais žemiau, kad niekas iš pažįstamų neišgirstų įtartino čežėjimo. Kažin kodėl staiga pajutau, kad baisiai siuntu ant Danielio. Jis irgi už tai atsakingas, tačiau jam nereikia paleisti vėjais 8.95 svaro ir slapstytis tualetuose, kad galėtų pasisioti ant plastmasės gabaliuko. Įniršusi išvyniojau testą, sukišau įpakavimą į šiukšlių dėžę ir padariau ką reikia, paskui apverčiau juostelę ir nežiūrėdama padėjau ant klozeto krašto. Trys minutės. Neturėjau nė mažiausio noro stebėti, kaip ryškėjanti mėlyna linija paskelbs man nuosprendį. Nežinau, kokiu būdu ištvėriau tas šimtą aštuoniasdešimt sekundžių – paskutines savo laisvės sekundes, – atverčiau juostelę ir vos nesuspigau. Mažyčiame langelyje šlykščiai mėlynavo ryškiausia linija. Aaaaaa! Aaaaaa!

Keturiasdešimt penkias minutes bukai dėbsojau į kompiuterio monitorių, o išgirdusi Perpetujos klausimus, kas man atsitiko, vaidinau, jog ji yra meksikietiškas kaktusas; paskui pabėgau į telefono būdelę ir paskambinau Šeron. Prakeiktoji Perpetuja. Jei *ji* netyčia pastotų, sulauktų tokios energingos anglų visuomenės paramos, kad už dešimties minučių jau žygiuotų altoriaus link, pasipuošusi brangiausia Amandos Veikli suknele.

Gatvėje buvo toks triukšmas, kad Šeron nesuprato, ką jai sakau.

– Ką? Bridže? Aš nieko negirdžiu. Tu sumovei kažkokį testą?

– Ne, – šniurkštelėjau. – Pasidariau *nėštumo* testą.

– Jėzau. Už penkiolikos minučių būsiu „Cafe Rouge".

Buvo tik be penkiolikos pirma, bet pamaniau, kad degtinė su apelsinų sultimis nelaimės valandą tikrai nepakenks; staiga prisiminiau, kad kūdikiui degtinės negalima. Laukiau Šeron, apimta baisiai stiprių ir prieštaringų jausmų būsimajam kūdikiui, tarsi būčiau išsyk ir vyras, ir moteris. Viena vertus, jaučiau lyrišką ir romantišką prieraišumą Danieliui, didžiavausi, kad esu tikra moteris – vaisinga it pati žemė! – ir įsivaizdavau putnutį rausvutį kūdikio kūnelį, mažutėlę brangenybę dailučiais Ralfo Loreno rūbeliais. Antra vertus, galvojau: o Dieve mano, gyvenimas baigtas, Danielis išprotėjęs alkoholikas ir užmuš mane, kai tik sužinos, o paskui pames. Baigėsi vakarėliai su draugėm, pasivaikščiojimai po parduotuves, flirtas, seksas, vynas ir cigaretės. Netrukus tapsiu klaikia pabaisa, inkubatoriaus ir pieninės hibridu, į kurią niekas nežiūrės ir kuri netilps nė į vienas mano kelnes, juo labiau į naujutėlius ryškiai žalius Agnes B džinsus. Manau, tokia sumaištis – tai užmokestis už tai, kad tapau šiuolaikine moterimi, užuot paklausiusi gamtos šauksmo ir aštuoniolikos metų ištekėjusi už Abnoro Rimingtono, Northemptono autobuso vairuotojo.

Kai atbėgo Šeron, aš jai niūriai po stalu padaviau nėštumo testą su išdavikiška mėlynąja linija.

– Tai čia tas? – paklausė ji.

– Aišku, – sumurmėjau. – O kas, tavo manymu? Mobilus telefonas?

– Bridžita, – atsakė ji, – tau nėra lygių. Neskaitei instrukcijos? Turi būti dvi linijos. Šita linija tik rodo, kad testas veikia. Viena linija reiškia, kad tu *nesi nėščia*, vėpla.

Grįžusi namo atsakiklyje radau mamos žinutę:

– Meilute, tuoj pat man paskambink. Mano nervai visai nelaiko.

Tai *jos* nervai nelaiko!

GEGUŽĖS 5, PENKTADIENIS

57 kg (prakeikimas, niekaip negaliu atprasti svertis, ypač po to sukrėtimo su nėštumu – reikės kreiptis į terapeutą), alkoholio vienetai 6 (valio!), cigaretės 25, kalorijos 1895, momentinės loterijos bilietai 3.

Visą rytą liūdnai slampinėjau po namus gedėdama prarasto kūdikio, tačiau truputį pralinksmėjau, kai paskambino To-

mas ir pasiūlė pietums išgerti po „Kruvinąją Merę“, kad gerai
eitų savaitgalis. Grįžusi radau irzlią mamos žinutę, neva ji išva-
žiavusi į grožio ir sveikatos centrą, paskambins vėliau. Įdomu,
kas ją ištiko. Tikriausiai prislėgė gausios iš meilės apspangusių
gerbėjų dovanos firminėse „Tiffany“ dėželėse bei neatsispiria-
mi konkurencinių TV kanalų pasiūlymai dirbti laidų vedėja.

11.45 vakaro. Ką tik iš Mančesterio paskambino Danielis.
– Kaip praleidai savaitę? – paklausė.
– Ačiū, super, – žvaliai atsakiau. Ačiū, super! Cha! Kažkur
esu skaičiusi, kad geriausia moters dovana vyrui – sielos ramy-
bė; juk negaliu pačioje draugystės pradžioje prisipažinti, kad
vos jam nusisukus puoliau isteriškai siautėti dėl pasivaidenusio
nėštumo.

Na, nieko. Nesvarbu. Rytoj vakare susitinkam. Valio! Lia-
lialialia.

GEGUŽĖS 6, ŠEŠTADIENIS:
PERGALĖS DIENOS IŠKILMĖS

*57,5 kg, alkoholio vienetai 6, cigaretės 25, kalorijų 3800
(švenčiau maisto kortelių panaikinimo metines), laimingų
momentinės loterijos bilietų 0 (prastai).*

Pergalės dieną pabudau nuo ankstyvų gegužės karščių ir
stengiausi susijaudinti dėl karo pabaigos, Europos išvadavimo,
kaip tai stebuklinga, nuostabu ir t.t. O tiesą sakant, jaučiuosi
baisiai nelaiminga. Ko gero, tiksliausia bus pasakyti, jog „ne-
randu sau vietos“. Neturiu nė vieno senelio. Tėtis šneka tik
apie susiėjimą Alkonberių sode, kuriame jis dėl kažin kokių
paslaptingų priežasčių ketina kepti blynus. Mama ketina va-
žiuoti į savo vaikystės gatvę Čeltneme ir dalyvauti viešose pra-
mogose, turbūt su Chulijum. (Dėkui Dievui, kad nesusidėjo su
vokiečiu.)

Niekas iš mano draugų nieko neruošia. Švęsti tarsi nedera, lyg būtume apimti beprasmio ir netinkamo entuziazmo, išduodančio teigiamą požiūrį į gyvenimą ar pastangas slapčiomis pasisavinti mums nepriklausančią šventę. Kai baigėsi karas, aš dar neegzistavau net kaip kiaušinėlis. Manęs tiesiog nebuvo: o visi kiti kovėsi mūšiuose, virė morkų džemą ir kitaip linksminosi.

Apie tai pagalvojus man darosi bloga; pamaniau, gal paskambinti mamai ir paklausti, ar jai karo pabaigoje jau buvo prasidėjusios mėnesinės. Kažin, ar kiaušinėliai gaminasi po vieną kas mėnesį, ar pasigamina iš anksto ir saugomi iki apvaisinimo? Gal aš, dar būdama kiaušinėlio ląstele, kaip nors pajutau karo pabaigą? O, jei turėčiau senelį: galėčiau įsisukti į patį pramogų sūkurį, apsimetusi, kad noriu jam prisigerinti. Et, velniop, geriau eisiu į kokią parduotuvę.

7 valanda vakaro. Prisiekiu, nuo karščio mano kūnas ištino ir dabar yra dvigubai didesnis. Daugiau niekad gyvenime kojos nekelsiu į bendrą pasimatavimo kabiną. Matavausi suknelę „Warehouse", toji įstrigo man po pažastimis, aš mėginau ją nusitraukti per galvą ir likau stovėti apsivyniojusi audeklu, mataruodama ore rankomis, demonstruodama drebantį it šaltiena pilvą bei šlaunis krūvai kikenančių penkiolikmečių. O kai pamėginau nusitraukti tą idiotišką suknelę per apačią, ji įstrigo man ant klubų.

Nekenčiu bendrų pasimatavimo kabinų. Visi slapčiomis dėbso į kitų kūnus, bet niekas nežiūri į akis. Būtinai pasitaiko mergina, kuriai tinka absoliučiai viskas ir ji tą žino; todėl švytėdama laksto iš kampo į kampą, maskatuoja plaukais, kraiposi prieš veidrodį ir klausinėja: „Kaip manai, šitas manęs nestorina?", neišvengiamai apsupta nutukusių draugių, kurios visad atrodo kaip buivolai, kad ir ką apsirengtų.

Šiaip ar taip, patyriau visišką nesėkmę. Puikiausiai žinau, kaip reikia pirkti drabužius – pasirinkti kelis suderintus kokybiškus daiktus iš „Nicole Farhi", „Whistles" arba „Josepho" –

tačiau tenykštės kainos kelia man tokį siaubą, kad paspaudusi uodegą grįžtu į „Warehouse" arba „Miss Selfridge", renkuosi vieną iš tūkstančių suknelių už 34.99 svarus, tada ji įstringa man ant galvos, tada einu į „Marks and Spencer" ir ten perku, nes jų drabužių nebūtina matuotis, o kažką nusipirkti reikia.

Grįžau nešina keturiais pirkiniais: nė vienas man netinka ir nėra labai reikalingas. Vieną, neišimtą iš „M ir S" maišelio, paliksiu dvejus metus gulėti miegamajame ant kėdės. Tris kitus pakeisiu į „Boules", „Warehouse" ir kt. kreditinius kuponus, kuriuos paskui pamesiu. Kitaip sakant, iššvaisčiau 119 svarų, už kuriuos galėjau nusipirkti vieną tikrai gerą daiktą iš „Nicole Farhi", pavyzdžiui, labai mažyčius teniso marškinėlius.

Suprantu, kad taip esu baudžiama už materialistišką, lėkštą pirkinių aistrą, kuriai atsiduodu užuot visą vasarą dėvėjusi tą pačią dirbtinio šilko suknelę ir paišiusi kojinių siūles ant plikų kojų; ir už tai, kad nedalyvavau Pergalės dienos iškilmėse. Gal reikėtų paskambinti Tomui ir pirmadienį, per banko šventę, surengti·smagų vakarėlį. Kažin, ar žmonės rengia ironiškus, kičinius vakarėlius Pergalės dienai – kaip karališkosioms vestuvėms? Ne, negalima juoktis iš žuvusiųjų. Be to, iškyla vėliavų problema. Pusė Tomo draugų priklauso Antifašistų lygai, todėl, jei iškelsim Britanijos vėliavas, pamanys, jog laukiam ateinant skinhedų. Įdomu, o kas, jei mūsų karta būtų išgyvenusi karą? Gerai, pats metas šiek tiek išgerti. Greit ateis Danielis. Laikas pradėti ruoštis.

11.59 vakaro. Viešpatie. Slepiuosi virtuvėje ir rūkau. Danielis miega. Tiesą sakant, manau, kad tik apsimeta. *Absoliučiai* nesuprantamas vakaras. Dabar supratau, kad mūsų ligšioliniai santykiai rėmėsi aiškia idėja, jog kuris nors vienas turėtume priešintis seksui. Todėl vakaras, praleistas su mintimi, kad galų gale reikės *užsiimti* seksu, buvo nežmoniškai keistas. Sėdėjom ant sofos ir žiūrėjom per televizorių Pergalės dienos iškil-

111

mes, Danielis negrabiai užmetė ranką man ant pečių, tad buvome panašūs į du keturiolikmečius kine. Ranka smarkiai spaudė mano sprandą, tačiau nedrįsau paprašyti, kad patrauktų. Kai pasidarė akivaizdu, jog tuoj reiks eiti miegoti, staiga pradėjom elgtis oficialiai ir mandagiai kaip tikri anglai. Užuot nuplėšę vienas nuo kito drabužius tarsi apkvaitę gyvuliai, stovėjom ir derėjomės:

– Gal tu pirmas eik į vonią.

– Ne, tu pirma.

– O ne, ne, tik po tavęs.

– Ne, ką tu, jokių kalbų, tik po tavęs.

– Nenoriu nė girdėti. Tuoj, tik paduosiu tau svečių rankšluostį ir keletą kriauklelių formos muiliukų.

Paskui atsigulėme greta neliesdami vienas kito kaip vaikiškų spektaklių herojai. Jei Dievas yra, norėčiau nuolankiai jo paprašyti – nepamiršdama pridurti, jog esu be galo Jam dėkinga už tai, kad po begalinio užknisinėjimo netikėtai pavertė Danielį mano gyvenimo dalimi, – ar negalėtų atpratinti Danielį vilkėti lovoje pižamą ir nešioti skaitymui skirtus akinius, 25 minutes stebeilytis į knygą, paskui išjungti šviesą ir nusisukti į sieną, bet vėl jį paverstų nuogu, paklaikusiu nuo geismo žvėrimi, kurį pažinojau ir mylėjau anksčiau.

Iš anksto dėkoju, Viešpatie, kad maloningai atsižvelgsi į mano prašymą.

GEGUŽĖS 13, ŠEŠTADIENIS

57,75 kg, cigaretės 7, kalorijos 1145, momentinės loterijos bilietai 5 (laimėjau 2 svarus, todėl bendros išlaidos momentinei loterijai tik 3 svarai, l.g.), 2 svarai išleisti paprastai loterijai, atspėtas skaičius 1 (jau geriau).

Kaip galėjo atsitikti, kad po vakarykščios apsirijimo orgijos priaugau tik ketvirtį kilogramo?

Gal maisto ir svorio santykis toks pat, kaip česnako ir smarvės iš burnos: jei suvalgai kelias galvutes, iš burnos nė kiek nesmirdi, tai gal sušlamštus nežmonišką maisto kiekį svoris nustoja augęs? Keista ir guodžianti teorija, tik labai pavojinga. Reikės ją rimčiau apsvarstyti. Kad ir kaip ten būtų, praleidau nuostabiausią vakarą su Šeron ir Džude: prisigėrėm ir leidomės į aistringas feministines kalbas.

Buvo suvartotas neapsakomas kiekis maisto ir vyno, nes dosniosios merginos atsinešė ne tik po butelį, bet dar šio to užkąsti iš „Marks and Spencer". Todėl šalia dviejų butelių vyno (1 putojančio, 1 balto) ir trijų patiekalų vakarienės, kurią aš buvau nupirkusi tame pačiame „Marks and Spencer" (turiu galvoje, paruošusi, ištisą dieną triūsdama prie plytos), dar turėjome:

1 tūtelę humuso ir 1 pakelį miniatiūrinių pitų,
12 rūkytos lašišos suktinukų su sūriu,
12 miniatiūrinių picų,
1 orinį tortuką su avietėmis,
1 (šeimyninę) porciją tiramisu,
2 šokoladus „Swiss Mountain".

Šeron buvo puikiausios formos.
– Suskiai! – suriko ji jau 8.35 ir nutilusi susipylė tiesiai į gerklę tris ketvirčius stiklinės „Kir Royale". – Kvaili, pasipūtę pamaivos ir manipuliatoriai, egoistai ir suskiai. Jie įsivaizduoja, kad visas pasaulis jiems skolingas. Būk gerutė, paduok man vieną picą.

Džudė buvo prislėgta, nes Bjaurybė Ričardas, su kuriuo ji šiuo metu išsiskyrė, nesiliauja skambinti ir norėdamas išlaikyti dėmesį mėto smulkius žodinius jaukus, kad ši sutiktų vėl su juo susitikinėti, tačiau norėdamas apsisaugoti tvirtina, jog trokšta išlikti „draugais" (apgaulinga, liguista samprata). Vakar vakare paskambino ypatingai globėjišku ir negailestingu reikalu: paklausti, ar Džudė eina į jų bendro draugo rengiamą vakarėlį. „Na ką, tai tada gal aš neisiu, – pasakė. – Ne, tikrai, tai būtų negražu tavo atžvilgiu. Supranti, galvojau atsivesti tokią merginą, na, tarsi draugę. Žinoma, nieko rimto. Tiesiog mergelė tokia naivi, kad jau porą savaičių sutinka su manim dulkintis".

– Ką?! – sprogo Šeron, pradėjusi kaisti. – Gyvenime nesu girdėjusi tokios šlykštynės apie jokią moterį. Subinė ir pasipūtėlis! Kaip jis drįsta su tavim taip elgtis: vadina tai draugyste, o pats apsimetinėja kietuoliu ir stengiasi tave pažeminti, girdamasis nauja drauge. Jei jam tikrai rūpėtų, kaip jautiesi, užsičiauptų ir ateitų į vakarėlį, o ne tampytų tau nervus pasakodamas apie tą savo mergą.

– „Draugas"? Cha! Geriau sakytų, pikčiausias priešas! – patenkinta suklykiau, užkąsdama eilinę „Silk Cut" pora lašišos suktinukų. – Suskis!

Apie pusę dvyliktos Šeron jau siautėjo nevaržoma.

– Prieš dešimt metų žmones, kuriems rūpėjo aplinkosauga, visi laikė apskurusiais barzdylom ir iš jų šaipėsi, o dabar jūs pažiūrėkit, kokie paklausūs rinkoje ekologiški produktai, – šaukė ji, pirštais kabindama tiramisu ir kraudamasi tiesiai į burną. – Labai greit tas pat atsitiks feminizmui. Vyrai nepalikinės šeimų ir klimaksą išgyvenusių žmonų dėl jaunų meilužių, nemėgins daryti įspūdžio moterims pagyromis, kaip kitos moterys dėl jų alpsta, ir nesistengs miegoti su moterimis be jokios atsakomybės bei subtilumo, nes tos jaunos meilužės ir kitos moterys paprasčiausiai lieps jiems atšokti, ir jeigu vyrai neišmoks padoriai elgtis, turės apsieiti be sekso ir moterų, nes moterys neleis teršti savo gyvenimo tokiu ŠŪDINU, EGOISTIŠKU, PASIPŪTĖLIŠKU ELGESIU!

– Suskiai! – sukliko Džudė, sriaubdama „Pinot Grigio".

– Suskiai, – pritariau aš pilna burna tiramisu ir torto su avietėm.

– Prakeikti suskiai! – rėkė Džudė, užsidegdama naują „Silk Cut" nuo ką tik surūkytos.

Kaip tik tada paskambino į duris.

– Garantuoju, kad čia Danielis, prakeiktas suskis, – pasakiau. – Ko nori? – suriaumojau į telefonspynės ragelį.

– Sveika, mieloji, – švelniu ir maloniu balsu tarė Danielis. – Tikrai labai atsiprašau, kad trukdau. Skambinau tau anksčiau ir palikau žinutę. Tiesiog visą vakarą sėdėjau įkliuvęs klaikiai nuobodžiame valdybos posėdyje, o taip norėjau tave pamatyti. Tik pabučiuosiu, o tada eisiu, jei nori. Ar galiu užlipti?

– Hrrr. Na gerai, – nenorom subambėjau, paspaudžiau spynos mygtuką ir nusvirduliavau prie stalo. – Prakeiktas suskis.

– Prakeiktas patriarchatas, – suurzgė Šeron. – Maistas paduotas, globa užtikrinta, o kai jie nusensta ir išplera, mėgaujasi jaunų gražuolių kūnais. Visi įsitikinę, kad moterys tik ir laukia, kol jie pirštu pamos... Ei, klausykit, nejau vynas baigėsi?

Laiptų viršuje pasirodė svaiginamai besišypsąs Danielis. Atrodė pavargęs, tačiau skaistaus veido, švariai nusiskutęs ir labai tvarkingas su kasdieniu kostiumu. Rankose laikė tris dėžutes „Milk Tray".

– Nupirkau visoms po vieną prie kavos, – tarė seksualiai pakėlęs antakį. – Netrukdysiu jums. Buvau pirkinių savaitgaliui.

Nunešė į virtuvę aštuonis „Cullens" maišelius ir ėmė dėlioti pirkinius į spinteles.

Suskambo telefonas. Taksi firma, kuriai prieš pusvalandį skambino merginos, pranešė, kad, Ledbrouk Grouve baisūs kamščiai, be to, netikėtai sprogo pusė jų mašinų, todėl taksi atvažiuos ne anksčiau kaip po trijų valandų.

– Ar toli gyvenat? – paklausė Danielis. – Parvešiu jus namo. Tokiu paros metu negalima gatvėje ieškoti taksi.

Merginos ėmė blaškytis, ieškoti rankinių ir kvailai šieptis Danieliui, o aš atsidariau savo dėžę ir ėmiau valgyti visus saldainius su riešutiniu, kakaviniu, migdoliniu ir karameliniu įdaru; jaučiausi apstulbinta pasididžiavimo naujuoju tobulu draugu, su kuriuo merginos mielai būtų pasidulkinusios, ir kartu įsiutusi, nes tas šiaip jau bjaurus girtuoklis ir seksistas sugadino mūsų feministinį įkarštį, iškrypėliškai apsimetęs pasakų princu. Chm. Na ką gi, pažiūrėsim, kiek laiko tai truks, pagalvojau, laukdama jo sugrįžtant.

Sugrįžęs jis užbėgo laiptais, čiupo mane į glėbį ir nusinešė į miegamąjį.

– O čia dar vienas šokoladukas tau už tai, kad esi tokia žavi net ir įniršusi, – pasakė ištraukęs iš kišenės šokoladinę širdelę su blizgančiu popieriuku. O paskui... Mmmmm.

GEGUŽĖS 14, SEKMADIENIS

7 valanda vakaro. Nekenčiu sekmadienio vakarų. Jaučiuosi lyg moksleivė, kuriai reikia ruošti pamokas. Iki rytojaus turiu parašyti Perpetujai tekstą katalogui. Gal geriau pirma paskambinsiu Džudei.

7.05. Niekas neatsako. Hmmmm. Gerai, reikia dirbti.

7.10. Dar tik paskambinsiu Šeron.

7.45. Šeron suirzo, kad jai paskambinau, nes ką tik grįžo ir norėjo susukti numerį 1471, kad sužinotų, ar neskambino tas vyrukas, su kuriuo kartais susitinka, o dabar jai pasakys mano numerį.

Tas 1471 man atrodo nuostabus išradimas: juo paskambinusi gali sužinoti telefono numerį, iš kurio tau paskutinį kartą skambinta. Tiesą sakant, Šeron reakcija šiek tiek juokinga, nes kai mes sužinojome apie 1471, ji baisiai priešinosi ir tvirtino, jog Britų telekomas taip pelnosi iš Britanijos gyventojus apėmusios nesaugumo ir santykių irimo epidemijos. Sako, yra žmonių, kurie skambina šituo numeriu po dvidešimt kartų per dieną. Džudė, priešingai, labai džiaugėsi naujuoju išradimu, tačiau turėjo pripažinti, kad žmogui, kuris ką tik išsiskyrė su draugu arba pradėjo su kuo nors miegoti, jis tik prideda sielvarto: šalia sielvarto, grįžus namo ir neradus žinutės atsakiklyje, prisideda sielvartas, kai 1471 nepraneša jokio numerio arba praneša mamos numerį.

Sako, kad Amerikoje irgi yra panaši paslauga, tik ten žmogui pasako *visus* numerius, iš kurių tau skambino nuo tada, kai paskutinį kartą teiravaisi, ir *kiek kartų skambinta*. Drebu iš siaubo pagalvojusi, kad tokiu būdu Danielis būtų galėjęs sužinoti, kaip beprotiškai jam kadaise skambinėjau. Pas mus geriau: jei prieš surinkdamas kokį numerį surenki 141, to žmogaus telefonas nefiksuoja tavo skambučio. Tačiau Džudė perspėjo, kad su tuo reikia elgtis atsargiai, nes jei esi pamišęs dėl kokio žmogaus ir netyčia paskambini, kai jis namie, paskui padedi ragelį, o joks numeris neužfiksuotas, tai žmogus nesunkiai supras, jog tai buvai tu. Reikia pasirūpinti, kad Danielis šitų dalykų nesužinotų.

9.30 vakaro. Sugalvojau pašokti čia pat už kampo nusipirkti cigarečių. Lipdama viršum išgirdau, kaip skamba telefonas. Staiga prisiminiau, kad po Tomo skambučio pamiršau įjungti atsakiklį, užlėkiau laiptais kaip stirna, išverčiau visą rankinę ant grindų, kol radau raktą, puoliau prie telefono, kuris kaip tik nutilo. Nuėjau į tualetą, ir jis vėl suskambo. Kai priėjau, nutilo. Tada nuėjau į kitą kambarį, ir jis vėl suskambo. Pagaliau pavyko atsiliepti.

– A, labas, meilute, žinai ką? – mama.

– Ką? – nepatenkinta paklausiau.

– Nusivesiu tave į spalvų ir grožio studiją! Ir neatsakinėk „ką", meilute. „Beauty For All Seasons". Man iki gyvo kaulo įgriso žiūrėti, kaip slankioji įsisupusi į tamsias, niūrias spalvas. Atrodai kaip Mao pasekėja.

– Mama. Dabar negaliu kalbėti, man turi...

– Tuoj pat baik, Bridžita. Nebūk kvaila, – pareiškė ji savo pamėgtu tonu, primenančiu kerštu liepsnojantį Čingischaną. – Meivisė Enderbi rengėsi blyškiai geltonom ir kreminėm spalvom ir baisiai kankinosi, bet paskui nuėjo į tą studiją, jai pasiūlė ryškiai rausvą ir samanų žalumo spalvas, dabar ji atrodo dvidešimt metų jaunesnė.

– Bet aš nenoriu rengtis ryškiai rausva ar samanų žalumo spalva, – iškošiau pro sukąstus dantis.

– Na matai, meilute, juk Meivisė yra Žiema. Aš irgi Žiema, bet tu gal Vasara, kaip Una, tada tau parinks pastelinius atspalvius. Iš anksto negali pasakyti, kol tau ant galvos neuždės rankšluosčio.

– Mama, aš neisiu į „Beauty For All Seasons", – netekusi vilties sušnypščiau.

– Bridžita, nenoriu daugiau nieko girdėti. Visai neseniai teta Una man sako: „Jei tą dieną, kai valgėm kalakutienos troškinį, ji būtų bent kiek ryškiau ir linksmiau apsirengusi, tai gal Markas Darsis būtų labiau susidomėjęs". Meilute, nė vienas vyras nenori, kad jo draugė slankiotų taisiusi kaip Osvencimo kalinė.

Norėjau pasigirti, kad turiu draugą, nors ir vaikštau nuo galvos iki kojų apsirengusi tamsiom, niūriom spalvom; bet įsivaizdavau karštas diskusijas apie mano ir Danielio santykius bei negailestingus motiniškus patarimus, pagrįstus liaudies išmintimi, ir persigalvojau. Galų gale pavyko užčiaupti jai burną, nes pažadėjau pagalvoti apie tą „Beauty For All Seasons".

GEGUŽĖS 17, ANTRADIENIS

*58 kg (valio!), cigaretės 7(l.g.), alkoholio vienetai 6
(irgi l.g., nes nieko nemaišiau).*

Danielis vis dar nuostabus. Kaip gali būti, kad visi taip klydo jį vertindami? Mano galvoje pilna rožinių svajų apie tai, kaip išsinuomosim drauge butą ir bėgiosim paplūdimiais su mažyčiu įpėdiniu, kaip rodo Kalvino Kleino reklamos, arba kaip iš subjurusios, nors laisvos viengungės virsiu madinga ir džiugia Patenkinta Sutuoktine. Einu susitikti su Magda.

11 valanda vakaro. Hmmm. Verčianti smarkiai susimąstyti vakarienė su Magda, kuri baisiai prislėgta santykių su Džeremiu. Aliarmo sireną mano gatvėje ir judviejų kivirčą sukėlė

Slounės Vonės žodžiai: ji tvirtino mačiusi Džeremį „Harbour Club" su mergina, įtartinai panašia į aną raganą, kurią pati pastebėjau prieš keletą savaičių. Po to Magda tiesiai šviesiai manęs paklausė, ar negirdėjau ko nors, tad teko papasakoti apie raganą su „Whistles" kostiumėliu.

Pasirodo, Džeremis prisipažino, jog mergina jam labai patinka ir net yra su ja flirtavęs. Tvirtina, jog jie kartu nemiegoję. Bet Magdai ir to užteko.

– Bridže, turi naudotis gyvenimu, kol esi laisva, – pasakė ji. – Kai turi vaikų ir išeini iš darbo, atsiduri labai nepalankioje padėtyje. Žinau, Džeremis įsitikinęs, kad mano gyvenimas nuolatinė šventė, bet iš esmės visą dieną prižiūrėti du mažus vaikus yra šuniškas darbas, ir jis niekad nesibaigia. Kai Džeremis po darbo pareina namo, nori ramiai atsisėsti užkėlęs kojas, gauti paruoštą vakarienę ir, kaip man dabar visą laiką vaidenasi, svajoti apie „Harbour Club" merginas aptemptais sportiniais kostiumėliais. Anksčiau aš turėjau gerą darbą. Puikiausiai žinau, kad daug smagiau rytą puoštis, eiti į darbą, flirtuoti su kolegomis ir pietauti smagiame restorane, negu važiuoti į prakeiktą supermarketą ar atsiimti Harį iš lopšelio. Bet jis amžinai kažkoks įsiskaudinęs, tarsi aš būčiau kokia išlaikytinė, pamišusi dėl „Harvey Nichols" ir mokanti tik leisti jo sunkiai uždirbtus pinigus.

Magda tokia graži. Stebėjau, kaip ji žaidžia šampano taurės kojele, ir mąsčiau, kokia gi išeitis lieka merginai. Išties, kur mūsų nėra, ten prakeikti veršiai midų geria. Kiek kartų aš kamavausi ir liūdėjau, galvodama, jog esu niekam tikusi, nes štai ir vėl šeštadienį vakare prisigeriu, o paskui vaitoju Džudei ir Šezei ar Tomui, kad iki šiol neturiu vaikino; aš vos suduriu galą su galu ir esu netekėjusi baidyklė – patyčių objektas, tuo tarpu Magda gyvena dideliame name, turi aštuonių rūšių makaronų ir gali visą dieną vaikščioti po parduotuves. Tačiau štai ji sėdi palaužta, nelaiminga, netekusi pasitikėjimo ir šneka, kad man pavyko...

– Ooo, tarp kitko, – ištarė ji pralinksmėjusi, – kadangi jau prisiminiau „Harvey Nichols", tai va: šiandien ten pirkau fantastišką „Josepho" suknelę – raudona, su dviem sagom ant vieno peties, labai gražiai krinta, ir tik 280 svarų. Dieve, kaip norėčiau būti laisva kaip tu, Bridže, ir užmegzti romaną. Arba sekmadienio rytą dvi valandas gulėti vonioje. Arba eiti vakare kur noriu ir niekam neatsiskaityti. Turbūt nenorėsi ryt rytą pavaikščioti po parduotuves?

– Em. Matai, man reikia į darbą, – atsakiau.

– O, – aiktelėjo Magda, aiškiai nustebusi. – Žinai, – kalbėjo, toliau žaisdama taure, – kai įtari, kad tavo vyrui labiau patinka kita moteris, namuose darosi kažkaip nelinksma, pradedi įsivaizduoti įvairiausias to tipo moteris, kurias jis gali sutikti vaikščiodamas po platųjį pasaulį. Jautiesi visai bejėgė.

Prisiminiau savo mamą.

– Privalai surengti bekrauji pučą ir paimti valdžią, – atsakiau. – Grįžk į darbą. Susirask meilužį. Prispausk Džeremį.

– Turėdama du mažus vaikus? – liūdnai paklausė ji. – Žinai, atrodo, kad aš pasiklojau ir dabar turėsiu išmiegoti.

O Dieve. Kaip nuolat gedulingu balsu aiškina Tomas, imdamas mane už rankos ir baisiu žvilgsniu žiūrėdamas į akis: „Tik moterys kraujuoja."

GEGUŽĖS 19, PENKTADIENIS

56,25 kg (tiesiogine prasme per naktį numečiau 1,75 kg – veikiausiai suvalgiau ką nors tokio, ką valgant sunaudoji daugiau kalorijų negu patenka į kūną su maistu, pavyzdžiui, salotas, kurias reikia ilgai kramtyti), alkoholio vienetai 4 (saikinga), cigaretė 21 (blogai), momentinės loterijos bilietai 4 (nelabai gerai).

4.30 popiet. Perpetuja visokiais būdais skubino mane baigti darbą, kad nepavėluotų į Glosterširą, kur važiuoja pas Trehernus praleisti savaitgalio, ir kaip tik suskambo telefonas.

– Labas, meilute! – mama. – Žinai ką? Suradau tau viso gyvenimo šansą.

– Ką? – niūriai suburbėjau.

– Tave rodys per televizorių, – išpylė, o aš su trenksmu nuleidau galvą ant stalo.

– Rytoj dešimtą atvažiuoju su filmavimo grupe. Klausyk, meilute, tu tikriausiai *netekai žado* iš laimės?

– Mama! Jei ketini rytoj atvažiuoti pas mane su filmavimo grupe, tai žinok, kad manęs nebus namie.

– Kaip tai, privalėsi būti, – užprotestavo įsižeidusi.

– Ne, – atrėžiau. Bet neatsispyriau tuštybei. – O kas ten tokio? Ko jie nori?

– Ak, meilute, – suburkavo ji. – Jie nori, kad aš savo laidoje pakalbėčiau su kokiu jaunesniu žmogumi: su moterimi, išgyvenančia priešklimakterinį laikotarpį, kuri netikėtai tapo viengunge ir pasirengusi kalbėti apie tokius, žinai, subtilius dalykus, kaip baimė nebeturėti vaikų ir panašius.

– Aš neišgyvenu priešklimakterinio laikotarpio, mama! – pratrūkau. – Ir netapau jokia viengunge. Ką tik visai netikėtai susiradau draugą.

– Ai, meilute, nebūk užsispyrusi, – sušnypštė. Ragelyje buvo girdėti įprasti įstaigos garsai.

– Aš turiu draugą.

– Ką tokį?

– Nesvarbu, – atsakiau, staiga dirstelėjusi per petį ir pamačiusi piktai besišaipančią Perpetują.

– Na prašau, meilute. Aš jau pasakiau, kad suradau žmogų.

– Ne.

– Prašaaaaau. Visą gyvenimą atidaviau šeimai, dabar sulaukiau žilo plauko ir taip noriu turėti ką nors savo, – išpylė ji tarsi skaitydama parengtą tekstą.

– Mane gali pamatyti koks pažįstamas. Be to, ar jie nepastebės, kad aš tavo dukra?

Stojo tyla. Girdėjau, kaip ji su kažkuo kalbasi. Paskui vėl grįžo prie ragelio ir pranešė:

– Galėtume uždengti tavo veidą.

– Ką? Užmauti maišą? Labai ačiū.

– Rodytume tik siluetą, meilute, techniškai visai nesunku. Bridžita, aš tavęs labai prašau. Nepamiršk, kad aš tau dovanojau gyvybę. Kas dabar būtum, jei ne aš? Niekas. Negyvas kiaušinėlis. Erdvės plotelis, meilute.

Svarbiausia, kad aš visą gyvenimą slaptai svajojau patekti į televiziją.

GEGUŽĖS 20, ŠEŠTADIENIS

58,5 kg (kodėl? kodėl? iš kur?), alkoholio vienetai 7 (šeštadienis), cigarečių 17 (turint galvoje šios dienos įvykius, tai visiškas nulis), atspėtų loterijoje skaičių 0 (tai dėl to, kad filmavimasis labai blaško).

Filmavimo grupė tik atvykusi įmynė į kilimą dvi vyno taures, bet mane tokie dalykai nelabai jaudina. Susivokiau ką padariusi tik tada, kai vienas iš jų įvairavo į kambarį, nešinas milžinišku reflektoriumi su atvartais ir rėkdamas: „Visi atsargiai“, o paskui suriaumojo: „Trevorai, kur tą šūdą pastatyti?“, neišlaikė pusiausvyros, susvyravo, reflektoriumi išmušė stiklines virtuvės spintelės duris ir išvertė atidarytą butelį aukščiausios rūšies alyvų aliejaus, kuris ištekėjo ant mano „River Cafe“ virimo knygos.

Po trijų valandų filmavimas dar nebuvo prasidėjęs, o jie lakstė po butą kartodami: „Aukseli, galima, aš tave pasuksiu čia?“ Kai galiausiai mudvi su mama prietemoje susėdome ant sofos viena priešais kitą, buvo beveik pusė dviejų.

– O dabar pasakyk, – pradėjo mama rūpestingu, supratimo kupinu balsu, kurio niekad iki šiol nebuvau girdėjusi, – kai tave paliko vyras, ar negalvojai... – jos balsas galutinai virto šnabždesiu, – apie savižudybę?

Negalėdama patikėti išverčiau akis.

– Žinau, tau skaudu apie tai kalbėti. Jei bijai, kad neišlaikysi, galim padaryti pertraukėlę, – viltingai tęsė ji.

Iš įsiūčio netekau žado. Koks vyras?

– Tikriausiai tau dabar labai blogai. Nebeturi gyvenimo partnerio, o biologinis laikrodis tiksi, – kalbėjo ji, po stalu įspyrusi man į kulkšnį. Spyriau atgal, ji pašoko ir negarsiai kūktelėjo.

– Argi nenorėtum turėti kūdikio? – paklausė, tiesdama man popierinę nosinaitę.

Šioje vietoje iš kambario gilumos pasigirdo garsus kvatojimas. Maniau, kad nieko neatsitiks, jei paliksiu Danielį miegamajame, vis tiek šeštadieniais nesikelia iki pietų, o cigaretes buvau padėjusi ant pagalvės.

– Jei Bridžita turėtų kūdikį, tuoj pat jį pamestų, – žvengė jis. – Džiaugiuosi jus matydamas, ponia Džouns. Bridžita, kodėl tu negali šeštadienį pasipuošti ir susitvarkyti kaip tavo mama?

GEGUŽĖS 21, SEKMADIENIS

Mama nesikalba su mumis abiem, nes pažeminome ją filmavimo grupės akyse ir atskleidėme apgaulę. Užtat gal bent trumpam paliks mus ramybėje. O šiaip baisiausiai laukiu vasaros. Kaip smagu šiltu oru turėti draugą. Galėsim visur važinėti ir romantiškai leisti savaitgalius. L. laiminga.

BIRŽELIS

CHA! DRAUGAS

BIRŽELIO 3, ŠEŠTADIENIS

56,5 kg, alkoholio vienetai 5, cigaretės 25, kalorijų 600, minutės, praleistos vartant ilgesnių kelionių brošiūras, 45, minutės, praleistos vartant savaitgalio kelionių brošiūras, 87, 1471 skambučių 7 (g.).

Per tą kaitrą visai negaliu susikaupti, tik svajoju, kaip išvažiuoti savaitgaliui su Danieliu. Įsivaizduoju, kaip drybsome upių pakrantėse, aš su ilga balta vėjo plaikstoma suknele; arba apsirengę derančių spalvų marškinėliais sėdime Kornuole prie senovinės aludės, gurkšnojame alų ir gėrimės saulėlydžiu jūroje; arba valgome vakarienę prie žvakių dvare, paverstame viešbučiu, o po vakarienės lipame į savo kambarį ir dulkinamės visą karštą vasaros naktį.

Šiaip ar taip, šįvakar einam į vakarėlį pas jo draugą Viksį, o rytoj tikriausiai eisim į parką arba važiuosim pietauti į žavingą kaimo aludę. Kaip nuostabu turėti vaikiną.

BIRŽELIO 4, SEKMADIENIS

57 kg, alkoholio vienetai 3 (g.), cigarečių 13 (g.), laikas, praleistas spoksant į kelionių brošiūras: ilgesniam laikui – 30 minučių (l.g.), savaitgaliui – 52 minutės, 1471 skambučių 3 (l.g.).

7 valanda vakaro. Chm. Danielis ką tik išėjo namo. Tiesą sakant, man šiek tiek pabodo. Puikus šiltas sekmadienis, tačiau Danielis nenorėjo niekur eiti anei kalbėtis apie bendrą savaitgalį, pareikalavo užtraukti užuolaidas ir visą popietę žiūrėjo kriketą. Vakarykštis vakarėlis irgi buvo visai nieko, išskyrus tą momentą, kai priėjome prie Viksio, kalbančio su labai gražia mergina. Jau iš tolo pamačiau, kad mums artėjant mergina regimai įsitempė.

– Danieli, – tarė Viksis, – ar jūs pažįstami su Vanesa?

– Ne, – atsakė Danielis, išsišiepė seksualiausia šypsena ir kerinčiai ištiesė ranką. – Malonu susipažinti.

– Danieli, – atsakė įnirtusi Vanesa, sukryžiuodama rankas ant krūtinės, – mes kartu *miegojom*.

Viešpatie, koks karštis. Malonu išsilenkti pro langą. Kažin kas groja saksofonu, apsimesdamas, jog mes herojai filmo, kurio veiksmas vyksta Niujorke, aplinkui girdėti balsai, nes visų langai atviri, iš restoranų sklinda valgių kvapai. Hmmm. Gera būtų išsikelti į Niujorką: nors kai pagalvoji, tos vietos nelabai tinkamos savaitgalio išvykoms. Nebent norėtum išvykti savaitgaliui į Niujorką, bet kokia prasmė, jei ir taip ten gyveni.

Tik paskambinsiu Tomui, o tada pradėsiu dirbti.

8 valanda vakaro. Tik trumpam nubėgsiu pas Tomą ko nors išgerti. Pusvalandžiui.

BIRŽELIO 6, ANTRADIENIS

58 kg, alkoholio vienetai 4, cigaretės 3 (l.g.), kalorijos 1326, momentinės loterijos bilietų 0 (puiku), 1471 skambučių 12 (blogai), išmiegotų valandų 15 (blogai, bet kalta ne aš, o karštis).

Sugebėjau įtikinti Perpetują, kad leistų padirbėti namuose. Neabejoju, jog sutiko tik todėl, kad ir pati nori pasideginti. Mmmm. Gavau nuostabią naują brošiūrą: „Britanijos pasididžiavimas: Geriausi kaimo viešbučiai Britų salose". Stebuklinga. Apsiseilėjusi vartau puslapius ir vis įsivaizduoju mudu su Danieliu seksualiai bei romantiškai besiilsinčius miegamuosiuose ar restoranų salėse.

11 valanda ryto. Gerai, užteks; reikia susikaupti.

11.25 ryto. Hmmm, atrodo, užlūžo nagas.

11.35 ryto. Dieve. Nei iš šio, nei iš to pradėjau paranojiškai įsivaizduoti, kaip Danielis mezga romaną su kita mergina, ir ėmiau svarstyti, kaip oriomis, bet taikliomis pastabomis jį perspėti. Kodėl taip nutiko? Gal mano moteriška nuojauta kužda, kad jis turi kitą?

Kai nebesi piemenė, blogiausias dalykas santykiuose su vyrais tas, kad kiekviena smulkmena darosi baisiai svarbi. Kai tau virš trisdešimt ir neturi partnerio, lengvą nuobodulį, kurį kelia tokia būsena – nėra sekso, nėra su kuo tąsytis sekmadienį, iš vakarėlių visad grįžti viena, – papildo paranojiškas įsitikinimas, kad dėl visko kaltas tavo amžius, kad romanų ir seksualinių nuotykių laikas tau jau baigėsi, ir dėl visko kalta tu pati, nes žalioje jaunystėje buvai pernelyg pasiutusi ar užsispyrusi ir nenorėjai su niekuo susiriьti.

Visiškai pamiršti, kad kai buvai dvidešimt vienerių, nedarei jokios tragedijos, jei gerus porą metų nesutikai nė vieno vaikino, kuris nors kiek patiktų. Paskui šitie dalykai išeina už proto ribų, susirasti partnerį atrodo stulbinamai sunku, beveik neįmanoma, o kai pradedi su kuo nors draugauti, tikrovė jokiu būdu negali patenkinti lūkesčių.

Kažin, tai dėl to? O gal mano santykiai su Danieliu kokie nors ne tokie? Gal Danielis turi kitą?

11.50 ryto. Hmmm. Nagas tikrai užlūžo. Tiesą sakant, jei tuoj pat jo nenušlifuosiu, tai pradėsiu krapštyti ir pati nepajusiu, kaip visai nulaušiu. Gerai, reikia eiti susirasti dildę. Geriau pagalvojus, visų nagų lakas atrodo apsitrynęs. Aišku, reikia jį nuvalyti ir nulakuoti iš naujo. Verčiau imsiuosi iš karto, kol dar nepersigalvojau.

Vidudienis. Kaip vis dėlto nyku, kai oras toks puikus, o tavo, atsiprašant, draugas atsisako važiuoti su tavim į gamtą. Tikriausiai jis mano, kad stengiuosi jį suvystyti ir išsivežti savaitgaliui; tarsi ketinčiau primesti ne savaitgalio išvyką, bet santuoką, tris vaikus ir tualetų šveitimą pušies dailylentėmis išmuštame name Stok Niujingtone. Atrodo, prasideda psichologinė krizė. Paskambinsiu Tomui (Perpetujos katalogą spėsiu sutvarkyti vakare).

12.30 popiet. Hmmm. Tomas sako, kad jei išvažiuoji savaitgaliui su žmogumi, su kuriuo draugauji, tai visą laiką ir jaudiniesi, kaip progresuoja jūsų draugystė, todėl visad geriau važiuoti su drauge.

Išskyrus seksą, pasakiau. Išskyrus seksą, sutiko jis. Šiandien vakare susitinku su Tomu, parodysiu jam savo brošiūras, ir jis man padės suplanuoti įsivaizduojamą arba neįvyksiančią savaitgalio iškylą. Todėl popiet turiu rimtai padirbėti.

12.40 popiet. Tokioje kaitroje nebeįmanoma išbūti su šortais ir marškinėliais. Apsirengsiu ilgą plazdančią suknelę.

Ojei, dabar per suknelę persišviečia kelnaitės. Reikia persiauti kitas, kūno spalvos, jei kartais kas užeitų. Puikiausiai tiktų mano „Gossard Glossies". Kažin, kur jos?

12.45 popiet. Apskritai paėmus, reikėtų pasikeisti ir liemenėlę, irgi „Gossard Glossies", jei tik ją rasiu.

12.55 popiet. Na va, žymiai geriau.

1 valanda popiet. Pietūs! Pagaliau galėsiu bent kiek atsipūsti.

2 valanda popiet. Na gerai, šią popietę tikrai reikės padirbėti ir viską baigti iki vakaro, tada galėsiu ramiai eiti. Tik labai noriu miego. Baisiai karšta. Gal snūstelsiu kokias penkias minutes. Sako, kad popiečio miegas nepaprastai gaivina. Tuo labai sėkmingai naudojosi Margaret Tečer ir Vinstonas Čerčilis. Puiki mintis. Prigulsiu čia pat ant lovos.

7.30 vakaro. O prakeikimas!

BIRŽELIO 9, PENKTADIENIS

*58 kg, alkoholio vienetai 7, cigaretės 22, kalorijos 2145,
minučių, praleistų ieškant veide raukšlių, 230.*

9 valanda ryto. Valio! Šiandien mes, merginos, einam linksmintis.

7 valanda vakaro. Tikra nelaimė. Pasirodo, Rebeka irgi eina. Praleisti vakarą Rebekos draugijoje tas pat, kas plaukioti medūzų pilnoje jūroje: viskas einasi kuo puikiausiai, tik staiga pajunti nežmonišką skausmą ir akimirksniu prarandi pasitikėjimą. Bjauriausia, kad Rebeka savo nuodingas strėles nutaiko taip tiksliai į kitų Achilo kulnis, kad jų negali pamatyti iš anksto, kaip tų Persų įlankos raketų, kurios prašvilpdavo Bagdado viešbučių koridoriais. Šeron sako, kad man jau ne dvidešimt ketveri, todėl turėčiau būti pakankamai subrendusi ir mokėti elgtis su Rebeka. Ji teisi.

Vidurnaktis. Azakiau, bsu, viskas bagta. Nkaršusi senė, veidas baigianubyrėti.

BIRŽELIO 10, ŠEŠTADIENIS

Och. Šį rytą nubudau laiminga (dar girta nuo vakar), tik staiga prisiminiau košmarą, kuriuo netikėtai virto vakarėlis su merginomis. Baigėme pirmą „Chardonnay" butelį, aš jau ruošiausi prabilti apie nuolatinę frustraciją, keliamą savaitgalio iškylų, kaip Rebeka staiga paklausė:
– Kaip laikosi Magda?
– Gerai, – atsakiau.
– Ji nežmoniškai graži, ar ne?
– Mmm, – atsakiau.
– Ir neįtikėtinai jaunai atrodo – laisvai galėtum pasakyti,

kad jai kokie dvidešimt ketveri ar penkeri. Jūs kartu lankėt mokyklą, Bridžita, ar ne? Ji už tave trejais ar ketveriais metais jaunesnė?

– Ji šešiais mėnesiais vyresnė, – atsakiau, jausdama pirmą siaubo drebulį.

– Tikrai? – nutęsė Rebeka, ir stojo ilga nejauki pauzė. – Na, bet Magdai pasisekė. Ji turi nuostabią odą.

Ėmiau suvokti siaubingą tiesą, slypinčią už Rebekos žodžių, ir pajutau, kaip kraujas palieka smegenis.

– Žinai, ką noriu pasakyti, ji nesišypso tiek, kiek tu. Tikriausiai todėl neturi tiek raukšlių.

Susvyravusi įsitvėriau į stalą ir pamėginau atgauti kvapą. Supratau, kad be laiko senstu. Jaučiausi tarsi pagreitintame filme, kuriame rodoma, kaip vynuogė virsta razina.

– O kaip tavo dieta, Rebeka? – paklausė Šezė.

Ojojoj. Džudė ir Šezė, užuot neigusios baisiąją prielaidą, be kalbų sutiko su mintimi apie mano senatvę ir pamėgino taktiškai pakeisti temą, kad be reikalo nesijaudinčiau. Sėdėjau apimta siaubo, suspaudusi nudribusius skruostus.

– Tik nueisiu į tuliką, – ištariau pro sukąstus dantis tarsi pilvakalbė, stengdamasi išlaikyti sustingusią išraišką ir sumažinti raukšlių.

– Tau nieko neatsitiko, Bridže? – paklausė Džudė.

– Nek, – sausai atrėžiau.

Atsidūrusi priešais veidrodį vos nenualpau, ryškioje melsvos lempos šviesoje pamačiusi grubią, metų išvagotą, apdribusią savo odą. Įsivaizdavau, kaip prie stalo likusios merginos priekaištauja Rebekai, kam toji išplepėjo, apie ką seniai visi liežuvauja, tačiau man nebuvo jokio reikalo sužinoti.

Staiga mane apėmė nenugalimas noras išbėgti į salę ir visų pietaujančiųjų paklausti, kiek, jų manymu, man metų: panašiai buvau pasielgusi mokykloje, kai pati sau sugalvojau, jog esu protiškai atsilikusi, per pertrauką visų klausinėjau: „Ar aš atsilikusi?" ir dvidešimt aštuoni apklaustieji atsakė: „Taip".

Sykį pradėjus galvoti apie senėjimą kelio atgal nebėra. Staiga gyvenimas atrodo tarsi atostogos: kai jos įpusėja, pabaiga pradeda artėti katastrofiškai sparčiai. Būtinai reikia kaip nors sustabdyti senėjimo procesą, tačiau kaip? Plastinė operacija man per brangi. Įkliuvau tarp dviejų ugnių: mat sendina ir storumas, ir dietos. Kodėl aš atrodau sena? Kodėl? Stebiu gatvėmis einančias senutes ir stengiuosi suprasti, kokių procesų dėka veidas iš jauno virsta senu. Laikraščiuose tikrinu visų aprašytųjų amžių ir stengiuosi nuspręsti, ar jie atrodo jauni, ar seni.

11 valanda ryto. Ką tik suskambo telefonas. Skambino Saimonas, kuris norėjo papasakoti apie naujausią merginą, kritusią jam į akį.

– Kiek jai metų? – įtariai paklausiau.

– Dvidešimt ketveri.

Aaaaa aaaaa. Štai ko sulaukiau: mano amžiaus vyrams jų vienmetės nebeatrodo patrauklios.

4 valanda popiet. Eisiu su Tomu arbatos. Nutariau, kad reikia daugiau dėmesio skirti išvaizdai, kaip tai daro Holivudo žvaigždės, todėl ištisas valandas lipdžiau po akimis maskuojamąją pudrą, tepiau skruostus skaistalais ir stengiausi paryškinti blunkančius bruožus.

– Dieve mano, – ištarė Tomas, mane pamatęs.

– Kas? – paklausiau. – Kas yra?

– Tavo veidas. Atrodai kaip Barbara Kartland.

Pradėjau labai greitai mirksėti, stengdamasi susitaikyti su mintimi, kad mano veidą staiga ir negrįžtamai suniurkė slapta sprogusi klaiki laikrodinė bomba.

– Atrodau visiška senė, ar ne? – liūdnai paklausiau.

– Nieko panašaus. Atrodai kaip penkiametė, įsisukusi į motinos makiažo krepšelį, – atsakė jis. – Žiūrėk.

Pažiūrėjau į pseudoviktorijinį aludės veidrodį. Atrodžiau kaip klounas: skruostai ryškiai rausvi, vietoje akių dvi negyvos varnos, o po jomis pritepti baltos kreidos kalnai. Staiga supratau, kodėl senos moterys prisikrauna per daug makiažo, prisiminiau, kaip visi iš jų šaiposi, ir prisiekiau niekad gyvenime nebesišaipyti.

– Kas atsitiko? – paklausė Tomas.

– Be laiko senstu, – suburbėjau.

– Dėl Dievo meilės. Tai ta ragana Rebeka? – tarė jis. – Šezė man papasakojo, kaip kalbėjot apie Magdą. Juokinga. Tu atrodai kokių šešiolikos metų.

Mielasis Tomas. Įtariu, kad jis galėjo pameluoti, tačiau jaučiuosi labai pralinksmėjusi, nes juk net Tomas nesakytų, kad atrodau kaip šešiolikos, jei atrodyčiau keturiasdešimt penkerių.

BIRŽELIO 11, SEKMADIENIS

56,5 kg (l.g., per karšta valgyti), alkoholio vienetai 3, cigarečių 0 (l.g., per karšta rūkyti), kalorijos 759 (vien tik iš ledų).

Dar vienas tuščiai praleistas sekmadienis. Atrodo, esu pasmerkta visą vasarą sėdėti kambaryje užtrauktomis užuolaidomis ir žiūrėti kriketą. Jaučiuosi keistai nesava; ne tik dėl to, kad sekmadieniais užtraukiamos užuolaidos ir negalima kalbėti apie savaitgalio išvykas. Slenka ilgos karštos dienos, panašios kaip dvyniai, o aš, kad ir ką daryčiau, nuolat jaučiu, jog turėčiau daryti ką kita. Šis jausmas priklauso tai pačiai jausmų *šeimai*, kaip nuolatinė graužatis, tvirtinanti, jog jei jau gyveni Londono centre, turėtum lankyti „Royal Shakespeare Company" spektaklius/eiti į Londono Tauerį/ Karališkąją akademiją/ Madam Tiuso muziejų, o ne sėdėti bare ir linksmai leisti laiką.

Juo ryškiau šviečia saulė, juo aiškiau matyti, kad kiti žmonės kitose vietose *išnaudoja* ją žymiai geriau: gal žiūri kokias futbolo rungtynes, į kurias pakviesti visi, išskyrus mane; gal lepinasi su mylimaisiais vėsiuose upių slėniuose tarp besiganančių elniukų bembių; o gal pramogauja viešose iškilmėse, kuriose dalyvauja ir karalienė motina bei vienas iš trijų futbolo tenorų – visi siurbte siurbia nuostabią vasarą, kurią aš tarsi smėlį leidžiu pro pirštus. Gal dėl to kalta mūsų klimatinė praeitis. Gal dar neišsiugdėme mentaliteto, leidžiančio naudotis saule ir vaiskiu žydru dangumi, kurie anaiptol nėra atsitiktinis ir retas reiškinys. Mumyse dar per stiprus instinktas pulti į paniką, išbėgti iš darbo, nusimesti daugumą drabužių ir išsitiesti ant atsarginių įstaigos laiptų.

Tačiau ir vėl kyla abejonės. Šiais laikais nebemadinga puoselėti odos vėžį, tad ką belieka daryti? Gal pavėsyje prie grilio surengti pikniką? Ištisas valandas marinti draugus badu, kol terliojiesi su anglimis, o paskui nunuodyti juos iš viršaus susvilusia, o viduje kruvina paršiuko mėsa? Arba suruošti pikniką parke, kad visos moterys gautų progą šaukštais krapštyti nuo folijos sugniaužytus „Modzarelos" likučius ir šaukti ant astmos kamuojamų vaikų, o vyrai negailestingoje vidudienio saulėje plemptų šiltą baltą vyną ir pavydžiai dėbčiotų į netoliese vykstančias futbolo rungtynes?

Pavydžiu kontinento gyventojams jų vasaros: ten vyrai elegantiškais lengvais kostiumais ir dizainerių akiniais nuo saulės neskubėdami važinėja elegantiškais automobiliais su oro kondicionieriais, kartais stabteli senovinės aikštės pakraštyje pavėsingoje kavinėje išgerti *citron pressé*, o saulei yra visiškai abejingi, nes tiksliai žino, kad ji švies ir savaitgalį, tada bus galima ramiai pagulėti savo jachtoje.

Beveik neabejoju, kad būtent šis veiksnys pagraužė mūsų nacionalinę savimonę, kai tik pradėjome keliauti po pasaulį. Aš nesakau, viskas gali pasikeisti. Ant šaligatvių matyti kaskart daugiau kavinių staliukų. Valgytojai sugeba ramiai prie jų išsėdėti, tik retkarčiais prisimindami saulę ir atsukdami į tą pusę veidus užmerktomis akimis arba susijaudinę šiepdamiesi praeiviams: „Žiūrėkit, žiūrėkit, mes geriam vėsų gėrimą lauko kavinėje, mes irgi taip galim!" – ir tik kartais jų veidais perbėga trumpas, laikinas nerimo šešėlis: „O gal turėtume žiūrėti „Vasarvidžio nakties sapną" atvirame ore?"

Kažkur labai giliai mano galvoje kirba naujutėlė, virpanti mintis, kad gal Danielis teisus: juk kai karšta, protingiausia miegoti medžio šešėlyje arba užsitraukti užuolaidas ir žiūrėti kriketą. Tačiau man atrodo, jei nori gerai miegoti, turi tiksliai žinoti, kad karšta bus ir rytoj, ir poryt, ir užporyt; kad tavo gyvenime dar bus pakankamai karštų dienų, tad spėsi neskubėdama, ramiai atlikti viską, kas tokioms dienoms priklauso. Kurgi ne.

BIRŽELIO 12, PIRMADIENIS

57,5 kg, alkoholio vienetai 3 (l.g.), cigarečių 13 (g.),
minučių, praleistų stengiantis užprogramuoti
vaizdo magnetofoną, 210 (prastai).

7 valanda vakaro. Ką tik skambino mama.

– Na, labas, meilute. Žinai ką? Penę Hasbends-Bosvort rodys per „Newsnight“!

– Ką tokią?

– Meilute, juk tu *pažįsti* Hasbends-Bosvortus. Ursula metais už tave vyresnė, mokėsi aukštesnėje klasėje. Herbertas mirė nuo leukemijos...

– Ką?

– Bridžita, reikia sakyti ne „ką?“, o „prašau?“ Matai, manęs nebus namie, nes Una nori pažiūrėti skaidres iš kelionių po Nilą, tai mes su Pene ir pagalvojom, ar tu negalėtum įrašyti... Oi, turiu bėgti, atėjo mėsininkas!

8 valanda vakaro. Prie darbo. Juokinga: dveji metai turiu vaizdo magnetofoną ir niekad nieko nesugebėjau įsirašyti. Juo labiau, kad tai nuostabiausias „FV 67 HV VideoPlus“. Neabejoju, kad viskas labai paprasta, tik reikia surasti instrukciją, susipažinti su visais mygtukais ir t.t.

8.15. Chm. Niekaip nerandu instrukcijos.

8.35. Cha! Radau instrukciją, buvo pakišta po žurnalu „Hello!" Tvarka. „Užprogramuoti vaizdo magnetofoną taip pat paprasta ir nesudėtinga, kaip paskambinti telefonu". Nuostabu.

8.40. „Nukreipkite nuotolinio valdymo pultą į vaizdo magnetofoną". L. lengva. „Paskaitykite indeksą". Ooooo, koks kraupus sąrašas: „Įrašas su taimeriu hi-fi sistemoje", „Dekoderis, naudojamas programų atkodavimui" ir pan. Aš tik noriu įrašyti Penės Hasbends-Bosvort paistalus.

8.50. Aha. Diagrama. „IMC funkcijų mygtukai". O kas tos IMC funkcijos?

8.55. Nutariau nekreipti į tą puslapį dėmesio. Pereinu prie „Įrašų su taimeriu": „1. Patikrinkite, ar išpildyti VideoPlus reikalavimai." Kokie reikalavimai? Nekenčiu to idiotiško vaizdo magnetofono. Jaučiuosi kaip vairuodama, kai reikia stebėti kelio ženklus. Širdies gilumoje žinau, jog kelio ženklai ir vaizdo magnetofono instrukcija yra nesąmonės, bet niekaip negaliu patikėti, kad valdžia galėtų būti tokia negailestinga ir taip visus maustyti. Jaučiuosi niekam tikusi idiotė, nes visi kiti neabejotinai supranta kažką, kas nuo manęs slepiama.

9.10. „Įjungę vaizdo magnetofoną patikrinkite, ar tiksliai nustatytas laikrodis ir kalendorius; jų parodymai turi atitikti pageidaujamą taimerio datą (nepamirškite, jog žiemos ir vasaros laikui naudojamos specialios greito reguliavimo funkcijos). Laikrodžio funkcijų meniu iškviesite paspaudę raudoną mygtuką ir surinkę skaičių 6."
Paspaudžiu raudoną mygtuką, ir nieko. Spaudžiu numerius – irgi nieko. Gailiuosi, kad žmonija išvis išrado idiotišką vaizdo magnetofoną.

9.25. Aaaaa... Staiga televizoriaus ekrane įsižiebė užrašas „Paspauskite 6". O varge. Tik dabar supratau, kad apsirikusi spaudau televizoriaus nuotolinio valdymo pultą. Jau rodo žinias.

Paskambinau Tomui ir paprašiau, kad jis įrašytų Penę Hasbends-Bosvort, bet jis atsakė, jog irgi nemoka naudotis savo vaizdo magnetofonu.

Staiga vaizdo magnetofonas garsiai klankteli ir vietoje žinių neaišku kaip atsiranda „Meilė iš pirmo žvilgsnio".

Paskambinau Džudei: ji irgi nemoka naudotis savuoju. Aaaaa. Aaaaa. Jau 10.15. „Newsnight" po penkiolikos minučių.

10.17. Nelenda kasetė.

10.18. Oi, ten buvo „Telma ir Luiza"!

10.19. „Telma ir Luiza" niekaip nelenda lauk.

10.21. Paklaikusi spaudau visus mygtukus. Kasetė trumpam išlenda ir vėl įlenda atgal.

10.25. Pagaliau įdėjau tuščią kasetę. Gerai. Jungiu „Įrašą".

„Įrašas iš tiunerio prasidės paspaudus bet kurį mygtuką (išskyrus Mem)." Iš kokio tiunerio? „Įrašinėdami iš kameros ar panašaus šaltinio, tris kartus paspauskite AV Prog. Jei laida transliuojama dviem kalbomis, paspauskite 1/2 ir palaikykite 3 sekundes, kol pasirinksite norimą kalbą."

O Dieve. Ta kvaila instrukcija primena mano lingvistikos profesorių Bangore, kuris buvo taip susižavėjęs kalbos subtilybėmis, kad negalėjo kalbėti neanalizuodamas kiekvieno ištarto žodžio: „Šįryt norėčiau... matote, žodis „norėčiau" 1570 metais..."

Aaaaaa aaaaaa. Prasideda „Newsnight".

10.31. Gerai. Ramybės. Ramybės. Penė Hasbends-Bosvort dar nekalba apie asbestą ar leukemiją.

10.33. Valio, valio! „PROGRAMA ĮRAŠINĖJAMA". Man pavyko!

Aaaaa. Magnetofonas išprotėjo. Kastetė ėmė persisukinėti, paskui sustojo ir išlindo lauk. Kodėl? O, šūdas. Susijaudinusi nepajutau, kaip atsisėdau ant nuotolinio valdymo pultelio.

10.35. Jau lipu sienom. Paskambinau Šezei, Rebekai, Saimonui ir Magdai. Nė vienas nemoka programuoti vaizdo magnetofono. Pažįstu vienintelį asmenį, kuris tą sugeba. Danielis.

10.45. Dieve. Danielis nuvirto iš juoko, kai pasakiau, kad nemoku elgtis su vaizdo magnetofonu. Pasakė, kad mielai įrašys. Na, bent jau pasistengiau padaryti, ko prašė mama. Išties nepaprasta proga, kai pamatai draugus per televiziją.

11.15. Chm. Paskambino mama.
– Atsiprašau, meilute. Ne „Newsnight", o rytojaus „Breakfast News". Gal gali nustatyti įrašą rytojui, septintai ryto? Per BBC1.

11.30. Paskambino Danielis.
– Eee, Bridže, atsiprašau. Nežinau, kaip čia atsitiko. Įsirašė Baris Normanas.

BIRŽELIO 18, SEKMADIENIS

56 kg, alkoholio vienetai 3, cigarečių 17.

Trečią savaitgalį iš eilės prasėdėjau prie televizoriaus pustamsiame kambaryje su Danieliu, sukišusiu ranką į mano liemenėlę ir žaidžiančiu speneliu tarsi raminančiu karoliu, retsykiais droviai cypteldama: „Buvo taškas?", tik staiga nei iš šio, nei iš to leptelėjau:

– Kodėl negalim savaitgalį kur nors išvažiuoti? *Kodėl? Kodėl?*

– Puiki mintis, – romiai atsakė Danielis, ištraukdamas ranką iš mano iškirptės. – Užsakyk kokį viešbutį kitam savaitgaliui. Kur nors kaime, gerą. Aš moku.

BIRŽELIO 21, TREČIADIENIS

55,5 kg (l.l.g.), alkoholio vienetas 1, cigaretės 2, momentinės loterijos bilietai 2 (l.g.), minutės, praleistos žiūrinėjant kelionių brošiūras savaitgaliui, 237 (blogai).

Danielis atsisakė daugiau kalbėti apie savaitgalio išvyką ir žiūrėti brošiūras, be to, uždraudė man apie tai prasižioti iki pat šeštadienio, kai jau reikės važiuoti. Ką jis galvoja, kad aš nesijaudinsiu, kai taip ilgai šito troškau? Kodėl vyrai nesugeba svajoti apie atostogas, rinktis kelionių vietas pagal brošiūras ir planuoti būsimą veiklą, tuo tarpu kai gaminti maistą ar siūti jie (bent kai kurie) išmoko? Mane užgulė baisi atsakomybė savarankiškai parinkti išvykos vietą. Vovingem Holas atrodo idealus – skoningas, nepernelyg oficialus, lovos su baldakimais, ežeras ir net sveikatingumo centras (neketinu ten eiti), bet jei Danieliui nepatiks?

BIRŽELIO 25, SEKMADIENIS

55,5 kg, alkoholio vienetai 7, cigaretės 2, kalorijos 4587 (ojojoj).

O varge. Danielis iš karto nutarė, kad viešbutis skirtas naujiesiems turtuoliams, nes prie vartų stovėjo trys automobiliai „Rolls-Royce", vienas jų geltonas. Aš stengiausi kovoti su stiprėjančiu įsitikinimu, kad oras staiga baisiai atšalo, o drabužius susipakavau ruošdamasi keturiasdešimt laipsnių karščiui. Turėjau įsidėjusi:

2 ištisinius maudymosi kostiumėlius,
1 bikinį,
1 ilgą plazdančią baltą suknelę,
1 paplūdimio suknelę,
1 porą ryškiai rausvų įsispiriamų plastikinių basučių aukštais kulnais,
1 rožinę zomšinę mini suknelę,
1 juodo šilko apatinuką,
(daug įvairių) liemenėlių, kelnaičių, kojinių ir kitų apatinių.

Kol drebėdama tipenau paskui Danielį, sugrumėjo perkūnas, o viešbučio vestibiulyje pamatėme gausybę pamergių bei vyrų kremo spalvos kostiumais; netrukus sužinojome, kad esame vieninteliai viešbučio klientai, atvykę ne į vestuves.

– Siaubas, kokios baisybės dedasi Srebrenicoje, ar ne? – čiauškėjau it pamišusi, stengdamasi grąžinti mus ištikusius nemalonumus į atitinkamą perspektyvą. – Atvirai šnekant, taip niekad iki galo ir nesupratau, kas darosi Bosnijoje. Maniau, kad bosniai tai tie, kurie gyvena Sarajeve, o serbai juos puola, bet kas tada Bosnijos serbai?

– Na, jei ne taip atidžiai studijuotum kelionių brošiūras, o kartais pavartytum laikraščius, tai gal ir žinotum, – nusišaipė Danielis.

– Gerai, tai kas ten darosi?

– Dieve, tu pažiūrėk, kokie tos pamergės papai.

– O kas yra Bosnijos musulmonai?

– Net neįsivaizdavau, kad būna tokie švarkų atlapai.

Staiga mane apėmė su niekuo nesupainiojamas jausmas, kad Danielis stengiasi pakeisti temą.

– Ar Bosnijos serbai tie patys, kurie puolė Sarajevą? – paklausiau.

Tyla.

– Tai kam pagaliau priklauso Srebrenica?

– Srebrenica yra *nepuolimo zonoje,* – neapsakomai globėjiškai paaiškino Danielis.

– Tai kodėl žmonės iš tos nepuolimo zonos anksčiau puolė kitus?

– Užsičiaupk.

– Tik pasakyk, ar Srebrenicos bosniai yra tie patys, kaip Sarajevo.

– Musulmonai, – pergalingai pareiškė Danielis.

– Serbų ar bosnių?

– Klausyk, tu užsikimši ar ne?

– Tu irgi nežinai, kas darosi Bosnijoje.

– Žinau.

– Nežinai.

– Žinau.

– *Nežinai.*

Tą akimirką viešbučio šveicorius, pasipuošęs trumpomis kelnėmis, baltomis kojinėmis iki kelių, lakuotais batais su sagtimis, fraku ir pudruotu peruku, pasilenkė prie mūsų ir tarė:

– Leiskite jums priminti, pone, jog anksčiau Srebrenicoje ir Sarajeve bus gyvenę Bosnijos musulmonai. – Ir piktybiškai pridūrė: – Ar jums, pone, rytoj rytą atnešti laikraštį?

Jau maniau, kad Danielis jam smogs. Net nepajutau, kaip ėmiau glostyti jo alkūnę ir murmėti: „Viskas gerai, viskas gerai, nieko, nieko", kaip sunkvežimio išsigandusiam lenktyniniam žirgui.

5.30 popiet. Brrr. Užuot drybsojusi su Danieliu saulėkaitoje prie ežero apsivilkusi ilga plazdančia suknele, visa pamėlusi tirtėjau valtyje, įsisiautusi į viešbučio rankšluostį. Pagaliau pasidavėm: grįžom į kambarį išsimaudyti karštoje vonioje ir išgerti aspirino, o pakeliui dar pamatėm, kad, išskyrus mus ir vestuvininkus, restorane sėdės dar viena pora, kurios moteriškoji pusė buvo vardu Eilina; Danielis kadaise dukart su ja permiegojo, netyčia sugebėjo labai skaudžiai įkąsti į krūtį ir nuo tada nebešnekėjo.

Kai aš išlindau iš vonios, Danielis gulėjo ant lovos ir kikeno.

– Sugalvojau tau naują dietą, – pasakė jis.

– Tai vis dėlto *manai*, kad aš stora.

– Gerai, klausyk. Viskas labai paprasta. Reikia tik nevalgyti nieko, už ką turėtum mokėti pati. Kai pradedi dietą, atrodai truputį putloka, todėl niekas tavęs nekviečia vakarienės. Taip numeti svorį, o kai pasidarai apetitiškai perkarusi, vaikinai tave pastebi ir ima kviesti į restoranus. Tada vėl keletą kilogramų priaugi, kvietimai išsenka, ir tu vėl pradedi plonėti.

– Danieli! – sprogau. – Tai bjauriausias pasaulyje seksistinis, ciniškas ir antistoruliškas paistalas, kokį tik esu kada girdėjusi.

– O, baik, Bridžita, – atkirto jis. – Tai tik logiškas tavo pačios minčių tęsinys. Aš tau nuolat kartoju, kad niekam nereikia merginos, kurios kojos kaip skeleto. Moteris turi turėti užpakalį, ant kurio tilptų pastatytas motociklas ir bokalas alaus.

Mane išsyk apėmė pasišlykštėjimas, įsivaizdavus save su motociklu ir bokalu alaus ant užpakalio, įsiūtis ant įžūlaus seksisto Danielio ir netikėta abejonė, ar jis ne teisybę kalba apie įsivaizduojamą kūno santykį su meilės reikalais, o jei taip, tai ar nereikėtų tuoj pat suvalgyti ką nors skanaus, tik įdomu ką.

– Aš tik įjungsiu teliką, – Danielis pasinaudojo tuo, kad akimirką netekau žado, paspaudė nuotolinio valdymo pultelį ir ėmė eiti prie lango, norėdamas užtraukti sunkias viešbučio užuolaidas, veikiausiai likusias nuo užtamsinimo laikų. Po poros sekundžių kambarys skendėjo tamsoje, mirgėjo tik kriketas ekrane. Danielis užsidegė cigaretę ir telefonu užsakė šešias skardines „Foster" alaus.

– Ar ko norėsi, Bridže? – paklausė šaipydamasis. – Gal arbatos su grietinėle? Sumokėsiu.

LIEPA

CHM

LIEPOS 2, SEKMADIENIS

*55 kg (gerai, taip ir toliau), alkoholio vienetų 0, cigarečių 0,
kalorijos 995, momentinės loterijos bilietų 0: stačiai nuostabu.*

7.45 ryto. Ką tik paskambino mama.

– Labas, meilute, žinai ką?

– Truputį palauk, aš tik nusinešiu telefoną į kitą kambarį, –
atsakiau, nervingai dirstelėjau į Danielį, ištraukiau telefono
kištuką, pirštų galais nutipenau į svetainę ir vėl įjungiau; pasi-
rodo, mama nė nepastebėjo, kad pustrečios minutės jos nesi-
klausiau, ir ramiai pasakojo toliau.

– ...tai ką manai, meilute?

– Emm, nežinau. Nešiau telefoną į kitą kambarį, juk sakiau
tau, – atsakiau.

– A. Tai tu nieko negirdėjai?

– Ne.

Trumpam stojo tyla.

– Labas, meilute, žinai ką? – Kartais man atrodo, kad ma-
no mama puikiai prisitaikiusi gyventi šiuolaikiniame pasauly-
je, o kartais – kad visiškai jame nesiorientuoja. Pavyzdžiui, kai
paskambina man ir labai garsiu, aiškiu balsu palieka atsakikly-
je tokią žinutę: „Čia Bridžitos Džouns motina".

– Alio? Labas, meilute, žinai ką? – pakartojo.

– Ką? – beviltiškai paklausiau.

– Liepos dvidešimt devintą Una ir Džefris Alkonberiai savo
sode rengia kostiumų vakarėlį „Kunigai ir paleistuvės". Kokia
nuostabi mintis, ar ne? „Kunigai ir paleistuvės"! Įsivaizduoji?

Labai stengiausi sutramdyti vaizduotę. Una Alkonberi su batais iki pusės šlaunų, tinklinėmis kojinėmis ir liemenėle su iškirptėmis speneliams? Man atrodo, kad šešiasdešimtmečiams nedera rengti tokių vakarėlių, be to, tai labai kvaila.

– Tai ir pagalvojom, kaip būtų super, jeigu tu ir... – prasminga, šelmiška pauzė, – Danielis atvažiuotumėt. Mes klaikiai trokštam jį pamatyti.

Net silpna pasidarė pagalvojus, kad mano santykius su Danieliu smulkiai ir su meile preparuos visas Northemptonširo „Lifeboat" organizacijos klubas.

– Nemanau, kad tokie dalykai Danieliui labai... – vos tai ištariau, kaip kėdė, ant kurios neaišku kodėl buvau priklaupusi remdamasi į stalą, virto su baisingu trenksmu.

Kai vėl paėmiau ragelį, mama tebekalbėjo.

– Aišku, kad super. Bus ir Markas Darsis, atrodo, ne vienas, taigi...

– Kas čia darosi? – tarpdury stovėjo nuogutėlis Danielis. – Su kuo kalbi?

– Mama, – beviltiškai sušnibždėjau puse lūpų.

– Duok man, – pasakė tiesdamas ranką. Man patinka, kai jis toks tvirtas, bet nė kiek nesusierzinęs.

– Ponia Džouns, – tarė jis be galo žaviu tonu. – Čia Danielis.

Beveik girdėjau, kaip ji sučiulbo.

– Tokią valandą gerokai per anksti skambinti, ypač sekmadienio rytą. Taip, nuostabiai graži diena. Kuo galim būti naudingi?

Kelias sekundes žiūrėjo į mane, kol ji čiauškėjo, o paskui vėl nusigręžė į ragelį.

– Taip, tikrai bus nuostabu. Užsirašysiu datą savo darbo kalendoriuje ir paieškosiu, kur padėjau kunigo apykaklę. O dabar norėtume dar truputį numigti. Viso geriausio jums. Taip. Viso geriausio, – tvirtai pakartojo ir padėjo ragelį.

– Matai, – patenkintas pareiškė, – reikia tik trupučio ryžto.

55,5 kg (hmm, tą puskilogramį reikia numesti),
alkoholio vienetai 2, cigaretės 7, kalorijos 1562.

Tiesą sakant, baisiai džiaugiuosi, kad Danielis kitą šeštadienį važiuos su manim į vakarėlį „Kunigai ir paleistuvės". Kaip bus puiku nors kartą atvažiuoti ne vienai ir išvengti kankinimų klausimais, kodėl iki šiol neturiu draugo. Diena bus saulėta ir karšta. Gal net galėtume surengti išvyką ir apsinakvoti pakelės viešbutyje (ar kokiame kitame, kurio miegamuosiuose nėra televizorių). Labai džiaugiuosi, kad Danielis susipažins su tėčiu. Manau, jie vienas kitam patiks.

2 valanda nakties. Nubudau paplūdusi ašaromis: jau ne pirmą kartą susapnavau klaikų sapną, kaip laikau prancūzų kalbos baigiamąjį egzaminą raštu, atsiverčiu užduotis ir prisimenu, kad nieko nespėjau pasikartoti, o sėdžiu nuoga, tik su prijuoste, kurią naudoju namų ūkio užsiėmimams, imu kaip įmanydama ja dangstytis, kad panelė Čignal nepamatytų, jog esu be kelnaičių. Tikėjausi iš Danielio sulaukti bent užuojautos. Žinau, kad sapnas simbolizuoja mano nerimą dėl netikusiai besiklostančios karjeros, bet jis tik užsidegė cigaretę ir paprašė dar kartą pakartoti tą gabaliuką apie prijuostę.

– Tau gerai, turi to prakeikto Kembridžo diplomą, – sukūkčiojau šnirpšdama nosim. – O aš niekad gyvenime nepamiršiu, kaip pažiūrėjau į skelbimų lentą, pamačiau prastą prancūzų egzamino pažymį ir supratau, kad negalėsiu studijuoti Mančesteryje. Visas mano gyvenimas iš esmės pasikeitė.

– Turėtum dėkoti Apvaizdai, Bridže, – atsakė jis, gulėdamas ant nugaros ir pūsdamas dūmus į lubas. – Būtum veikiausiai ištekėjusi už kokio nuobodylos su namu kaime ir visą gyvenimą valytum jo skalikų gardus. O be to, – jis ėmė juoktis, – visiškai nieko blogo turėti... – taip įsikvatojo, kad vos galėjo žodį ištarti, – Bangoro diplomą.

– Baigta, to jau per daug. Einu miegoti ant sofos, – surikau ir iššokau iš lovos.

– Ei, baik, Bridžita, – tarė įsitraukdamas mane atgal. – Juk žinai, ką apie tave galvoju: tu tikra... intelekto galiūnė. Tik dar turi išmokti aiškinti sapnus.

– Tai ką reiškia šitas mano sapnas? – irzliai paklausiau. – Kad nepanaudoju savo intelektinių galimybių?

– Ne visai taip.

– Tada ką?

– Žinai, man atrodo, kad prijuostė be kelnaičių gana aiškus simbolis.

– Kieno simbolis?

– Jis reiškia, kad tuščias intelektinio gyvenimo vaikymasis trukdo tau siekti tikrųjų gyvenimo tikslų.

– O kokie tie tikslai?

– Labai aiškūs: virti man valgyti, pupuliuk, – atsakė jis, vėl nenustygdamas iš džiaugsmo, kad yra toks sąmojingas. – Ir vaikštinėti po mano butą be kelnaičių.

LIEPOS 28, PENKTADIENIS

56 kg (iki rytojaus dar turiu suplonėti), alkoholio vienetas 1 (l.g.), cigaretės 8, kalorijos 345.

Mmmm. Šįvakar Danielis buvo be galo mielas, valandų valandas padėjo man rinktis apdarą „Kunigų ir paleistuvių" vakarėliui. Jis sugalvodavo įvairius kostiumus, aš apsirengdavau, tada jis įvertindavo. Danieliui visai patiko vienas kunigo *ir* paleistuvės derinys: kunigiška apykaklė ant juodų marškinėlių ir juodos nėriniuotos kojinės su korsetu. Tačiau kai kurį laiką pavaikščiojau juo apsirengusi, Danielis nutarė, kad vis dėlto geriau atrodo juodų nėrinių glaustinukė iš „Marks and Spencer" su kojinėmis bei korsetu, prancūziška kambarinės prijuostė, kurią pagaminome iš nosinaitės ir kaspino, peteliškė po kaklu ir vatinė zuikučio uodegėlė. Iš tiesų, kaip jis gražiai pasielgė, aukodamas savo laiką. Kartais galvoju, kad jis tikrai rūpestingas. Be to, šįvakar buvo ypatingai ištroškęs sekso.

Oooo, negaliu sulaukti rytojaus!

LIEPOS 29, ŠEŠTADIENIS

55,5 kg (l.g.), alkoholio vienetai 7, cigaretės 8, kalorijos 6245 (tegul bus prakeikta Una Alkonberi, Markas Darsis, Danielis, mama ir visi kiti).

2 valanda popiet. Negaliu patikėti. Pirmą valandą Danielis dar miegojo, todėl ėmiau jaudintis, nes kostiumų balius prasideda pusę trijų. Galiausiai pažadinau jį atnešdama kavos ir pasakiau:

– Pagalvojau, kad jau norėsi keltis, nes pusę trijų mes turim ten būti.

– Kur?

– Atsimeni, „Kunigai ir paleistuvės".

– O Dieve mano. Klausyk, Bridže, aš ką tik prisiminiau, kad šį savaitgalį turiu tiek darbo. Niekaip negaliu važiuoti, turėsiu likti namie ir arti.

Nepatikėjau savo ausimis. Juk *pažadėjo* važiuoti su manim. Visi žino, kad kai draugauji su žmogum, privalai padėti jam ištverti klaikius šeimos susiėjimus, o jis mano, kad tik ištars stebuklingą žodį „darbas", ir viskas bus atleista. Dabar visi Alkonberių draugai ištisą vakarą tik ir klausinės manęs, ar aš turiu vaikiną, ir niekas manim nepatikės.

10 valanda vakaro. Negaliu patikėti, kad viską ištvėriau. Dvi valandas važiavau, pastačiau mašiną priešais Alkonberių namus ir įsitikinusi, kad manasis „Pleibojaus" panelės kostiumas atrodo gerai, apėjau iš sodo pusės, iš kur buvo girdėti linksmi balsai. Man pradėjus eiti skersai pievelės visi nutilo, ir

148

aš su siaubu pamačiau, kad dalyviai apsirengę visai ne kunigais ir paleistuvėmis: moterys vilkėjo elegantiškas gėlėtas sukneles iki pusės blauzdų, o vyrai – lengvas vasarines kelnes ir megztinius V formos iškirptėmis. Persigandusi sustingau vietoje kaip... kaip zuikis. Visi išvertė akis, o Una Alkonberi su klostytu ciklameno spalvos sijonu atlapnojo pas mane per pievą, tiesdama plastmasinę taurę, pilną obuolio gabalų ir kažin kokių lapų.

– Bridžita!!! Kaip gerai, kad atvažiavai! Išgerk punšo, – tratėjo ji.

– Aš maniau, kad bus kostiumų balius „Kunigai ir paleistuvės", – sušnypščiau.

– Ojergau, tai ar Džefas tau nepaskambino? – atsakė ji. Netikėjau savo ausimis. Nejau ji rimtai mano, kad aš kasdien rengiuosi kaip mergytė zuikytė?

– Džefai, – suriko ji. – Ar tu nepaskambinai Bridžitai? Mes baisiai nekantraujame pamatyti tavo naują draugą, – pridūrė apsidairydama. – Kur jis?

– Jis turėjo dirbti.

– Kaip-mano-mažoji-Bridžita? – užgiedojo jau gerai įkalęs dėdė Džefris, netvirtai eidamas prie mūsų.

– Džefri, – lediniu balsu tarė Una.

– Klausau. Visi rikiuotėje, viskam pasiruošę, įsakymai įvykdyti, pone leitenante, – atsakė jis, atidavė pagarbą ir kikendamas susmuko žmonai ant peties. – Skambinau, bet atsiliepė tas durnas daiktas, atsakiklis.

– Džefri, – sušnypštė Una. – Eik ir prižiūrėk grilį. Labai atsiprašau, mieloji, matai, pastaruoju metu buvo tiek skandalų su kunigais, kad mes pagalvojom, jog kvaila rengti vakarėlį „Kunigai ir paleistuvės", nes... – ji pradėjo juoktis, – ... nes visi galvoja, kad ir patys kunigai gerokai pasileidę. O Viešpatie, – atsiduso ji šluostydamasi ašaras. – Na gerai, o kaip tavo naujasis vaikinas? Kodėl jam staiga prireikė dirbti šeštadienį? Čia dabar! Nelabai įtikinamas pasiteisinimas, ką? Kaip mums dabar tave ištekinti, jei taip?

– Jei taip, aš netrukus tapsiu palydove, – suburbėjau, mėgindama atkabinti nuo užpakalio zuikio uodegėlę.

Jutau, kad į mane kažkas žiūri, ir pakėlusi akis susidūriau su Marku Darsiu, įtemptai spoksančiu į nelemtąją uodegėlę. Šalia jo stovėjo ta pati aukšta, liekna ir elegantiška šeimos teisės specialistė, apsirengusi kuklia Žaklinos Kenedi stiliaus alyvine suknele ir tokiu pat vasariniu paltu, užkėlusi ant viršugalvio akinius nuo saulės.

Ta pasipūtusi beždžionė piktybiškai nusišiepė Markui ir prisispyrusi, be galo nemandagiai nužvelgė mane nuo galvos iki kojų.

– Ateini iš kito vakarėlio? – paklausė.

– Tiesą sakant, kaip tik einu į darbą, – atsakiau, o Markas Darsis lengvai šyptelėjo ir nusisuko.

– O, labas, meilute, neturiu laiko, filmuojam, – prabėgdama suklegėjo mama, apsirengusi ryškios turkio spalvos klostyta suknele ir pamojavo šūsnimi popierių. – Ką čia sugalvojai taip apsirengti? Atrodai kaip stoties prostitutė. O dabar visi nutylam, mirtina tyla, iiiiiiiir... – sukliko ji Chulijui, laikančiam videokamerą, – filmuojam!

Pasimetusi ėmiau dairytis, ieškodama tėčio, bet niekur jo nemačiau. Pastebėjau, kaip Markas Darsis kalbasi su Una ir rodo į mano pusę, paskui Una labai ryžtingai atskubėjo pas mane.

– Bridžita, aš *tikrai* labai atsiprašau dėl tos painiavos su kunigais, – pasakė ji. – Markas man ką tik pasakė, kad tu turbūt klaikiai nepatogiai jautiesi taip apsirengusi, kai čia pilna vyresnio amžiaus žmonių. Ar nenorėtum pasiskolinti kokį drabužį?

Likusią vakarėlio dalį praleidau, ant zuikučio kostiumo užsimetusi gėlėtą Loros Ešli suknelę pūstomis rankovėmis, kurią Dženina Alkonberi vilkėjo, kai buvo pamergė kažkieno vestuvėse, Marko Darsio Nataša nesiliovė iš manęs šaipytis, o mama pralėkdama pro šalį vis mesteldavo: „Štai kur tikrai graži suknelė, meilute. Stop!"

– Man ta jo draugė atrodo ne kažin kas, o tau? – garsiai tarė Una Alkonberi, galva mostelėjusi Natašos link, kai stovėjome tik dviese. – Jau tokia poniutė. Eleinė mano, kad ji degte dega nekantrumu nusitempti jį prie altoriaus. O, štai kur tu, Markai. Dar taurę punšo? Kaip gaila, kad Bridžitos draugas negalėjo atvažiuoti. Štai kam tikrai pavyko, ar ne? – visa tai buvo ištarta labai agresyviai, tarsi Una būtų asmeniškai įsižeidusi, kad Markas pasirinko merginą, kuri: a) yra ne aš, ir b) nebuvo jam pristatyta per naujametį kalakutienos troškinio vakarėlį. – Kuo jis vardu, Bridžita? Danielis, ar ne? Pamė sako, kad jis iš tų fantastiškų jaunų leidėjų.

– Danielis Klyveris? – paklausė Markas Darsis.

– Būtent, – patvirtinau iškeldama smakrą.

– Ar jis tavo draugas, Markai? – pasiteiravo Una.

– Jokiu būdu ne, – griežtai atkirto šis.

– Ojojoi. Na, tikiuosi, jis gerai elgsis su mūsų mažąja Bridžita, – tęsė Una, mirktelėjusi man, tarsi viskas būtų mirtinai juokinga, o ne klaiku ir kraupu.

– Manau, kad vėl galėčiau visai pagrįstai pasakyti: jokiu būdu ne, – atsakė Markas.

– Oi, palaukit, matau, atėjo Odrė. Odre! – nesiklausydama sučiulbo Una ir, ačiū Dievui, nuliuoksėjo jos pasitikti.

– Tikriausiai manai, kad esi be galo sąmojingas, – įniršusi pradėjau aš, žiūrėdama į nutolstančią Uną.

– O kas? – nustebęs paklausė Markas.

– Tu čia daug nekaksėk, Markai Darsi, – pagrasinau.

– Kalbi visai kaip mano mama, – tarė jis.

– Tikriausiai manai, kad esi labai šaunus, kai skundi kitų žmonių draugus jų tėvų draugams jiems už akių, kad negalėtų nėt apsiginti, ir tik dėl to, kad pavydi, – išrėžiau.

Jis bukai įsispoksojo į mane, tarsi nuklydęs į kitą išmatavimą.

– Atsiprašau, – pagaliau tarė. – Stengiausi suprasti, ką tu čia pasakei. Ar aš?.. Nori pasakyti, kad aš pavydžiu Danieliui Klyveriui? Tavęs?

– Ne, ne manęs, – įnirtusi atsakiau, nes tikrai buvo galima taip pagalvoti. – Tik pagalvojau, kad gal šmeiži mano draugą ne vien iš bjaurumo, o turi rimtų priežasčių.

– Markai, mielasis, – suulbėjo Nataša, grakščiai žingsniuodama mūsų link. Ji tokia aukšta ir liekna, kad gali avėti žemakulnes basutes, todėl eina per pievelę natūraliai, lyg būtų tam sutverta, kaip kupranugaris dykumai. – Eime, papasakosi savo mamai apie tuos valgomojo baldus, kuriuos matėm Konrano parduotuvėje.

– Tik noriu pasakyti, kad pasirūpintum savim, – tyliai tarė jis ir leidosi Natašos nutempiamas, – o tavo mamai irgi nepakenktų būti atsargesnei, – pridūrė, reikšmingai žvilgtelėjęs į Chuliją.

Iškentėjusi dar 45 minutes siaubo pamaniau, kad jau galiu išvažiuoti; Unai pasiaiškinau, kad turiu dirbti.

– Ak, tos dirbančios merginos! Atsimink, negalima atidėlioti be galo: tik tak, tik tak, – atsakė ji.

Turėjau penkias minutes ramiai pasėdėti automobilyje ir parūkyti, tik tada pajėgiau išvažiuoti. Vos issukau į pagrindinį kelią, pro šalį pravažiavo tėčio automobilis. Priekinėje sėdynėje šalia jo sėdėjo Penė Hasbends-Bosvort, apsirengusi raudonu korsažu su pakietinta liemenėle ir prisitaisiusi triušio ausis.

Iš autostrados išvažiavau visai suirzusi, į Londoną grįžau gerokai anksčiau, negu tikėjausi, tad pagalvojau, kad, užuot važiavusi tiesiai namo, užsuksiu pas Danielį šiokios tokios moralinės paramos.

Pamačiau kieme stovintį jo automobilį ir pastačiau savąjį greta. Kai paskambinau, niekas neatsiliepė, todėl truputį palaukiau ir vėl paskambinau: gal kaip tik žiūri įdomiausią rungtynių momentą ar ką panašaus. Niekas neatsakė. Žinojau, kad jis turi būti namie, nes automobilis kieme, be to, buvo sakęs, kad sėdės namie, dirbs ir žiūrės kriketą. Pažiūrėjau į Danielio langus ir pamačiau jį. Plačiai nusišypsojau, pamojavau ir parodžiau į duris. Jis išnyko, tikriausiai norėdamas atrakinti telefonspynę, todėl vėl paspaudžiau skambutį. Po kurio laiko atsiliepė:

– Hei, Bridže. Kalbu telefonu su Amerika. Eik į aludę, aš ateisiu po dešimt minučių.

– Gerai, – linksmai atsakiau nieko blogo negalvodama ir patraukiau posūkio link. Tačiau atsigręžusi vėl jį pamačiau: nekalbėjo telefonu, o stebėjo mane pro langą.

Esu gudri kaip lapė, todėl apsimečiau jo nematanti ir ėjau toliau, tačiau viduje viskas užvirė. Kodėl jis mane stebi? Kodėl iš karto neatidarė durų? Kodėl paprasčiausiai nepaspaudė telefonspynės mygtuko ir neleido man įeiti vidun? Staiga mane tarsi žaibas trenkė. Pas jį namuose moteris.

Smarkiai plakančia širdimi priėjau iki posūkio, tada prisispaudžiau prie sienos ir atsigręžiau pasižiūrėti, ar pasitraukė nuo lango. Lange jo nebuvo. Skubiai parbėgau atgal ir susigūžiau kaimyninio namo laiptinėje, pro kolonas stebėdama, ar iš Danielio namo neišeis moteris. Staiga susimąsčiau: jei moteris ir išeitų, kaip aš sužinosiu, kad ji eina iš Danielio buto, o ne kurio kito? Ką darysiu? Prieisiu prie jos ir liepsiu prisipažinti? Suimsiu už tvarkos ardymą? Be to, kas jam trukdo liepti moteriai pabūti bute, kol jis spės nueiti iki aludės?

Pažiūrėjau į laikrodį. Pusė septynių. Cha! Aludė dar uždaryta. Puikiausia dingstis. Padrąsėjusi nuskubėjau atgal prie durų ir paspaudžiau skambutį.

– Bridžita, ar čia vėl tu? – irzliai amtelėjo Danielis.

– Aludė dar uždaryta.

Stojo tyla. Ar tikrai fone girdėti balsas? Įjungiau neigimo mechanizmą ir pasakiau sau, kad veikiausiai jis tik plauna pinigus ar prekiauja narkotikais. Dabar tikriausiai kaip tik kiša po grindimis polietileninius kokaino pakelius, o jam padeda elegantiški lotynų amerikiečiai, susirišę plaukus į uodegas.

– Įleisk mane, – tariau.

– Juk sakiau, kalbu telefonu.

– Įleisk.

– Ką? – jis aiškiai tempė laiką.

– Danieli, paspausk spynos mygtuką, – atsakiau.

Ar ne keista, kaip žmogus jauti, kad bute yra kažkas svetimas, nors jo nematai ir negirdi? Na, *aišku,* lipdama viršun patikrinau visas spintas laiptinėje, ten nieko nebuvo. Bet aš tikrai žinojau, kad pas Danielį yra moteris. Gal užuodžiau vos juntamą kvapą... gal Danielis elgėsi keistai. *Žinojau,* ir viskas, nesvarbu iš kur.

Abu įsitempę stovėjome priešingose svetainės pusėse ir stebėjome vienas kitą. Vos laikiausi nepradėjusi laigyti po kambarį, atidarinėti visų durų ir skambinti 1471 norėdama patikrinti, ar kas nors skambino iš Amerikos.

– Kas čia per drabužis? – paklausė jis. Iš to susijaudinimo buvau visai pamiršusi Dženinos suknelę.

– Pamergės suknelė, – atsakiau iš aukšto.

– Ar nori išgerti? – paklausė Danielis. Žaibiškai sumečiau. Būtinai turiu jį išsiųsti į virtuvę, tada galėsiu peržiūrėti visas spintas.

– Norėčiau arbatos.

– Ar tau nieko neatsitiko? – paklausė jis.

– Nieko! Viskas puiku! – sučiulbėjau. – Kostiumų balius praėjo stebuklingai. Buvau tik viena apsirengusi kaip paleistuvė, teko prisidengti pamergės suknele, ten buvo Markas Darsis su Nataša, kokie gražūs tavo marškiniai... – uždususi nutilau, susivokusi, kad galutinai virtau (būtasis atliktinis laikas) savo motina.

Jis kurį laiką pažiūrėjo į mane ir išėjo į virtuvę; aš šokau prie lango, pažiūrėjau už užuolaidų ir patikrinau sofą.

– Ką čia darai?

Danielis stovėjo tarpduryje.

– Nieko, nieko. Pagalvojau, kad būsiu palikusi už sofos savo sijoną, – atsakiau, kaip pamišusi purendama pagalvėles it kokiam prancūziškam farse.

Jis įtariai mane nužvelgė ir vėl grįžo į virtuvę.

Nebebuvo laiko skambinti 1471, todėl mikliai patikrinau spintą, kurioje jis laiko sofos patalynę – žmogaus buvimo pėdsakų nerasta, – ir nusekiau paskui jį į virtuvę, pakeliui atidarydama spintą koridoriuje; iš jos išvirto lyginimo lenta ir kartoninė dėžė, prigrūsta senų plokštelių, kurios išsklido po visas grindis.

– Ką ten darai? – vėl švelniai paklausė Danielis, išeidamas iš virtuvės.

– Atsiprašau, užkliuvau rankove už rankenos, – atsakiau. – Einu į tualetą.

Danielis žiūrėjo į mane kaip į pavojingą pamišėlę, todėl negalėjau nueiti patikrinti miegamojo. Užtat užsirakinau tualete ir ėmiau karštligiškai ieškoti. Negalėčiau tiksliai pasakyti, ko ieškojau, bet būtų tikę ilgi šviesūs plaukai, popierinės servetėlės su lūpdažių pėdsakais ar svetimi plaukų šepečiai. Nieko panašaus neradau. Tyliai atsidariau duris, apsidairiau, nutipenau koridoriumi, pastūmiau Danielio miegamojo duris ir vos nenualpau. Kambaryje kažkas buvo.

– Bridže, – pasirodė, jog tai Danielis, kuris tarsi gindamasis laikė priešais save džinsus. – Ką tu čia veiki?

– Girdėjau, kaip čia įėjai, tai... Pamaniau... Na, turiu slaptą misiją, – atsakiau prieidama artyn; būčiau atrodžiusi seksualiai, jei ne ta gėlėta raukta suknelė. Priglaudžiau galvą jam prie krūtinės ir apsikabinau, stengdamasi užuosti kvepalus ant marškinių ir gerai apžiūrėti lovą, kuri kaip visad buvo neklota.

– Mmmm, po suknele tebėra tas zuikio rūbelis, ar ne? – pasakė jis, atsegdamas gėlėtosios suknelės užtrauktuką ir apkabinęs mane taip, kad labai aiškiai supratau, ko siekia. Staiga pagalvojau, kad gal tai specialus triukas: jis nori mane sugundyti, o per tą laiką moteris išspruks nepastebėta.

– Oooo, virdulys jau tikriausiai verda, – staiga pasakė Danielis, vėl užsegė mano suknelę ir padrąsinamai patapšnojo per petį, ko niekad gyvenime nebuvo daręs. Paprastai kai užsivesdavo, tai būtinai pasiekdavo logišką pabaigą; jam nebūtų sutrukdęs nei žemės drebėjimas, nei cunamiai, nei nuogos Margaret Tečer nuotraukos per televiziją.

– A taip, padaryk man puodelį arbatos, – atsakiau galvodama, kad gausiu progą gerai apžiūrėti miegamąjį ir dar dirstelėsiu į darbo kambarį.

– Tik po jūsų, – atsakė Danielis, išstūmė mane iš miegamojo ir užtrenkė duris, todėl teko eiti prieš jį į virtuvę. Pakeliui staiga pamačiau duris, vedančias į terasą ant stogo.

– Gal atsisėskim? – pasiūlė Danielis.

Tai štai kur ta prakeikta karvė: ant stogo.

– Kas tau yra? – paklausė jis, kai aš įtariai įsistebeilijau į duris.

– Nie-ko, – linksmai užgiedojau ir nuplevenau į svetainę. – Tik truputį pavargau per vakarėlį.

Nerūpestingai kritau ant sofos galvodama, ar šviesos greičiu pulti į darbo kambarį (paskutinę nepatikrintą vietą, kur ji galėtų slėptis), ar užlėkti ant stogo. Pagalvojau, kad jei terasoje jos nėra, reiškia, slepiasi darbo kambaryje, miegamojo spintoje arba po lova. Todėl jei abu užlipsim ant stogo, ji nesunkiai pabėgs. Tačiau jei taip būtų, Danielis jau seniai būtų pasiūlęs eiti į terasą.

Jis atnešė man arbatos ir atsisėdo prie savo laptopo, kuris buvo atidarytas ir veikė. Tik tada pagalvojau, kad gal jokios moters nėra. Monitoriuje buvo matyti dokumentas – gal jis tikrai dirbo ir kalbėjo telefonu su Amerika. O aš apsikvailinau, elgdamasi kaip visiška pamišėlė.

– Bridže, ar tau tikrai viskas gerai?

– Aišku, o ką?

– Na, pirmiausia užklumpi neperspėjusi, persirengusi pamerge su zuikučio rūbeliu apačioje, paskui keistai laužiesi į visus kambarius. Negalvok, kad be reikalo kišuosi, tik galvoju, kaip tą paaiškinti, daugiau nieko.

Pasijutau baisi kvailė. Tai vis tas prakeiktas Markas Darsis, kuris nori sugadinti mano gyvenimą, sėdamas abejones. Vargšas Danielis, kaip negražiai jį įtarinėju tik per kažkokį pasipūtusį, bjauraus būdo garsų advokatą, žmogaus teisių specialistą. Staiga išgirdau, kaip ant stogo kažkas sukrebždėjo.

– Žinai, man vis dėlto karšta, – pasakiau, įdėmiai stebėdama Danielį. – Gal lipsiu ant stogo ir pasėdėsiu terasoje.

– Dėl Dievo meilės, ar tu gali nors dvi minutes pabūti ramiai! – suriko jis ir šoko užstoti man kelią, tačiau aš buvau greitesnė. Pralindau pro jį, atvėriau duris, užbėgau laiptais ir atidariau dangtį į terasą.

O ten saulėkaitoje ant šezlongo gulėjo įdegusi ilgakojė šviesiaplaukė nuogutėlė moteris. Sustingau vietoje, su savo pamergės suknele jausdamasi kaip didžiulis tortas. Moteris pakėlė galvą, nusiėmė tamsius akinius ir pažvelgė į mane, primerkusi vieną akį. Girdėjau, kaip iš paskos atlipa Danielis.

– Mano mielas, – tarė moteris amerikietišku akcentu, žiūrėdama į jį man virš galvos, – o tu man sakei, kad ji *plona*.

RUGPJŪTIS

ŽLUGIMAS

56 kg, alkoholio vienetai 3, cigarečių 40 (bet nebeužsitraukiu, kad galėčiau daugiau surūkyti), kalorijų 450 (neturiu apetito), 1471 skambučių 14, momentinės loterijos bilietai 7.

5 valanda ryto. Viskas eina velniop. Mano draugas miega su įdegusia milžine. Motina miega su portugalu. Džeremis miega su šlykščia pamaiva, princas Čarlzas miega su Kamila Parker-Bouls. Nebežinau, nei kuo tikėti, nei kuo pasikliauti. Baisiai noriu paskambinti Danieliui, gal jis viską paneigs ir kaip nors paaiškins, kodėl ant jo stogo ganėsi nuoga valkirija – jaunesnė sesuo, draugiška kaimynė, turinti atsigauti po baisaus tvano, ir pan., – ir vėl viskas bus gerai. Bet Tomas priklijavo prie mano telefono popieriuką su užrašu: „Neskambink Danieliui, pasigailėsi".

Reikėjo pagyventi pas Tomą, kaip jis siūlė. Nekenčiu likti viena vidury nakties, rūkyti ir šnirpščioti kaip išprotėjusi psichopatė. Danas iš apačios gali išgirsti ir dar iškvies man psichiatrus su greitąja. O Dieve, kodėl aš tokia nelaiminga? Kodėl man taip nesiseka? Užtat, kad esu per stora. Gal vėl paskambinti Tomui, bet skambinau tik prieš pusvalandį. Negaliu net pagalvoti, kaip reikės eiti į darbą.

Po ano susitikimo ant stogo nepratariau Danieliui nė žodžio: užriečiau nosį, pralindau pro jį, išdrožiau į gatvę, sėdau į automobilį ir nuvažiavau. Tiesiai pas Tomą, kuris iškart įpylė man į gerklę degtinės iš butelio, paskui pagalvojęs pridėjo pomidorų sulčių ir Vorčesterio padažo. Kai grįžau namo, radau tris Danielio žinutes: prašė, kad jam paskambinčiau. Nepaskambinau, nes taip liepė Tomas, kuris priminė, kad vienintelis būdas susilaukti vyrų pagarbos – tikrai bjauriai su jais elgtis. Maniau, kad jis cinikas ir neteisus, bet juk gražiai elgiausi su Danieliu, ir še kas iš to išėjo.

O Dieve, jau čiulba paukščiai. Po trijų su puse valandų reikės eiti į darbą. Negaliu. Gelbėkit, gelbėkit. Staiga šovė geniali mintis: paskambinsiu mamai.

10 valanda ryto. Mama buvo tiesiog *nuostabi.*
– Meilute, – pasakė ji. – Aišku, kad nepažadinai. Kaip tik einu į studiją. Kaip galėjai taip nusikankinti dėl kažkokio *vyro?* Jie visi baisūs egoistai, pasileidėliai ir instinktų vergai, iš jų jokios naudos. Taip, Chulijau, ir tu taip pat. Susiimk, meilute. Nepasiduok. Dabar pamiegok. Pasirodyk darbe pailsėjusi ir pasipuošusi. Niekam – labiausiai Danieliui – neleisk net suabejoti, kad tai tu jį metei, kad gyvenimas be to pasileidusio, amžinai nurodinėjančio galvijo yra tiesiog *nuostabus,* ir pamatysi, kaip viskas bus gerai.
– Ar *tau* viskas gerai, mama? – paklausiau prisiminusi, kaip tėtis atvažiavo į Unos vakarėlį su asbesto našle Pene HasbendsBosvort.
– Ačiū, meilute, kad paklausei. Mano gyvenimas vienas stresas.
– Gal galiu kuo padėti?
– Tiesą sakant, taip, gali, – atsakė pralinksmėjusi. – Gal kas nors iš tavo draugų žino, kaip paskambinti Lizai Lyson? Žinai, Niko Lysono* žmonai? Jau seniai jos visur ieškau. Būtų taip gerai ją pakalbinti per „Netikėtas viengunges“.
– Aš turėjau galvoje tėtį, o ne tavo programą, – sušnypščiau.

---

* Nickas Leesonas – dvidešimt aštuonerių metų „Baringso“ banko Singapūro filialo tarnautojas, nuteistas šešerius su puse metų kalėti už tai, kad 1995 m. jo savavališkos finansinės operacijos atnešė bankui 800 milijonų svarų nuostolio.

– Tėti? Tėtis man nekelia jokio streso. Nebūk kvaila, meilute.

– Bet tas vakarėlis... ir ponia Hasbends-Bosvort...

– A, žinau, nors mirk iš juoko. Apsikvailino per visą pilvą, stengdamasis patraukti mano dėmesį. Ar ta moteris namie neturi veidrodžio? Atrodė kaip tikras žiurkėnas. Gerai, turiu bėgti, esu klaikiai užsiėmusi, bet tu pagalvosi apie tą Lizos telefoną? Užsirašyk mano *tiesioginį* telefoną, meilute. Ir nustok kamuotis.

– Mama, bet man juk reikės toliau dirbti su Danieliu, aš...

– Meilute – viskas atvirkščiai. Tai jam reikės su tavimi dirbti. Tegu paspirga, pupyte. (O Dieve, kokioje kompanijoje ji sukiojasi?) Tiesa, aš jau vis galvoju... Tau seniai metas mesti tą kvailą darbą be jokių perspektyvų, kuriame niekas tavęs nevertina. Pasiruošk nešti pareiškimą, vaikeli. Taip, meilute... aš gausiu tau darbą televizijoje.

Dabar einu į darbą išsipusčiusi kaip Ivana šiknė Tramp, išsidažiusi lūpas ir su kostiumėliu.

RUGPJŪČIO 2, TREČIADIENIS

56 kg, šlaunų apimtis 46 cm, alkoholio vienetai 3 (bet iš l.gryno vyno), cigaretės 7 (bet neįtraukiant į plaučius), kalorijų 1500 (puiku), arbatos puodelių 0, kavos puodeliai 3 (bet ne tirpios, o iš pupelių, todėl ne taip skatina celiulito susidarymą), viso kofeino vienetai 4.

Viskas bus gerai. Numesiu svorį iki 54 kg ir visiškai išlaisvinsiu šlaunis nuo celiulito. Neabejoju, kad tada viskas susitvarkys. Ėmiausi intensyvios detoksifikacijos programos: nei arbatos, nei kavos, nei alkoholio, nei kvietinių miltų, nei pieno, nei ko dar? Na, tiek to. Gal žuvis. Užtat kiekvieną rytą reikia penkias minutes sausai masažuoti odą, paskui penkiolika minučių pagulėti vonioje su anticeliulitiniais aromatiniais aliejais, minkant savo celiulitą kaip tešlą, o paskui į celiulitą įtrinti anticeliulitinį kremą.

Paskutinioji programos dalis verčia mane susimąstyti. Ar anticeliulitinis kremas tikrai pasiskverbia per odą iki paties celiulito? Jei taip, tai ar išsitrynusi savaiminio įdegio kremu, suteikiu įdegimo atspalvį ir celiulitui? Arba kraujui? O gal įdega limfinio drenažo sistema? Fui. Na, tiek to... (Cigaretės. Buvau pamiršusi, kad negalima ir cigarečių. E, ką jau dabar. Per vėlu. Rytoj.)

RUGPJŪČIO 3, KETVIRTADIENIS

55,5 kg, šlaunų apimtis 46 cm (garbės žodis, kokia prasmė?), alkoholio vienetų 0, cigaretės 25 (šioje situacijoje tiesiog puiku), negatyvių minčių: vid. 445 per valandą, pozityvių minčių 0.

Psichinė būsena vėl l. bloga. Negaliu net pagalvoti, kad Danielis su kita. Galvoje knibžda siaubingos fantazijos apie tai, ką jie kartu veikia. Dvi dienas mane palaikė planai numesti svorį ir iš esmės pasikeisti, bet dabar jie sužlugo. Supratau, jog tai tebuvo sudėtinga tikrovės neigimo forma. Jau buvau patikėjusi, kad sugebėsiu per keletą dienų sukurti save visiškai iš naujo ir taip sumenkinti skausmingos, žeminančios Danielio neištikimybės poveikį, nes tai bus įvykę buvusiai man, o naujajai, tobulesnei, nieko panašaus nutikti negali. Nelaimei, supratau, kad visas tas šaltakraujiškos, anticeliulitinės dietos besilaikančios sniego karalienės maskaradas buvo skirtas tam, kad priverstų Danielį atsitokėti ir prisipažinti klydus. Tomas mane apie tai perspėjo ir pasakė, kad 90 procentų plastinių operacijų atliekama moterims, kurių vyrai išeina pas jaunesnes. Aš atsakiau, kad anoji milžinė nuo stogo buvo ne tiek jaunesnė, kiek aukštesnė, bet Tomas atrėžė, kad esmė ne ta. Hm.

Darbe Danielis nenustojo siuntinėjęs tokias žinutes, kaip: „Mums reikia pasikalbėti ir t. t.", kurių atkakliai nepaisiau. Bet juo žinučių gausėjo, juo sparčiau augo apgaulinga viltis, kad mano persikūnijimas tikrai vyksta, kad jis suvokė padaręs baisią, siaubingą klaidą, kad tik dabar suprato, kaip iš tiesų mane myli, ir kad milžinė nuo stogo pamiršta visiems laikams.

Šįvakar priėjo prie manęs lauke, kai ėjau namo.

– Mieloji, būk gera, mums tikrai reikia pasikalbėti.

Kaip kokia kvailė nuėjau su juo išgerti į amerikiečių barą „Savojoje", leidausi suminkštinama šampanu ir plepalais: „Man taip nesmagu, taip tavęs trūksta, lia lia lia". Vos tik išgavo iš manęs atsakymą: „O, Danieli, man irgi tavęs trūksta", tuoj pat sustingo ir globėjiškai tarė:

– Matai koks reikalas, Sukė ir aš...

– Sukė? Geriau sakyk: Suka, – atsakiau manydama, kad jis tuoj pasakys: „esame brolis ir sesuo", „pusbroliai", „amžini priešai" arba „tai jau istorija". Tačiau Danielis, priešingai, užsigavo:

– O, nemoku tau paaiškinti, – sumurmėjo. – Tai kažkas nepaprasto.

Išverčiau akis, apstulbinta jo iškalbingo veido.

– Mieloji, aš tikrai atsiprašau, – pasakė jis, išsitraukęs kredito kortelę, ir atsilošė žvilgsniu ieškodamas padavėjo, – bet mes tuokiamės.

RUGPJŪČIO 4, PENKTADIENIS

Šlaunų apimtis 46 cm, negatyvių minčių 600 per minutę, panikos priepuoliai 4, verksmo priepuoliai 2 (bet abu kartus tualetuose ir nepamiršau pasiimti blakstienų tušą), momentinės loterijos bilietai 7.

Darbe, trečio aukšto tualete. Tai absoliučiai... absoliučiai nepakeliama. Koks velnias mane sugundė pradėti romaną su viršininku? Nebeištversiu. Danielis paskelbė susižadėjęs su milžine nuo stogo, ir įvairūs žmonės iš platinimo skyriaus, kurie, mano įsitikinimu, neturėjo nė mažiausio supratimo apie mūsų romaną, visą dieną man skambina ir sveikina, o aš turiu aiškinti, kad Danielis, tiesą sakant, susižadėjo ne su manim. Negaliu pamiršti, kaip iš pradžių viskas buvo romantiška: slaptos kompiuterinės žinutės ir siautulys lifte. Girdėjau, kaip Danielis telefonu tarėsi su Suka šįvakar susitikti, o paskui prislopintu balsu pridūrė: „Neblogai... kol kas"; iš karto supratau, kad kalba apie mano reakciją, tarsi bijotų, kad čiupsiu kirvį ir užkaposiu juodu abu. Rimtai galvoju, ar nepasidarius plastinės veido operacijos.

RUGPJŪČIO 8, ANTRADIENIS

57 kg, alkoholio vienetai 7 (che che), cigaretės 29 (chi chi chi), kalorijų 5 milijonai, negatyvių minčių 0, minčių apskritai 0.

Paskambinau Džudei, šiek tiek papasakojau apie tragediją su Danieliu. Ji paklaiko, tuoj pat paskelbė pavojaus būseną ir pažadėjo paskambinti Šeron: devintą susitinkam. Anksčiau ji negali, nes turi susitikti su Bjaurybe Ričardu, kuris galų gale sutiko nueiti su ja pas šeimos terapeutę.

2 valanda nakties. Gvenmas klaikus žtat bvo baissmagu. Oj. Parvirtau.

RUGPJŪČIO 9, TREČIADIENIS

58 kg (bet taip reikėjo), šlaunų apimtis 40 cm (stebuklas arba matavimo klaida, sukelta pagirių), alkoholio vienetų 0 (nors kūnas tebegeria vakarykščius vienetus), cigarečių 0 (ūūū).

8 valanda ryto. Ūch. Fizinė būklė katastrofiška, bet vakarykštis susitikimas gerokai pakėlė nuotaiką. Džudė atvyko persiutusi kaip furija, nes Bjaurybė Ričardas ją apgavo ir neatėjo pas šeimos terapeutę.

– Terapeutė aiškiai pagalvojo, kad aš tik įsivaizduoju turinti draugą ir apskritai esu visiška vargšė.

– Tai ką darei? – užjaučiamai paklausiau, nuslopindama šėtono pakištą nedraugišką mintį: „Ir teisingai pagalvojo".

– Ji pasiūlė pakalbėti apie kitas mano problemas, nesusijusias su Ričardu.

– Bet tu neturi nė vienos problemos, nesusijusios su Ričardu, – pasakė Šeron.

– Žinau. Aš jai taip ir pasakiau, tada ji pasakė, jog nesugebu apibrėžti ribų ir paėmė iš manęs penkiasdešimt penkis svarus.

– O kodėl jis neatėjo? Tikiuosi, tas suskis sadistas bent turi rimtą pasiteisinimą? – paklausė Šeron.

– Sakė, kad negalėjo ištrūkti iš darbo, – atsakė Džudė. – O aš jam pasakiau: „Klausyk, tu ne vienintelis pasaulyje žmogus, kuris bijo įsipareigoti kitam. Tiesą sakant, aš irgi bijau. Jei kada gyvenime susidorotum su savo problema, tau gali tekti susidurti su manąja, o tada jau bus *per vėlu*".

– O tu *tikrai* bijai įsipareigoti kitam žmogui? – paklausiau susidomėjusi ir tuoj pat pagalvojau, kad gal ir aš bijau.

– Aišku, kad bijau, – užriko Džudė. – Tik niekas mano problemos nemato, nes ją visiškai užstoja Ričardo baimė įsipareigoti. O iš tikrųjų manoji įsipareigojimo baimė daug gilesnė už jo.

– Būtent, – įsikišo Šeron. – Bet tu nedemonstruoji kiekvienam savo problemos, kaip šiais laikais daro kiekvienas nelemtas vyriškis, sulaukęs dvidešimt metų.

– Ką aš ir sakau, – burbtelėjo Džudė, stengdamasi uždegti eilinę „Silk Cut", bet nesusidorodama su žiebtuvėliu.

– Visas pasaulis šiais laikais bijo kam nors įsipareigoti, – suurzgė Šeron gomuriniu balsu, beveik kaip Klintas Istvudas. – Mes gyvenam trijų minučių kultūroje. Globalinė dėmesio koncentracijos krizė. Vyrai, aišku, elgiasi tipiškai: pasiglemžia pasaulinę tendenciją ir paverčia ją vyriška priemone moterims kankinti, norėdami patys jaustis geriau, o moteris padaryti kvailėm. Gryniausias užknisinėjimas.

– Suskiai! – laiminga suklykiau. – Užsakom dar butelį vyno?

9 valanda vakaro. Ojė. Ką tik skambino mama.

– Meilute, – tarė ji. – Žinai ką? Laida „Good Afternoon!" ieško reporterių. Puikus darbas, pranešinėsi apie įvykius. Kalbėjau su Ričardu Finču, redaktorium, ir pasakiau apie tave. Tik sakiau, kad tu studijavai politologiją. Nesijaudink, jis neturės laiko patikrinti. Nori, kad pirmadienį ateitum pasikalbėti.

Pirmadienį. O Dieve mano. Turiu tik penkias dienas išsiaiškinti, kas vyksta pasaulyje.

RUGPJŪČIO 12, ŠEŠTADIENIS

58,5 kg (vis dar taip reikėjo), alkoholio vienetai 3 (l.g.), cigaretės 32 (l.l. blogai, juo labiau, kad šiandien mečiau), kalorijų 1800 (g.), momentinės loterijos bilietai 4 (nieko), perskaityta rimtų straipsnių apie pasaulio ir šalies įvykius 1,5, 1471 skambučių 22 (gerai), minučių, praleistų vaizduotėje guodžiantis Danieliui, 120 (l.g.), minučių, praleistų įsivaizduojant, kaip Danielis meldžia sugrįžti, 90 (puiku).

Tvarka. Pasiryžau viską gyvenime vertinti pozityviai. Pakeisiu savo gyvenimą: imsiu domėtis šalies ir užsienio įvykiais, visai mesiu rūkyti ir užmegsiu tvirtus, pasitenkinimą teikiančius santykius su subrendusiu žmogumi.

8.30 ryto. Dar nerūkiau. L.g.

8.35 ryto. Visą dieną nerūkiau. Nuostabu.

8.40 ryto. Kažin, gal atėjo koks mielas laiškas?

8.45 ryto. Uch. Šlykštus popierius iš Socialinio draudimo, kuriame reikalaujama sumokėti 1452 svarus. Kaip tai? Kaip gali taip būti? Neturiu 1452 svarų. O Dieve, reikia parūkyti, kad nusiraminčiau. Ne, negalima. Negalima.

8.47 ryto. Ką tik parūkiau. Bet nerūkymo diena oficialiai prasideda tada, kai apsirengi. Staiga prisiminiau buvusį draugą Piterį, su kuriuo prasmingai draugavau septynerius metus, bet nutraukiau santykius dėl labai gilių, skausmingų priežasčių, kurių dabar nebeprisimenu. Kartas nuo karto – paprastai prieš atostogas, kai neturi su kuo važiuoti – jis stengiasi atgaivinti buvusią draugystę ir sako, jog norėtų mane vesti. Dar gerai nesusivokusi imu svajoti, kad gal Piteris ir yra geriausias variantas. Kam kamuotis vienišai ir nelaimingai, kai Piteris nori būti su manimi? Mikliai susiradau jo telefoną, paskambinau ir palikau žinutę – tik paprašiau, kad man paskambintų, neišdėsčiau plano, kaip mums kartu praleisti likusį gyvenimą.

1.15 dienos. Piteris nepaskambino. Reiškia, dabar manimi bjaurisi visi vyrai, net Piteris.

4.45 popiet. Nerūkymo politika nuėjo velniop. Galiausiai paskambino Piteris.

– Labas, Bitule. – (Vadinom vienas kitą Bitule ir Vabzdžiu.) – Jau ir pats ruošiausi tau skambinti. Turiu gerą naujieną. Ruošiuosi vesti.

Och. L. nemalonus jausmas blužnies srityje. Buvusiems draugams jokiu būdu negalima susitikinėti su kitais žmonėmis ar vesti; jie turi iki dienų galo likti viengungiai, kad nevilties akimirką būtų galima pas juos sugrįžti.

– Bitule? – paklausė Vabzdys. – Bzzzzz?

– Atsiprašau, – atsakiau, be kvapo remdamasi į sieną. – Aš, em, ką tik pro langą pamačiau avariją.

Tačiau mano dalyvavimas pokalbyje aiškiai nebuvo būtinas, nes Vabzdys kokias dvidešimt minučių tratėjo apie tai, kaip nežmoniškai išaugo puotų rengimo kainos, o paskui atsitokėjo ir tarė:

– Na, turiu eiti. Šįvakar kepsim Delijos Smit žvėrienos dešreles su kadagio uogom ir žiūrėsim teliką.

Hrrr. Vedina egzistencinės autodestrukcijos ir nevilties surūkiau visą pakelį „Silk Cut". Turiu viltį, kad anuodu baisiai nutuks ir juos reikės kelti iš buto pro langą su kranu.

5.45 popiet. Labai stengiuosi susikaupti ir įsiminti šešėlinio ministrų kabineto narių pavardes, kad vėl nepasiduočiau savigriovos nuotaikoms. Aišku, aš niekad nemačiau Vabzdžio išrinktosios, bet puikiai ją įsivaizduoju: veikiausiai tai plona gigantiško ūgio blondinė, panaši į milžinę nuo stogo, kuri kiekvieną rytą keliasi penktą valandą, sportuoja, ištrina kūną druska, o paskui visą dieną šaltai vadovauja tarptautiniam bankui, ir jai net blakstienų tušas nenuvarva.

Susigėdusi prisipažinau sau, kad visus tuos metus tik todėl buvau tokia patenkinta santykiais su Piteriu, kad tai aš jį mečiau, o dabar jis iš tikrųjų meta mane ir veda panelę Milžinę Subinę Valkiriją. Pasinėriau į niūrius, ciniškus apmąstymus apie tai, kiek romantiški širdies skausmai susiję su ego ir įžeistu išdidumu, o kiek su tikrąja netektimi; ta proga probėgšmais pagalvojau, kad gal Fergė todėl taip beprotiškai pasitiki savim, kad Endrius ją tebemyli ir nori susigrąžinti (žinoma, kol nesusirado kitos, che che).

6.45 popiet. Tik pradėjau žiūrėti šeštos valandos žinias, pasidėjusi pieštuką ir popierių, kaip į butą įvirto mama, apsikarsčiusi polietileniniais maišeliais.

– Tai va, meilute, – tarė eidama tiesiai į virtuvę. – Atnešiau tau labai skanios sriubytės ir keletą gražesnių savo drabužių pirmadieniui! – Pati buvo apsirengusi ryškiai žalsvu kostiumėliu, juodomis pėdkelnėmis ir apsiavusi aukštakulniais laiveliais. Atrodė kaip Cila Blek „Meilėje iš pirmo žvilgsnio".

– *Kur* tu laikai samčius? – paklausė trankydama spintelių duris. – Žinai ką, meilute, na ir betvarkė! Gerai. Peržiūrėk tuos maišelius, o aš pašildysiu tau sriubytę.

Nutariau nekreipti dėmesio į tai, kad: a) dabar rugpjūtis, b) velniškai karšta, c) penkiolika po šešių ir d) nenoriu jokios sriubytės; atsargiai dirstelėjau į pirmą maišelį, kuriame pamačiau kažin ką geltono, klostyto ir sintetinio, išmarginto rusvais augalų raštais.

– Eee, mama, – pradėjau, bet jos rankinė ėmė skambėti.

– Aha, čia tikriausiai Chulijus. Taip, taip. – Ji smakru prilaikė mobilų telefoną ir skubiai kažką užsirašinėjo. – Taip, taip. Pasimatuok, meilute, – sušnypštė man. – Taip, taip. Taip. Taip.

Taip aš pražiopsojau žinias, o ji išskriejo į kažin kokį „Sūrio ir vyno vakarėlį", palikusi mane su ryškiai mėlynu kostiumėliu, slidžia žalia palaidine ir mėlynais akių šešėliais iki pat antakių.

– Nebūk kvaila, meilute, – šovė atsisveikindama. – Jeigu *kaip nors* nepakeisi išvaizdos, niekad negausi kito darbo, jau nekalbu apie vaikiną!

Vidurnaktis. Jai išėjus, paskambinau Tomui, ir šis, kad nustočiau kankintis, nusivedė mane į vakarėlį Sačio galerijoje, kurį rengė jo draugas menininkas.

– Bridžita, – nervingai sumurmėjo, kai mes įėjome į baltą patalpą, prisigrūdusią bohemiškų jaunuolių, – tu juk žinai, kad ne lygis juoktis iš instaliacijų?

– Žinau, žinau, – niūriai atsakiau. – Vis tiek neturiu jokio noro juoktis.

Su mumis pasisveikino žmogus, vardu Gevas: iš išvaizdos kokių dvidešimt dvejų metų, seksualus, apsitempęs trumpais marškinėliais, neslepiančiais kieto kaip lyginimo lenta pilvo.

– Tai tikrai tikrai *tikrai* nepaprasta, – kalbėjo Gevas. – Tokia, tipo, išniekinta utopija, o paskui tikrai tikrai *tikrai* gryni aidai, kurie, tipo, atliepia prarastą tautinę tapatybę.

Jis susijaudinęs pervedė mus per milžinišką baltą salę ir sustojo prie tualetinio popieriaus ritinio: viduje buvo popierius, o išorėje jį dengė kartonas.

Abu laukiamai sužiuro į mane. Staiga pajutau, kad tuoj pravirksiu. Tomas varvino seiles prie didžiulio muilo gabalo su penio įspaudu. Gevas spoksojo į mane.

– Vau, tokia reakcija, tipo, tikrai tikrai *tikrai*... – pagarbiai sušnibždėjo jis, pamatęs, kaip tramdau ašaras, – ... veža.

– Tik nueisiu į tuliką, – leptelėjau ir nuskubėjau pro statinį, suręstą iš higieninių paketų. Prie nešiojamo tualeto buvo eilė, į kurią atsistojau, visa drebėdama. Staiga, kai jau buvau beveik pristovėjusi, pajutau ant alkūnės kažkieno ranką. Danielis.

– Bridže, ką tu čia veiki?

– O kaip tau atrodo? – atkirtau. – Atsiprašau, aš skubu. – Nėriau į kabiną ir jau buvau bepradedanti reikalus, tik staiga atsipeikėjusi pamačiau, kad klozetas – tai tik klozeto pavidalo lipdinys, vakuuminiu būdu įpakuotas į plastiką. Danielis įkišo galvą pro duris.

– Bridže, tik neapsisiok instaliacijos, ką? – pasakė jis ir vėl uždarė duris.

Kai išėjau, jo jau nebebuvo. Nemačiau nei Tomo, nei Gevo, nei jokio kito pažįstamo žmogaus. Galiausiai radau tikrą tualetą, atsisėdau ir prapliupau verkti, galvodama, kad nebegaliu daugiau išeiti į žmones ir turiu kuriam laikui pasislėpti, kol nustosiu taip jaustis. Tomas laukė už durų.

– Eikš, pasikalbėk su Gevu, – pasakė jis. – Atrodo, tu jam tikrai tikrai *tikrai*, tipo, įstrigai. – Paskui pažvelgė man į veidą ir ištarė: – O šūdas. Parvešiu tave namo.

Nieko nebus. Kai žmogus tave meta, tu ne tik jo ilgiesi, ne tik sugriūva jūsų drauge kurtas pasaulis, ne tik viskas jį primena: blogiausia yra amžinai persekiojanti mintis, kad mylimas žmogus tave nuodugniai išbandė, nusivylė ir galiausiai uždėjo antspaudą ATMESTA. Ar verta stebėtis, kad pasitiki savim kaip užsigulėjęs sumuštinis geležinkelio stoties bufete?

– Gevui tu patikai, – pasakė Tomas.

– Gevas nepilnametis. Be to, patikau jam tik todėl, kad pagalvojo, jog apsižliumbiau dėl to šikpopierio.

– Tam tikra prasme taip ir buvo, – atkirto Tomas. – Na ir šmikis tavo Danielis. Visai nenustebčiau, jei paaiškėtų, kad tas menkysta savarankiškai sukėlė visą Bosnijos krizę.

RUGPJŪČIO 13, SEKMADIENIS

L. blogai praleista naktis. Tarsi dar būtų negana, pamėginau prieš miegą paskaityti naują „Tatler" numerį ir pamačiau plačiai išsišiepusį prakeikto Marko Darsio veidą: pasirodo, jis priklauso geidžiamiausių Londono viengungių penkiasdešimtukui ir yra neapsakomai turtingas bei nuostabus. Ūch. Dar labiau nusiminiau, pati nesuprantu kodėl. Na, nieko. Užteks savęs gailėtis, geriau rytą atidžiai perskaitysiu rimtus laikraščius.

Vidudienis. Ką tik paskambino Rebeka ir paklausė, ar man „viskas gerai". Pagalvojau, kad klausia apie Danielį, todėl atsakiau:

– Na juk žinai, tokie dalykai labai slegia.

– O, vargšelė. Taip, vakar mačiau Piterį... (Kur? Ką? Kodėl manęs nepakvietė?)... ir jis visiems pasakojo, kaip tu nuliūdai, sužinojusi apie jo vestuves. Taip ir sakė, kad *tikrai* sunku, nes vienišos moterys sendamos ima visai prarasti viltį...

Apie pietus nebegalėjau daugiau pakęsti sekmadienio ar apsimetinėti, kad viskas gerai. Paskambinau Džudei ir papasakojau apie Vabzdį, Rebeką, pokalbį dėl darbo, mamą, Danielį ir bendrai visas nelaimes; susitarėm antrą valandą susitikti „Jimmy Beez" išgerti po „Kruvinąją Merę".

6 valanda vakaro. Kokia sėkmė, kad Džudė neseniai perskaitė nuostabią knygą, kuri vadinasi „Deivė kiekvienoje moteryje". Toje knygoje rašoma, kad gyvenime būna etapų, kai viskas nesiseka, kai nežinai nė ko griebtis: atrodo, tarsi iš visų pusių užsitrenkinėtų plieninės durys, kaip „Žvaigždžių karų" filmuose. Tačiau reikia nepasiduoti, išlikti didvyre, nesusigundyti alkoholiu ar savigrauža, ir tada viskas bus gerai. Be to, visi graikų mitai ir beveik visi geriausi filmai pasakoja apie žmones, kurie susiduria su siaubingais išbandymais, tačiau neišskysta, kovoja ir galiausiai nugali.

Knygoje dar rašoma, kad ištverti sunkų gyvenimo laikotarpį – tai tarsi atsidurti suktos kriauklės formos spiralėje: kiekviename posūkyje yra toks taškas, kai viskas atrodo sunku ir beviltiška. Tai ir yra tavo problema arba jautrioji vieta. Kol esi siaurajame kriauklės gale, labai dažnai susiduri su ta situacija, nes apsisukimai per maži. Užtat vėliau blogasis laikotarpis kartojasi vis rečiau, tačiau visai jo išvengti negalima: jam pasikartojus, svarbiausia negalvoti, kad vėl grįžai į pradžios tašką.

Blogiausia, kad dabar, kai visai išsiblaiviau, nesu visiškai tikra, kad suprantu, apie ką ji kalbėjo.

Paskambino mama. Pamėginau jai pasiguosti, kaip sunku būti moterimi ir, kitaip negu vyrui, turėti ribotą dauginimosi funkcijos galiojimo laiką, bet ji tik atkirto:

– Na žinai ką, meilute. Jūs, merginos, pasidarėt labai jau išrankios ir romantiškos: paprasčiausiai visko turit per daug. Nesakau, kad aš visai nemylėjau tėčio, bet mus, pavyzdžiui, mokė neskrajoti padebesiais ir nesvaičioti apie princus, o „mažai tikėtis, bet daug atleisti“. Beje, atvirai kalbant, brangute, vaikai anaiptol nėra toks didžiulis džiaugsmas, kaip žmonės sako. Aišku, nenoriu tavęs įžeisti, tai neturi su tavim nieko bendro, bet jei man dabar leistų pasirinkti, tai tikrai nežinau, ar norėčiau...

O Dieve. Net tikra motina gailisi, kad mane pagimdė.

RUGPJŪČIO 14, PIRMADIENIS

59,5 kg (nuostabu – prieš pokalbį virtau lašinių kalnu, be to, iššoko spuogas), alkoholio vienetų 0, cigarečių daug, kalorijos 1575 (bet daug išvėmiau, taigi liko apytikriai 400).

Dieve, kaip aš bijau to pokalbio. Pasakiau Perpetujai, kad eisiu pas ginekologą – žinau, kad reikėjo sakyti „dantistą“, bet negalima praleisti nė mažiausios progos pakankinti smalsiausią pasaulio padarą. Esu beveik pasirengusi, liko tik užbaigti makiažą ir pasipraktikuoti garsiai reikšti nuomonę apie Tonio Blero vyriausybę. Dieve, o kas yra šešėlinis gynybos ministras? Šūdas, šūdas. Ar tas kažkas su barzda? Velnias: telefonas.

Negaliu patikėti. Netašyta paauglė globėjišku pietų Londono akcentu užgiedojo: „Alliuo, Bridžita, čia skambina nuo Ričardo Finčo. Ričardas šiandien išvažiavo į Blekpulą ir negalės su tavim susitikti". Persitarėm trečiadieniui. Teks apsimesti, kad esu kamuojama chroniško ginekologinio susirgimo. Na, jei jau sumelavau, galiu šįryt į darbą nebeiti.

RUGPJŪČIO 16, TREČIADIENIS

Klaiki naktis. Kelis kartus prabudau apsipylusi prakaitu, persigandusi, kad nežinau, kuo Olsterio unionistai skiriasi nuo SDLP ir kuriems vadovauja Ijanas Paislis.

Užuot iškart įleidę į didžiojo Ričardo Finčo kabinetą, mane paliko keturiasdešimt minučių tirtėti laukiamajame, karštligiškai galvojančią: „O Dieve Dieve, kas dabar sveikatos ministras?"; po to atėjo ana giedanti snarglė – asmeninė sekretorė, vardu Pačulė, – pasipuošusi dviratininko trumpikėmis iš lykros, su žiedu nosyje ir pamačiusi mano kostiumėlį iš „Jigsaw" taip susiraukė, tarsi būčiau viską supainiojusi ir atėjusi kalbėtis dėl darbo su šilkine Loros Ešli suknele iki žemės.

– Ričardas sakė, atvaryk į pasitarimą, pagavai? – sumurmėjo ir bėgte leidosi koridoriumi, o aš vos spėjau iš paskos. Pro rausvai dažytas duris įvirtome į didžiulį kambarį, primėtytą scenarijų, su keliais prie lubų pritvirtintais televizijos ekranais, grafikais nusagstytomis sienomis ir kalnų dviračiais, atremtais į stalus. Tolimajame gale stovėjo pailgas stalas, prie kurio vyko pasitarimas. Mums artėjant, visi nutilo ir atsisuko pasižiūrėti.

Stalo gale nerimastingai šokčiojo apkūnus vidutinio amžiaus vyriškis garbanotais šviesiais plaukais, džinsinio audinio švarku ir akiniais raudonais rėmais.

– Nagi! Nagi! Judinkitės! – kartojo jis, mojuodamas kumš-
čiais kaip boksininkas. – Aš taip mąstau: Hju Grantas. Mąstau:
Elizabetė Harli. Toliau mąstau: praėjo jau du mėnesiai, o jie
vis dar kartu. Mąstau: kaip jam pavyko išsisukti? Va! Štai kas
svarbiausia! Žmogus draugauja su Elizabete Harli: kaip gali
būti, kad jis pasigauna paprastą prostitutę oraliniam seksui ir
išlipa sausas? Tai kur dingo „pragariškas paniekintos moters
įniršis"?

Netikėjau savo ausimis. O kur šešėlinis kabinetas? Kur tai-
kos procesas? Vyrukas aiškiai stengėsi sugalvoti, kaip jam pa-
čiam išsisukti, jei sugalvotų nukabinti prostitutę. Staiga jis pa-
žvelgė tiesiai į mane:

– Gal tu žinai? – Sėdintys prie stalo bohemiški jaunikaičiai
išsprogino į mane akis. – Tu! Tu, aišku, Bridžita, – nekantriai
suriko jis. – Kaip čia išeina, kad vyrukas, kuris turi gražuolę
draugę, pasikabina prostitutę, viskas išaiškėja, o jam nieko?

Persigandau. Galva visiškai ištuštėjo.

– Na? – vėl paklausė jis. – Na? Na, sakyk pagaliau ką nors!

– Na, gal dėl to, – pradėjau, nes nieko kito nesugebėjau su-
galvoti, – gal dėl to, kad kas nors prarijo įkaltį.

Stojo mirtina tyla, ir staiga Ričardas Finčas prapliupo kva-
toti. Šlykštesnio juoko gyvenime nesu girdėjusi. Tada pradėjo
juoktis ir bohemiškieji jaunikaičiai.

– Bridžita Džouns, – pagaliau ištarė Ričardas Finčas, šluos-
tydamasis akis. – Sveika atvykusi į „Good Afternoon!" Sėsk,
aukseli, – ir man pamerkė.

RUGPJŪČIO 22, ANTRADIENIS

*58 kg, alkoholio vienetai 4, cigaretės 25, momentinės loterijos
bilietai 5.*

Dar nieko nežinau apie pokalbio rezultatus. Nežinau, ką
daryti per banko šventes, nes nenoriu viena likti Londone. Še-

zė važiuoja į Edinburgo festivalį, Tomas irgi, ir dar, atrodo, daugybė bendradarbių. Norėčiau važiuoti ir aš, bet neturiu pinigų ir bijau, kad susidursiu su Danieliu. Be to, visiems kitiems ten seksis geriau ir bus linksmiau negu man.

RUGPJŪČIO 23, TREČIADIENIS

Būtinai važiuosiu į Edinburgą. Danielis lieka dirbti Londone, taigi negresia pavojus susidurti su juo Karališkojoje Mylioje. Be to, man bus į sveikatą prasiblaškyti, užuot kiūtojus namie ir laukus laiško iš „Good Afternoon!".

RUGPJŪČIO 24, KETVIRTADIENIS

Lieku Londone. Aš visada galvoju, kad Edinburge bus labai linksma, o paskui pasirodo, kad sugebu patekti tik į pantomimos spektaklius. Be to, paprastai apsirengiu vasariniais drabužiais, bet oras staiga atšąla ir tenka be galo klibikščiuoti per slidžius akmenis su aukštakulniais bateliais įsivaizduojant, kad visi kiti smagiai linksminasi.

RUGPJŪČIO 25, PENKTADIENIS

7 valanda vakaro. Vis dėlto *važiuoju* į Edinburgą. Šiandien Perpetuja man sako:
– Bridžita, aš *atsiprašau*, kad pasakau taip vėlai, bet tik dabar apie tai pagalvojau. Aš išsinuomojau Edinburge butą ir man būtų labai malonu, jei ir tu jame apsistotum.
Kokia ji dosni ir draugiška.

10 valanda vakaro. Paskambinau Perpetujai ir pasakiau, kad nevažiuoju. Nėra jokios prasmės. Neturiu tam pinigų.

8.30 ryto. Ir labai gerai, bent ramiai pabūsiu namie. Kaip bus smagu. Gal net baigsiu skaityti „Išbadėjusiųjų kelią".

9 valanda ryto. O Dieve, kokia aš prislėgta. Visi išvažiavo į Edinburgą, tik aš viena likau.

9.15 ryto. Įdomu, ar Perpetuja irgi jau išvažiavo?

Vidurnaktis. Edinburgas. O Dieve. Rytoj reiks nueiti bent į vieną spektaklį. Perpetuja mano, kad aš beprotė. Ji visą kelią traukinyje prasėdėjo prispaudusi prie ausies telefoną, riaumodama mums:

– Į Arturo Smito „Hamletą" nebėra bilietų, galim penktą valandą nueiti pažiūrėti brolių Koenų, bet tada pavėluosim į Ričardą Heringą. Geriau neikim į Dženę Ekler – cha! tiesą sakant, neįsivaizduoju, ką ji dar gali parodyti, – o paméginkim „Lanarką", paskui gal pateksim į Harį Hilą arba Džulijaną Klerį. Palauk. Pamėginsiu paskambinti į „Paauksuotą balioną". Ne, Haris Hilas jau išparduotas, tai gal apsieisim be brolių Koenų?

Aš pasakiau, kad šeštą susitiksiu su jais „Plaisance", nes norėjau nueiti į „George" viešbutį ir palikti Tomui žinutę, bet bare sutikau Tiną. Nežinojau, kad iki „Plaisance" taip toli: kai atėjau, vaidinimas buvo jau prasidėjęs ir laisvų vietų nebebuvo. Slapta pajutau palengvėjimą, parėjau (veikiau parlingavau) atgal į butą ir žiūrėdama per televizorių „Žmogžudysčių skyrių" suvalgiau pakeliui nusipirktą nuostabiausią bulvę su lupena bei vištienos karį. Buvau susitarusi devintą susitikti su Perpetuja Asamblėjoje. Kai išsiruošiau, buvo be penkiolikos devynios, bet nežinojau, kad bute nėra telefono, todėl negalėjau užsisakyti taksi, ir kai pagaliau nuvažiavau, buvo jau per vėlu. Grįžau į „George" barą paieškoti Tinos ir sužinoti, kur Šezė. Kaip tik užsisakiau „Kruvinąją Merę" ir stengiausi apsimesti, kad visai nesigraužiu būdama viena, kai kampe pamačiau kameras bei jupiterius ir vos nesuklykiau. Mano motina, susišukavusi kaip Mariana Feitful, kaip tik ruošėsi kalbinti Alaną Jentobą.

– Prašyčiau tylos! – sučiulbo ji lygiai tokiu pat balsu, kokiu Una Alkonberi komanduoja gėlių aranžuotojoms.

– Iiiiiiir pradedam! Sakyk, Alanai, – kreipėsi ji, nutaisiusi skausmingą ir užjaučiamą veido išraišką, – ar esi kada pagalvojęs... apie savižudybę?

Tarp kitko, televizijos programa šįvakar buvo visai nieko.

RUGPJŪČIO 27, SEKMADIENIS, EDINBURGAS

Pažiūrėta spektaklių: 0.

2 valanda nakties. Negaliu užmigti. Galvą guldau, kad jie visi kur nors linksminasi.

3 valanda nakties. Ką tik girdėjau, kaip parėjo Perpetuja, autoritetingai smerkdama alternatyviuosius komikus: „Kūdikiška... visiška nesąmonė... tikrai kvaila". Ko gero, bus ką nors kur nors ne visai supratusi.

5 valanda ryto. Namuose yra vyras. Aš *jaučiu*.

6 valanda ryto. Jis pas Debę iš rinkodaros skyriaus. Velniava.

9.30 ryto. Pabudau nuo Perpetujos baubimo: „Ar kas nors eina į poezijos rytmetį?" Paskui viskas nutilo, girdėjau, kaip Debė šnibždasi su vyriškiu, paskui jis eina į virtuvę. Tada užgriaudėjo Perpetujos balsas: „O ką tu čia veiki? Aš juk aiškiai sakiau: JOKIŲ NAKVYNIŲ!"

2 valanda popiet. O Viešpatie. Pramiegojau.

7 valanda vakaro. Traukinys į Londoną. O varge. Trečią valandą „George"sutikau Džudę. Norėjom eiti į klausimų ir atsakymų popietę, bet išgėrėm po vieną kitą „Kruvinąją Merę" ir prisiminėm, kad tokie renginiai mus blogai veikia. Iš pradžių baisiausiai jaudiniesi, kol sugalvoji klausimą ir stengiesi iškelti ranką kuo aukščiau. Pagaliau gauni progą paklausti, pusiau tupėdama ir kalbėdama cypiančiu nesavu balsu, tada dvidešimt minučių sėdi sustingusi iš gėdos ir mataruoji galva kaip šuniukas automobilyje, kol žmogus atsakinėja į tau visai nebeįdomų klausimą. Nesvarbu, kad ir kaip ten būtų, kai susigriebėm, jau buvo pusė šešių. Bare pasirodė Perpetuja ir dar būrys bendradarbių.

– A, Bridžita, – sumaurojo ji. – Ką šiandien buvai pažiūrėti?
Stojo reikšminga tyla.

– Tiesą sakant, kaip tik ruošiausi... – pradėjau išdidžiai, – eiti į stotį.

– Tai tu visiškai nieko nematei, ar ne? – sutrimitavo ji. – Na, nesvarbu, esi man skolinga septyniasdešimt penkis svarus už kambarį.

– Ką?! – miktelėjau.

– Taip! – suriko Perpetuja. – Šiaip būtų penkiasdešimt, bet jei kambaryje miega du žmonės, tai pridedama 50 procentų.

– Bet... bet antro žmogaus...

– Oi, *baik*, Bridžita, visi puikiausiai žino, kad buvai parsivedusi kažkokį vyrą, – griaudėjo. – Nesijaudink. Tai ne meilė, čia Edinburgas taip veikia. Būtinai pasistengsiu, kad Danielis apie tai sužinotų: bus jam pamoka.

RUGPJŪČIO 28, PIRMADIENIS

*60 kg (pilna alaus ir keptų bulvių), alkoholio vienetai 6,
cigarečių 20, kalorijos 2846.*

Grįžusi radau mamos žinutę: klausė, ar man patiktų Kalėdoms gauti dovanų elektrinį plaktuvą, be to, priminė, kad šiemet Kalėdos išpuola pirmadienį, tai ar aš parvažiuosiu namo penktadienį vakare ar šeštadienį?

Šiek tiek paguodė laiškas nuo Ričardo Finčo, „Good Afternoon!" redaktoriaus, kuriuo jis, atrodo, siūlo man darbą. Tekstas skambėjo taip:

Tvarka, aukseli. Paimsiu.

RUGPJŪČIO 29, ANTRADIENIS

58 kg, alkoholio vienetų 0 (l.g.), cigaretės 3 (g.), kalorijos 1456 (sveika mityba prieš pradedant naują darbą).

10.30 ryto. Leidykla. Paskambinau Ričardo Finčo asistentei Pačulei: taip, jis tikrai siūlo darbą, užtat turiu pradėti jau po savaitės. Nieko neišmanau apie televiziją, bet tai nulis, čia man nešviečia jokios perspektyvos, be to, negaliu žemintis ir toliau dirbti su Danieliu. Geriau eisiu ir viską jam pasakysiu.

11.15 ryto. Negaliu patikėti. Danielis išblyško kaip drobė ir įsmeigė į mane paklaikusias akis.

– Tu šito nepadarysi, – pasakė. – Negi nesupratai, kokios klaikiai sunkios man buvo pastarosios savaitės?

Tada į kabinetą įgriuvo Perpetuja – veikiausiai visą laiką klausėsi už durų.

– Danieli, – įniršusi prapliupo ji, – tu prakeiktas egoistas, manipuliatorius ir emocinis šantažistas! Dėl Dievo meilės, juk tai *tu* ją pametei! Ar negali, po šimts velnių, susitaikyti, kad išeina iš darbo?

Staiga pagalvojau, kad galėčiau, ko gero, pamilti Perpetuają, tik ne lesbietiška meile.

RUGSĖJIS

LIPIMAS GAISRININKŲ STULPU

*57 kg, alkoholio vienetų 0, cigaretės 27, kalorijų 15, minučių,
praleistų vaizduotėje kalbantis su Danieliu ir atvirai jam
klojant, ką apie jį manau, 145 (gerai, jau geriau).*

8 valanda ryto. Pirma diena naujame darbe. Turiu pradė-
ti taip, kaip ketinu tęsti: parodyti naująjį, ramų ir autoritetin-
gą įvaizdį. Ir jokių cigarečių. Rūkymas išduoda žmogaus silp-
numą ir pakerta asmenybės autoritetą.

8.30. Paskambino mama, tačiau nė neketino linkėti man
sėkmės naujame darbe.

– Žinai ką, meilute? – pradėjo.

– Ką?

– Eleinė pakvietė tave į savo rubinines vestuves! – pranešė
ji ir uždususi nuščiuvo kažko laukdama.

Mano galvoje buvo visiškai tuščia. Eleinė? Brajanas-ir-Elei-
nė? Kolinas-ir-Eleinė? O gal ta Eleinė, kuri ištekėjo už Gordo-
no, kuris kadaise dirbo Keteringo statybinių medžiagų par-
duotuvės direktorium?

– Ji sako, kad bus labai miela, jei ateis keletas jaunesnių
žmonių, Markui nebus taip vieniša.

Aha. *Malkolmas*-ir-Eleinė. Visais atžvilgiais tobulo Marko
Darsio gimdytojai.

– Atrodo, jis pasakė Eleinei, jog tu jam labai patinki.

– Brrm. Nemeluok, – suburbiau. Tačiau buvo malonu.

– Na, meilute, bet kokiu atveju esu tikra, kad kaip tik tą turėjo galvoje.

– O ką jis sakė? – sušnypščiau, staiga pajutusi įtarimą.

– Sakė, kad tu labai...

– Mama...

– Atvirai sakant, meilute, tai jis pavadino tave „paplaukusia". Bet juk tai labai miela, ką – „paplaukusi"? Be to, galėsi iš jo viską pati sužinoti per rubinines vestuves.

– Aš neketinu trenktis į Hantingdoną ir dalyvauti rubininėse vestuvėse žmonių, su kuriais nuo kūdikystės esu kalbėjusi tik vieną kartą ir tai tik aštuonias sekundes, tik tam, kad kabinčiausi ant kaklo išsiskyrusiam turtuoliui, kuris, be to, vadina mane paplaukusia.

– Tik jau nebūk kvaila, meilute.

– Ir išvis man laikas eiti, – pridūriau, ir labai kvailai padariau, nes tai išgirdusi ji ėmė dar greičiau tarškėti, tarsi aš būčiau nuteista mirti ir dabar būtų paskutinis mūsų pokalbis prieš įvykdant bausmę.

– Jis uždirba tūkstančius svarų per valandą. Turi ant stalo pasistatęs laikrodį, tik tak, tik tak. Ar sakiau, kad pašte buvau sutikusi Meivisę Enderbi?

– Mam. Šiandien aš pirmą kartą einu į naują darbą. Aš labai jaudinuosi. Visai nenoriu kalbėti apie Meivisę Enderbi.

– Jergutėliau, meilute! O ką ketini rengtis?

– Trumpą juodą sijoną ir marškinėlius.

– Oi, tik ne tuos su tom tamsiom niūriom spalvom, atrodysi kaip *apsileidusi našlė*. Apsivilk ką nors ryškaus ir puošnaus. Atsimeni, turėjai tokį jaunatvišką vyšnių spalvos kostiumėlį? A, tiesa, ar sakiau, kad Una išplaukė į kelionę Nilu?

Hrrrr. Kai ji pagaliau padėjo ragelį, jaučiausi taip blogai, kad surūkiau penkias „Silk Cut" iš eilės. Ne kažin kokia dienos pradžia.

9 valanda vakaro. Guliu lovoje visiškai nusibaigusi. Buvau pamiršusi, kokios klaikios pirmos dienos naujame darbe, kur niekas tavęs nepažįsta ir sprendžia apie tave iš kvailiausių atsitiktinių pastabų ar keistybių; be to, negali net slapta nueiti pasitaisyti makiažo, nes reikia klausti, kur tualetas.

Aš pavėlavau, nors ne dėl savo kaltės. Buvo neįmanoma patekti į telestudiją, nes leidimo dar neturėjau, o duris saugojo apsauginiai, įsitikinę, jog jų pagrindinė pareiga neleisti darbuotojų vidun. Kai pagaliau priėjau iki budinčiojo būdelės, turėjau stovėti ir laukti, kol kas nors ateis manęs pasiimti. Buvo jau be penkių pusė dešimt, o pasitarimas turėjo prasidėti lygiai pusę. Po kurio laiko pasirodė Pačulė, vedina dviem gigantiškais urzgiančiais šunimis: vienas pripuolęs ėmė šlapiai laižyti mano veidą, o antrasis nedelsdamas įkišo snukį po sijonu.

– Čia Ričardo šunys. Krūti, ne? – tarė Pačulė. – Tuoj nuvesiu juos į mašiną.

– Bet ar aš nepavėluosiu į pasitarimą? – beviltiškai paklausiau, suspaudusi delnais antrojo šuns galvą ir iš visų jėgų ją stumdama šalin. Pačulė nužvelgė mane nuo galvos iki kojų su tokia išraiška, tarsi sakytų: „Ir ką?", o paskui išėjo, tempdamasi šunis.

Kai pasiekiau kabinetą, pasitarimas jau buvo prasidėjęs, ir visi į mane sužiuro, išskyrus Ričardą, šįsyk apsitaisiusį vilnoniu keistos žalsvos spalvos kombinezonu, panašiu į mūrininko darbo drabužį.

– Nagi, nagi, – kartojo jis viksėdamas kūnu ir mostaguodamas rankomis. – Aš taip mąstau: vakarinės pamaldos. Mąstau: kunigai iškrypėliai. Mąstau: seksas bažnyčioje. Klausiu savęs: kodėl moteris taip traukia dvasiškiai? Nagi, judinkitės. Už ką jums moku? Nagi, kur idėjos?

– Gal galima pakalbinti Džoaną Trolop?

– Ką tokią? – pakartojo jis, nustėrusiomis akimis žvelgdamas į mane.

– Džoaną Trolop. Rašytoją. Ji parašė romaną „Pastoriaus žmona", kurį paskui rodė per teliką. „Pastoriaus žmona". Ji turi išmanyti tokius dalykus.

Jo veide pražydo gašli šypsena.

– Fantastiška, – tarė žiūrėdamas į mano krūtis. – Genialu, absoliučiai genialu. Kas turi Džoanos Trolop telefoną?

Stojo ilga tyla.

– Eeem, tiesą sakant, aš turiu, – galiausiai ištariau, visu kūnu jausdama nuo bohemiškųjų jaunuolių atsklindančias neapykantos bangas.

Po pasitarimo nubėgau į tualetą atgauti savitvardos ir radau ten Pačulę, tvarkančią makiažą ir plepančią su drauge, apsivilkusia aptempta kaip pėdkelnės suknele, atidengiančia ir bambą, *ir* kelnaites.

– Kaip manai, nelabai provokuojanti? – klausė mergina Pačulės. – Kad tu būtum mačiusi, kokius veidus padarė tos trisdešimtmetės karvės, kai aš įėjau... Oi.

Abi su siaubu sužiuro į mane, rankomis prisidengusios burnas.

– Čia ne apie tave, – paaiškino duetu.

Negarantuoju, kad ištversiu.

RUGSĖJO 9, ŠEŠTADIENIS

56 kg (l.g. naujo darbo ir neišvengiamos nervinės įtampos privalumas), alkoholio vienetai 4, cigarečių 10, kalorijos 1876, minutės, praleistos vaizduotėje kalbantis su Danieliu, 24 (puiku), minutės, praleistos mintyse persukant ankstesnius pokalbius su mama ir įsivaizduojant, jog aš tariu paskutinį žodį, 94.

11.30 dienos. Kodėl, o kodėl kadaise daviau mamai savo buto raktus? Pirmą kartą per penkias savaites pradėjau savaitgalį, nejausdama nenumaldomo noro įbesti žvilgsnį į sieną ir paplūsti ašaromis. Savaitę atidirbau naujoje vietoje. Jau ėmiau galvoti, kad gal viskas bus gerai, gal manęs *vis dėlto* neapgrauš Elzaso aviganis, tik štai įlekia ji ir nešasi siuvimo mašiną.

– Ką tu čia veiki, kvailiuke? – sučiulbo. Aš kaip tik svėriau pusryčiams 100 gramų javainių, vietoje svarsčio naudodamasi šokolado plytele (mano svarstyklės sugraduotos uncijomis, todėl jos netinka, nes dietoje maisto kiekiai surašyti gramais).

– Žinai ką, meilute? – pradėjo ji, pradėdama atidarinėti ir uždarinėti visas virtuvės spinteles.

– Ką? – paklausiau, stovėdama su naktiniais marškiniais ir puskojinėmis, mėgindama nutrinti blakstienų tušą nuo paakių.

– Malkolmas ir Eleinė sugalvojo švęsti rubinines vestuves Londone, dvidešimt trečią, tai tu puikiausiai galėsi ateiti ir palaikyti kompaniją Markui.

– Aš nenoriu palaikyti kompanijos Markui, – iškošiau pro sukąstus dantis.

– Ak, bet juk jis toks protingas. Mokėsi Kembridže. Sako, Amerikoje susikrovė didžiausius turtus...

– Aš ten neisiu.

– Oi, tik nepradėk, meilute, – perspėjo ji, tarsi man būtų kokie trylika metų. – Žinok, Markas baigė įsirengti namą Holand Parke ir pasisiūlė jame surengti tėvų pokylį, per visus šešis aukštus, užsakys maistą ir visa kita... Ką tu apsirengsi?

– Eisi su Chulijum ar su tėčiu? – paklausiau, norėdama išmušti ją iš vėžių.

– Oi, meilute, net nežinau. Turbūt su abiem, – atsakė ypatingai pridususiu balsu, kuriuo kalba tik tada, kai įsivaizduoja esant Diana Dors*.

– Taip negalima.

– Bet juk mes su tėčiu tebesam draugai, meilute. Tiesiog dabar aš draugauju ir su Chulijum.

Hrrr. Hrrrr. Hrrrrr. Negaliu su ja kalbėtis, kai jau užeina tokia nuotaika.

– Tai aš pasakysiu Eleinei, kad tu mielai ateisi, ar ne, meilute? – užbaigė mama, pasiėmė mįslingąją siuvimo mašiną ir pasuko durų link. – Turiu bėgti. Ikiiiiii!

---

* Diana Dors (1931–1984) – šešto ir septinto dešimtmečio britų kino žvaigždė, pagarsėjusi seksualiais vaidmenimis.

Nieko nebus. Neketinu dar vieną vakarą šmėkščioti priešais akis Markui Darsiui, kišama per jėgą kaip šaukštelis ropių tyrės kūdikiui. Geriau išvažiuosiu į užsienį ar šiaip ką padarysiu.

8 valanda vakaro. Einu vakarienės. Dabar, kai vėl esu viena, visi Patenkinti Sutuoktiniai nesiliauja kviesti mane šeštadienio vakarais į svečius ir sodina šalia nevedusių vyriškių, vieno baisesnio už kitą. Aišku, tai labai gražu ir aš jiems labai dėkinga, bet tokiu būdu tik dar ryškesnis darosi mano emocinis žlugimas ir vienišumas – nors Magda liepė nepamiršti, kad geriau būti vienai, negu turėti pasileidusį ir nepatikimą vyrą.

Vidurnaktis. O varge. Visi taip stengėsi pralinksminti šio vakaro atsarginį vyrą (trisdešimt septynerių metų, ką tik paliktą žmonos, kurio asmeninė filosofija atrodo apytikriai taip: „Aš tikrai manau, kad Maiklą Hovardą* be reikalo taip visi kritikuoja").

– Nesuprantu, ko tau skųstis, – drąsino jį Džeremis. – Vyrai su amžiumi darosi tik patrauklesni, o moterys bjaurėja, todėl visos tos dvidešimtmetės panelės, kurios į tave nežiūrėjo, kai tau buvo dvidešimt penkeri, netrukus pradės pačios kartis tau ant kaklo.

Sėdėjau nuleidusi galvą ir viduje visa drebėjau iš įsiūčio, klausydamasi jų postringavimų apie moterų galiojimo laiką ir gyvenimą kaip fantų žaidimą, iš kurio iškrinta visos moterys, iki trisdešimties nesusiradusios fanto/vyriškio. Hrr. Nieko panašaus.

– O taip, tu absoliučiai teisus, išties daug geriau turėti jaunesnį partnerį, – linksmai įsiterpiau. – Sulaukę trisdešimties, vyrai pasidaro tokie nuobodylos – jiems rūpi tik savi kompleksai ir liguista baimė, kad kiekviena sutikta moteris spendžia santuokos spąstus. Dabar mane *rimtai* domina tik dvidešimtmečiai vyrai. Jie nepalyginti geresni... na, patys žinot...

* Michaelas Howardas – vidaus reikalų ministras Johno Majoro vyriausybėje.

187

– *Tikrai?* – kiek pernelyg karštai paklausė Magda. – O kaip...

– *Tave* tai jie domina, – nutraukė ją Džeremis, žaibuodamas akimis. – Bet esmė ta, kad *tu* jų nė kiek nedomini.

– Em, labai atsiprašau. Mano dabartiniam draugui dvidešimt treji, – saldžiai atkirtau.

Visiems žiaunos atvėpo.

– Na, jei taip, – piktai šaipydamasis nutraukė tylą Aleksas, – tai gal kitą šeštadienį ateikit abu pas mus vakarienės?

Šūdas. Iš kur aš dabar jiems ištrauksiu dvidešimt trejų metų vaikį, kuris sutiks šeštadienį vakare eiti vakarienės su Patenkintais Sutuoktiniais, užuot dūkęs diskotekoje ir rijęs žalingas ekstazi tabletes?

RUGSĖJO 15, PENKTADIENIS

57 kg, alkoholio vienetų 0, cigaretės 4 (l.g.), kalorijos 3222 (šlykštūs riebūs sumuštiniai iš geležinkelio stoties bufeto), minučių, praleistų kuriant kalbą, kurią pasakysiu išeidama iš naujojo darbo, 210.

Ūch. Šlykščiausias pasitarimas su tironu viršininku Ričardu Finču.

– Gerai. Nusimyžti „Harrodse" kainuoja svarą. Aš mąstau: pasakų tualetai. Mąstau: studijoje Frenkas Skineris ir seras Ričardas Rodžersas* sėdi ant kailiu aptrauktų klozetų, ranktūriuose televizoriai, paauksuotas šikpopierius. Bridžita, tu atsakinga už kontrastą. Taip mąstau: šiauriniai rajonai. Mąstau: jauni bedarbiai, gyvenantys iš pašalpų, gyvenimas gatvėse, tiesioginis eteris.

– Bet...bet... – sumiknojau.

* Seras Richardas Rogersas – britų architektas, vienas iš Pompidou centro Paryžiuje autorių, projektavęs Lloyds banką Londono centre ir „Chanel 4" televizijos pastatą.

– Pačule! – užbliovė jis; nuo klyksmo nubudo po stalu snaudę šunys ir ėmė lodami šokinėti po kambarį.

– Ką? – atsišaukė Pačulė. Ji buvo apsirengusi vąšeliu nerta suknele iki vidurio blauzdų, oranžine nailonine palaidinuke su siūlėmis iš gerosios pusės ir užsidėjusi minkštą šiaudinę skrybėlę. Tarsi drabužiai, kuriuos aš dėvėjau jaunystėje, būtų baisiai juokingas pokštas.

– Kur mūsų korespondentai su techniniu centru?

– Liverpulyje.

– Liverpulyje. Tvarka, Bridžita. Techcentras bus prie „Boots" skyriaus prekybos centre, tiesioginė transliacija penktą trisdešimt. Surask man šešis jaunus bedarbius.

Po kiek laiko, kai jau ėjau iš kabineto, Pačulė nerūpestingai suriko iš paskos:

– A , tiesa, Bridžita, tau ne į Liverpulį, tipo, į Mančesterį, supratai?

4.15. MANČESTERIS

Užkalbintų jaunų bedarbių 44, jaunų bedarbių, sutikusių filmuotis, 0.

7 valanda vakaro, traukinys iš Mančesterio į Londoną. Ūch. Be penkiolikos penktą apimta isterijos laksčiau tarp betoninių gėlynų ir maliau: „Atspšau, tu bedarbis? Nieko tokio. Ač!"

– Tai ką darom? – paklausė operatorius, net neapsimesdamas susidomėjusiu.

– Jaunus bedarbius, – žvaliai atrėžiau. – Minutėlę!

Nėriau už kampo ir susitrenkiau galvą. Ausinėse girdėjau Ričardo balsą: „Bridžita... po velnių... kur tie tavo... jauni bedarbiai..." Staiga žvilgsnis užkliuvo už grynų pinigų automato ant sienos.

5.20 šeši jaunuoliai, pareiškę esą bedarbiai, buvo dailiai išrikiuoti priešais kamerą su naujutėliais 20 svarų banknotais kišenėse, o aš lapatavau aplinkui ir mėginau atsiprašyti, kad nesu proletarė. Penktą trisdešimt išgirdau laidos firminę melodiją, o tuoj po to Ričardas subliovė: „Atsiprašau, Mančesteri, jūsų nebus".

– Eeem... – prasižiojau, žiūrėdama į laukiančius veidus. Jaunuoliai aiškiai pagalvojo, kad sergu psichine liga, kuri verčia mane apsimetinėti televizijos reportere. Negana to, visą savaitę dirbau kaip arklys, o šiandien trenkiausi į Mančesterį ir nespėjau susiorganizuoti partnerio rytojaus vakarienei. Nužvelgiau dieviško grožio pienburnius, stovinčius banko automato fone, ir mano smegenyse sukirbėjo labai įtartino moralumo sumanymas.

Hmmm. Vis dėlto manau, kad teisingai pasielgiau, nemėgindama atsivilioti jauno bedarbio pas Kozmą vakarienės. Būtų tikras žmogaus išnaudojimas, be to, nedora. Tačiau lieka klausimas, ką daryti. Eisiu į rūkančiųjų vagoną ir parūkysiu.

7.30 vakaro. Fui. Rūkančiųjų vagonas pasirodė besanti klaiki kiaulidė, pilna piktų, pasigailėtinai susigūžusių rūkalių. Pasirodo, rūkantieji nebegali gyventi oriai: dabar jie niūriai kenčia, nustumti į gėdingą, purviną gyvenimo užribį. Nė kiek nenustebčiau, jei kas nors būtų atkabinęs visą vagoną, nutempęs kur nors ir ten palikęs. Gali būti, kad privatizavus geležinkelius, bendrovės paleis atskirus „Rūkalių traukinius", kuriuos pamatę kaimiečiai grūmos kumščiais ir pravažiuojančius apmėtys akmenimis, gąsdindami vaikus pasakojimais apie juose įsikūrusias ugnimi alsuojančias pabaisas. Tai va, paskambinau Tomui traukinio telefonu (Kaip jie veikia? Na kaip? Laidų tai nėra. Keista. Gal garsas perduodamas elektros kontaktais, bėgiams susilietus su ratais?) ir ėmiau vaitoti, kad neturiu jokio dvidešimt trejų metų amžiaus draugo, kurį galėčiau nusivesti vakarienės.

– O kaip Gevas? – paklausė jis.

– Koks Gevas?

– Nagi tas, kurį buvai sutikusi Sačio galerijoje.

– Tu manai, jis eitų?

– Aišku. Tu jam rimtai patikai.

– Tik jau nemeluok.

– Ne, rimtai. Nusiramink. Tuoj viską sutvarkysiu.

Kartais pagalvoju, kad be Tomo tikriausiai subyrėčiau į gabalus ir išnykčiau nuo žemės paviršiaus.

RUGSĖJO 19, ANTRADIENIS

56 kg (l.g.), alkoholio vienetai 3 (l.g.), cigarečių 0 (gėdijausi rūkyti sveikata trykštančio pienburnio draugijoje).

Velnias, reikia skubėti. Einu į pasimatymą su pepsi kolos kartos pienburniu. Gevas pasirodė tiesiog dieviškas, stebuklingai elgėsi visą šeštadienį pas Aleksą, flirtavo su visomis žmonomis, seksualiai juokavo su manim, o į klastingus klausimus apie „mūsų santykius" atsakinėjo gudriai ir aptakiai kaip Mokslų Akademijos narys. Nelaimei, važiuojant namo taksi mane apėmė toks dėkingumas *(geismas)*, kad neatsispyriau jo vilionėms *(uždėjau ranką jam ant kelio)*. Tiesa, vėliau susiėmiau *(nugalėjau mane apėmusią paniką)* ir nesutikau užeiti pas jį išgerti kavos. Užtat dar vėliau pasijutau bjauri ir nedėkinga pamaiva *(klaikiai gailėjausi ir kartojau: „O velnias, velnias, velnias")*, todėl, kai Gevas paskambino ir pakvietė šįvakar ateiti pas jį vakarienės, maloniai sutikau *(vos susivaldžiau nespiegusi iš laimės)*.

Vidurnaktis. Jaučiuosi sena kaip pasaulis. Jau taip seniai ėjau su kuo nors į pasimatymą, kad negalėjau daugiau apie nieką galvoti, prisigyriau taksistui apie savo „draugą", kaip važiuoju pas savo „draugą", kuris gamina man vakarienę.

Deja, atvykus į vietą pasirodė, jog Maldeno kelio 4 name yra vaisių ir daržovių parduotuvė.

– Gal norit paskambinti mano telefonu? – nuobodžiaudamas paklausė taksistas.

Aišku, nežinojau Gevo telefono, todėl turėjau apsimesti, kad skambinu Gevui, tačiau ten užimta, tada paskambinti Tomui ir taip išklausti iš jo Gevo adresą, kad taksistas nepagalvotų, jog pamelavau turinti draugą. Pasirodė, jog Gevo adresas yra Malden Vilas 44: per išsiblaškymą buvau neteisingai užsirašiusi. Važiuojant naujuoju adresu pokalbis su taksistu kiek atvėso. Neabejoju, kad palaikė mane prostitute ar kuo panašiu.

Kai pagaliau atvažiavau, anaiptol nebesijaučiau tvirtai. Viskas prasidėjo labai gražiai ir maloniai – truputį priminė pradinės mokyklos laikus ir pirmą viešnagę potencialios „geriausios draugės" namuose. Gevas išvirė boloniškus spagečius. Problema atsirado tada, kai maistas buvo paruoštas ir suvalgytas, o mudu pradėjome kalbėtis. Dėl nesuprantamų priežasčių kalba nukrypo į princesės Dianos vestuves.

– Tos vestuvės atrodė kaip iš pasakos. Atsimenu, sėdėjau ant sienelės prie šv. Pauliaus katedros, – tariau. – Ar tu irgi buvai?

Gevas aiškiai sutriko.

– Tiesą sakant, em, man buvo šešeri metai.

Pagaliau nustojome kalbėtis ir Gevas su nepaprastu įkarščiu (kiek pamenu, tai nuostabiausias dvidešimt trejų metų pienburnių bruožas) pradėjo mane bučiuoti ir kartu ieškoti landų mano drabužiuose. Galiausiai įsigudrino uždėti delną ant pilvo ir tuoj pat – Viešpatie, koks pažeminimas – pareiškė:

– Mmmm. Kokia tu minkštutė.

Tai buvo galas. O Dieve. Nieko gero nebus. Aš jau tam per sena, reikės viską mesti, įsidarbinti katechete mergaičių mokykloje ir apsigyventi su ledo ritulio trenere.

RUGSĖJO 23, ŠEŠTADIENIS

57 kg, alkoholio vienetų 0, cigarečių 0 (l.l.g.), juodraštinių atsakymo į Marko Darsio kvietimą variantų 14 (bent jau atradau kuo pakeisti įsivaizduojamus pokalbius su Danieliu).

10 valanda ryto. Gerai. Tuoj atsakysiu į Marko Darsio kvietimą, aiškiai ir tvirtai pareikšdama, kad atvykti negalėsiu. Nežinia, kodėl turėčiau ten eiti. Nei aš jam artima draugė, nei giminaitė, o jei nueisiu, praleisiu ir „Meilę iš pirmo žvilgsnio", ir „Žmogžudyščių skyrių".

Bet Dieve Dieve. Kvietimas baisiai prašmatnus, parašytas trečiuoju asmeniu, tarsi kvietėjai baisiausiai pripampę ir negali tiesiai pasakyti, kad rengia pokylį ir nori tave jame matyti: tai būtų tolygu vietoje žodžio „tualetas" užbliauti „šikinykas". Iš vaikystės miglotai prisimenu, kad atsakyti reikia tokiu pat aukštu stiliumi, tarsi rašytų įsivaizduojamas asmuo, specialiai pasamdytas atsakinėti į kvietimus, parašytus kviečiančiojo specialiai pasamdytų asmenų. Kaip čia parašius?

Bridžita Džouns apgailestauja, jog neturės galimybės...

Panelė Bridžita Džouns labai apgailestaudama praneša, jog neturės galimybės...

Panelė Bridžita Džouns neranda žodžių išsakyti gailesčiui, apėmusiam ją dėl to, jog neturės galimybės...

Su neapsakomu sielvartu turime pranešti, kad panelė Bridžita Džouns taip apgailestavo negalėsianti priimti malonaus pono Marko Darsio kvietimo, jog ėmė ir nusišovė, ir dabar jau absoliučiai tikrai neturės galimybės...

Ooch, telefonas.

Skambino tėtis.

– Bridžita, brangioji, juk tu ateisi šeštadienį į tą košmarą?

– Turi galvoje Darsių rubinines vestuves.

– Ką dar? Nuo tada, kai tavo motina rugpjūčio pradžioje ėmė interviu iš Lizos Lyson, tai vienintelis dalykas, kuris nukreipia jos dėmesį nuo svarstymo, kam atiteks juodmedžio spintelė papuošalams bei kavos stalelių rinkinys.

13.

– Tiesą sakant, tikėjausi kaip nors išsisukti.

Ragelyje tyla.

– Tėti?

Pasigirdo tramdomas kūktelėjimas. Tėtis verkė. Man atrodo, jį ištiko nervinė krizė. Štai ką pasakysiu: jei aš trisdešimt devynerius metus būčiau išgyvenusi su mama, mane taip pat ištiktų krizė, nereiktų net laukti, kol ji pabėgs su ekskursijų vadovu iš Portugalijos.

– Kas atsitiko, tėti?

– Ooo, viskas taip... Atsiprašau. Tik kad... matai, aš irgi tikėjausi išsisukti.

– Tai kodėl neišsisuki? Valio. Geriau einam abu į kiną.

– Kai pagalvoju... – jo balsas vėl užlūžo. – Kai pagalvoju, kad ji nueis su tuo išsičiustijusiu parfumuotu juočkiu, o visi draugai ir kolegos, kuriuos aš pažįstu keturiasdešimt metų, elgsis su jais kaip su pora ir manęs nė neprisimins...

– Na jau, taip nebus...

– Tas ir yra, kad bus. Aš pasiryžau eiti, Bridžita. Susiimsiu, pasitempsiu ir nueisiu aukštai iškelta galva... bet... – vėl pasigirdo kūkčiojimas.

– Bet ką?

– Man reikalinga moralinė parama.

11.30 priešpiet.

Panelė Bridžita Džouns su malonumu praneša...

Bridžita Džouns nuoširdžiai dėkoja ponui Markui Darsiui už kvietimą...

Panelė Bridžita Džouns su didžiausiu malonumu priima...

O Dieve, ką aš čia rezgu.

Brangusis Markai,
labai dėkoju už kvietimą dalyvauti Tavo rengiamame pobūvyje Malkolmo ir Eleinės rubininių vestuvių proga. Mielai ateisiu.

Su pagarba,
        Bridžita Džouns

Hmmm.

Su pagarba,
        Bridžita

O gal tiesiog:

Bridžita

arba

Bridžita (Džouns).

Gerai. Dabar tik dailiai perrašysiu, patikrinsiu rašybą ir iš-
siųsiu.

RUGSĖJO 26, ANTRADIENIS

56,5 kg, alkoholio vienetų 0, cigarečių 0, kalorijos 1256,
momentinės loterijos bilietų 0, įkyrių minčių apie Danielį 0,
negatyvių minčių 0. Ko gero, tampu šventąja.

Tiesiog nuostabu, kai pradedi rimtai galvoti apie karjerą,
užuot jaudinusis dėl mažmožių, tokių kaip vyrai ar draugystės.
Man tikrai gerai sekasi „Good Afternoon!" Pradedu galvoti,
kad turiu talentą dirbti populiarioje televizijoje. O didžiausia
sėkmė ta, kad netrukus galėsiu išmėginti jėgas prieš kamerą.
Praėjusios savaitės pabaigoje Ričardas Finčas įsikalė į galvą
padaryti tiesioginius reportažus iš visų sostinę aptarnaujančių
tarnybų. Pradžioje sekėsi nekaip. Tiesą sakant, bendradarbiai
šnibždėjosi, jog jam jau atsakė visos greito reagavimo tarny-
bos, policijos daliniai ir greitosios pagalbos stotys Londone bei

artimiausiose apylinkése. Tačiau šį rytą nespėjau įeiti į kabinetą, kaip jis sučiupo mane už pečių rėkdamas:

– Bridžita! Užkibo! Gaisrai. Noriu, kad padarytum tiesioginę laidą. Mąstau: velkiesi mini sijoną. Užsidedi gaisrininko šalmą. Dar mąstau: laikai rankose žarną ir taikai antgalį į žiūrovus.

Nuo tos akimirkos visi užsisuko kaip išprotėję, pamiršo kasdienes žinias ir tik plepėjo telefonais apie ryšius, bokštus ir techcentrus. Šiaip ar taip, viskas jau rytoj, vienuoliktą valandą ryto turiu perduoti medžiagą iš Liujišemo gaisrinės punkto. Šįvakar visiems paskambinsiu ir liepsiu žiūrėti. Nekantrauju, ką pasakys mama.

RUGSĖJO 27, TREČIADIENIS

*55,5 kg (susitraukiau iš gėdos), alkoholio vienetai 3,
cigarečių 0 (gaisrinės punkte draudžiama rūkyti),
paskui per valandą 12, kalorijos 1584 (l.g.).*

9 valanda vakaro. Gyvenime nebuvau patyrusi tokio pažeminimo. Visą dieną repetavau ir ruošiausi tiesioginiam eteriui. Buvo sumanyta taip: kai ima rodyti Liujišemą, aš nusliuogiu į kadrą gaisrininkų stulpu ir pradedu kalbinti gaisrininką. Penktą valandą, kai prasidėjo laida, aš sėdėjau ant stulpo ir laukiau komandos leistis. Staiga ausinėje išgirdau Ričardo klyksmą: „Varyk, varyk, varyk, varyk, varyk!", tad paleidau stulpą ir ėmiau slysti apačion. Tačiau jis tęsė: „Varyk, varyk, varyk, Njukasle! Bridžita, ruošiesi Liujišeme. Tavo išėjimas po trisdešimt sekundžių".

Pamaniau, gal nusileisti stulpu iki apačios ir mikliai užbėgti laiptais, bet buvau nuslydusi tik porą metrų, todėl pradėjau sliuogti aukštyn. Staiga mano ausyje pasigirdo griausmingas riksmas:

– Bridžita! Esi kadre! Kokį velnią ten dirbi? Turėjai sliuogti žemyn, o ne į viršų! Varyk, varyk, varyk.

Isteriškai išsišiepiau prieš kamerą ir plumptelėjau žemėn, tiesiai po kojomis gaisrininkui, kurį turiu pakalbinti.

– Liujišeme, laikas baigėsi. Bridžita, vyniokis, vyniokis! – užbliovė Ričardas man į ausį.

– O dabar grįžtame į studiją, – pasakiau, ir tuo viskas baigėsi.

RUGSĖJO 28, KETVIRTADIENIS

56 kg, alkoholio vienetai 2 (l.g.), cigarečių 11 (g.), kalorijų 1850, pasiūlymų pereiti dirbti į gaisrinę ar konkuruojančius televizijos kanalus 0 (apskritai imant, nesistebiu).

11 valanda ryto. Patekau į nemalonę ir tapau pajuokos objektu. Ričardas Finčas viešai išjuokė mane per pasitarimą, negailėdamas tokių žodžių, kaip „katastrofa", „gėda" ir „sumauta idiotė", kurie visi buvo skirti man.

Frazė: „O dabar grįžtame į studiją" tapo mėgstamiausia bendradarbių citata. Kai ko nors paklausi dalyko, apie kurį neturi ką pasakyti, dažniausiai išgirsi atsakymą: „Eeee... o dabar grįžtame į studiją", ir visi kvatoja. Tačiau, kad ir kaip keista, bohemiškieji jaunuoliai dabar elgiasi su manim žymiai draugiškiau. Pačulė (net ji!) kartą priėjo ir tarė:

– Klausyk, tu dėl to Ričardo nesijaudink, ką? Žinai, jis, tipo, mėgsta komanduoti, supranti? Tas tavo gabalas iš gaisrinės, žinai, buvo kietas, tipo, avangardas... Žinai, išvis tai... o dabar grįžtame į studiją, ką?

Ričardas Finčas dabar mane ignoruoja arba atsitiktinai sutikęs žiūri tarsi negalėdamas patikėti savo akimis, ir šiandien visą dieną neturėjau ką veikti.

O Dieve, kaip tai mane slegia. Jau maniau, kad bent kartą suradau darbą, kur vertinami mano gabumai, bet dabar viskas žlugo, o šeštadienį dar tos prakeiktos rubininės vestuvės, į kurias neturiu ko apsirengti. Niekas man nesiseka. Nei santykiai su vyrais. Nei socialinis gyvenimas. Nei darbas. Absoliučiai niekas.

SPALIS

PASIMATYMAS SU DARSIU

SPALIO 1, SEKMADIENIS

55,5 kg, cigarečių 17, alkoholio vienetų 0 (l.g., juo labiau, kad buvau pobūvyje).

4 valanda ryto. Vienas keisčiausių vakarų mano gyvenime. Penktadienį puoliau į depresiją, tada pas mane atėjo Džudė ir įkalbėjo pozityviau viską vertinti, be to, atnešė fantastišką juodą suknelę, kurią galėsiu apsivilkti į pobūvį. Bijojau, kad galiu ją sulaistyti ar suplėšyti, bet Džudė pasakė: nieko baisaus, ji turi krūvas pinigų ir suknelių, nes dirba atsakingą darbą, todėl nėra reikalo jaudintis. Mieloji Džudė. Apskritai merginos daug mielesnės už vyrus (išskyrus Tomą, bet jis gėjus). Prie fantastiškos suknelės nutariau priderinti juodas blizgančias pėdkelnes su lykra (6.95 svaro) ir aukštakulnius batelius iš „Pied à terre" (bulvių košę nuo kulniukų nuvaliau).

Atvykusi į pobūvį patyriau sukrėtimą, nes Marko Darsio namas pasirodė ne baltas blankus daugiaaukštis Portland Roude ar kas panašaus (kaip tikėjausi), bet didžiuliai vestuvinio torto stiliaus rūmai kitapus Holand Park aveniu (sako, kad netoliese gyvena Haroldas Pinteris), apsupti medžių.

Jis tikrai nepagailėjo pinigų tėveliams. Visi medžiai buvo nusėti be galo jaudinančiais mažyčiais raudonais žiburėliais ir raudonų širdžių girliandomis, o virš priėjimo prie namo kybojo toks raudonas ir baltas baldakimas.

Įėjus pro duris, viskas ėmė rodytis dar patraukliau: svečius sveikino patarnautojai, kurie vaišino atvykusius šampanu ir diskretiškai rinko atneštas dovanas (aš Malkolmui ir Eleinei nupirkau Perio Komo meilės dainų rinkinį, išleistą tais metais, kai jie susituokė, o Eleinei dar terakotinę kvepiančio aliejaus lempelę, nes per kalakutienos troškinio vakarėlį ji manęs klausinėjo apie aromatinius aliejus). Po to nulipome dailiai išriestais šviesaus medžio laiptais, apšviestais ant pakopų sustatytomis raudonomis širdies formos žvakutėmis. Apačioje buvo vienas milžiniškas kambarys tamsaus medžio grindimis ir oranžerija su išėjimu į sodą. Visame kambaryje degė žvakės. Mudu su tėčiu sustojom ir kurį laiką stovėjom apspangę, nepajėgdami ištarti nė žodžio.

Vietoje užkandžių, kuriuos paprastai patiekia mano tėvų karta, – marinuotų agurkėlių krištolinėse lėkštėse ir sūrio bei ananaso vėrinėlių, susmeigtų į greipfrutų puseles, – ant stalų stovėjo dideli sidabriniai padėklai, pilni kiniškų pyragėlių su krevečių įdaru, mažyčių pyragų su modzarela ir pomidorais bei vištienos satė. Svečiai, kurių išraiškos leido aiškiai suprasti, jog jie apkvaitę iš džiaugsmo, smagiai kvatojosi, atlošę galvas. Una Alkonberi atrodė taip, tarsi ką tik būtų perkandusi citriną.

– Ojė, – atsiduso tėtis, pasekęs mano žvilgsnį, – tikrai nemanau, kad mamai ir Unai tai labai patiks.

– Nelabai skoninga, ką? – vos spėjusi prieiti ištarė Una ir susierzinusi pasitaisė manto. – Man atrodo, neturint saiko, labai lengva nuslysti į vulgarumą.

– Oi, Una, neišsidirbinėk. Pasakiškas pobūvis, – tarė tėvas, imdamas nuo padėklo devynioliktą sumuštinį.

– Mhm. Ir aš taip manau, – sutikau pilna burna pyrago, stebėdama, kaip nežinia iš kur atsiradusi ranka pripildo mano taurę šampano, – fantastiškas.

Taip ilgai psichologiškai ruošiausi miesčioniškam košmarui, kad dabar jaučiausi tarsi ant sparnų. Iki šiol dar niekas manęs nepaklausė, kodėl neišteku.

– Chm, – atsakė Una.

Prie mūsų prisijungė mama.

– Bridžita, – šaukė ji, – ar jau pasisveikinai su Marku?

Staiga sukrėsta prisiminiau, kad netrukus mama ir Una taip pat švęs rubinines vestuves. Pažįstu mamą: nėra ko nė tikėtis, kad tokios smulkmenos, kaip paliktas vyras ir romanas su ekskursijų vadovu iš Portugalijos, sutrukdys kaip dera atšvęsti šią progą ir nieku gyvu nenusileisti Eleinei Darsi, net jei tam reikėtų paaukoti niekuo dėtą dukterį, prievarta ją išleidžiant už vyro.

– Laikykis, pirate, – pasakė tėtis, paspaudęs man petį.

– Koks stebuklingas namas. Bridžita, ar neturėjai kokio padoraus manto prie šitos suknelės? Pleiskanos! – sučiulbo mama, ranka braukdama tėčiui per pečius. – Klausyk, meilute. Paaiškink, *kodėl* nesikalbi su Marku?

– Tai kad... – sumurmėjau.

– Kaip tau tai atrodo, Pame? – kupinu įtampos balsu sušnypštė Una, žvilgsniu apmesdama kambarį.

– Prastas skonis, – sušnibždėjo mama, perdėtai raiškiai tardama žodžius.

– Aš pasakiau lygiai tą patį, – pergalingai ištarė Una. – Ar ne, Kolinai, juk taip sakiau? Aiškiai trūksta skonio.

Nervingai apsidairiau aplinkui ir nustėrusi net pašokau. Už gero metro stovėjo Markas Darsis ir žiūrėjo į mus. Tikriausiai viską girdėjo. Išsižiojau, norėdama ką nors pasakyti – nežinau ką – ir kaip nors ištaisyti padėtį, tačiau jis nusisuko ir nuėjo.

Vakarienė buvo patiekta svetainėje pirmame aukšte; atsistojusi į eilę ant laiptų pamačiau atsidūrusi tiesiai už Marko Darsio.

– Labas, – prašnekau, tikėdamasi kaip nors užglostyti mamos netaktą. Jis atsigręžė, be jokios išraiškos apsidairė ir vėl nusisuko.

– Labas, – pakartojau ir kumštelėjau jam į šoną.

– O, labas. Atsiprašau, nepastebėjau tavęs, – tarė jis.

– Puikus pobūvis, – pasakiau. – Ačiū, kad mane pakvietei. Jis įbedė į mane akis.

– A, tai ne aš, – atsakė. – Mano mama tave pakvietė. Bet tai nieko. Reikia eiti, prižiūrėti, kad visus, eee, *susodintų*. Tarp kitko, man labai patiko tavo reportažas iš Liujišemo, – ir nusisukęs nudrožė laiptais atsiprašinėdamas svečių, o aš viriau iš įsiūčio. Hm.

Kai jis pasiekė laiptų viršų, pasirodė Nataša pritrenkiančia auksaspalvio satino suknele, valdingai sučiupo jį už rankos, beskubėdama užkliuvo bateliu už žvakės ir apsilašino suknelės apačią raudonu vašku.

– Blem, – pasakė ji. – Blem.

Juodu nuėjo, tačiau dar spėjau išgirsti jos pamokslą:

– Juk aš tau sakiau, kad idiotiška visą popietę dėlioti žvakes, ir dar tokiose vietose, kur žmonės gali už jų užkliūti. Būtų buvę daug naudingiau, jei labiau rūpintumeisi, kaip susodinti...

Keista, tačiau svečiai pasirodė susodinti labai vykusiai. Mama sėdėjo ne prie tėčio ir ne prie Chulijaus, bet šalia Brajano Enderbio, su kuriuo visad mielai flirtuoja. Chulijus atsidūrė greta prašmatnios penkiasdešimtpenkiametės Marko Darsio tetos, kuri iš džiaugsmo netilpo savo kailyje. Tėtis net paraudo iš malonumo pamatęs, kad sėdi šalia egzotiškos tamsiaplaukės gražuolės. Rimtai susijaudinau. Gal ir man pavyks įsiterpti tarp dviejų Marko Darsio kolegų, aukščiausios klasės advokatų, o gal amerikiečių iš Bostono. Ieškodama sąraše savo vardo, išgirdau prie ausies pažįstamą balsą:

– Na, tai kaip, mano mažoji Bridžita? Įsivaizduoji, kaip man pavyko! Matai, tu sėdi prie manęs. Una pasakojo, kad tu išsiskyrei su vaikinu. Ką tu pasakysi! Tai kada mes tave pagaliau ištekinsim?

– Na, kai tai įvyks, tikiuosi, jog ceremoniją atliksiu aš, – atsiliepė balsas iš kitos pusės. – Tikrai praverstų naujas arnotas. Mmmm. Šilkinis, abrikosų spalvos. Arba daili nauja sutana iš Gamirelio, su trisdešimt devyniom sagutėm.

Markas, kaip tikras draugas, pasodino mane tarp Džefrio Alkonberio ir homoseksualaus mūsų parapijos kunigo.

Tiesą sakant, po keleto taurelių pokalbis plaukė gana smagiai. Aš paklausiau kunigą, ką jis mano apie Indijoje įvykusį stebuklą, kai dievo-dramblio Ganešo statula ėmė gerti pieną. Kunigas pasakė, jog bažnytiniuose sluoksniuose stebuklą linkstama aiškinti ypatingomis terakotos savybėmis, išryškėjančiomis vėsiu oru po ilgėliau trukusių karščių.

Vakarienei pasibaigus žmonės ėmė judėti žemyn į šokių salę, o aš vis galvojau apie jo žodžius. Pagaliau smalsumas paėmė viršų (be to, nelabai troškau suktis Džefrio Alkonberio glėbyje), todėl atsiprašiau savo kaimynų, patyliukais pasiėmiau nuo stalo arbatinį šaukštelį bei ąsotėlį pieno ir šmurkštelėjau į kambarį, į kurį suneštos dovanos buvo jau išpakuotos ir išdėliotos ant stalų, ir kai kurios neabejotinai patvirtino Unos kritiką apie skonio trūkumą.

Šiek tiek užtrukau, kol radau terakotos lempelę, nes ji buvo užkišta už kitų daiktų, bet atradusi įpyliau į šaukštelį truputį pieno, palenkiau ir pridėjau prie skylės, į kurią įstatoma žvakė. Nepatikėjau savo akimis. Lempelė aromatiniam aliejui gėrė pieną. Aiškiai mačiau, kaip pieno šaukštelyje mažėjo.

– O Dieve mano, tai stebuklas, – suklikau. Iš kur galėjau žinoti, kad kaip tik tą akimirką pro šalį žygiuos prakeiktasis Markas Darsis?

– Ką ten veiki? – paklausė jis, stovėdamas tarpduryje.

Nežinojau, ką atsakyti. Jis, be abejo, manė, kad taikausi išvogti dovanas.

– Mmmm? – pakartojo.

– Lempelė aromatiniam aliejui, kurią atnešiau dovanų tavo mamai, geria pieną, – niūriai sumurmėjau.

– Oi, tik nebūk juokinga, – atsakė jis juokdamasis.

– Bet ji *tikrai* geria, – atsakiau įsižeidusi. – Žiūrėk.

Įpyliau į šaukštelį dar lašą pieno, vėl jį palenkiau, ir tikrai: lempelė ėmė lėtai jį gerti.

– Matai, – išdidžiai pareiškiau. – Tai stebuklas.

Aiškiai mačiau, kad tai jam padarė įspūdį.

– Tu teisi, – atsakė tyliai. – Stebuklas.

Kaip tik tada duryse pasirodė Nataša.

– O, labas, – tarė pamačiusi mane. – Tai tu šiandien be zuikučio kostiumo? – ir sukikeno, apsimesdama pasakiusi ne šlykštynę, o linksmą juoką.

– Tiesą sakant, mes, zuikiai, juos vilkime tik žiemą, kad ne-sušaltume, – atsakiau.

– Džonas Roša? – paklausė ji, stebeilydamasi į Džudės suk-nelę. – Pernykštis modelis? Atpažįstu sijono liniją.

Pamėginau sugalvoti kokį labai sąmojingą ir kietą atkirtį, bet, deja, galvoje buvo tuščia. Todėl po trumpos kvailos pauzės ištariau:

– Na, tu tikriausiai turi pakalbėti ir su kitais svečiais. Malo-nu buvo vėl susitikti. Ikiiiii!

Nutariau, kad reikia išeiti į lauką pakvėpuoti grynu oru ir parūkyti. Buvo nuostabi, šilta ir žvaigždėta naktis, mėnulis ap-švietė rododendrų krūmus. Asmeniškai aš nelabai mėgstu rododendrus. Jie man primena D. H. Lorenso aprašytus Vik-torijos laikų namus Anglijos šiaurėje ir prie jų tyvuliuojančius ežerus, kuriuose nuskęsta žmonės. Nulipau žemyn į sodą. Or-kestras grojo Vienos valsus, sukurdamas tikrą *fin de millenium** nuotaiką. Staiga viršuje išgirdau neaiškius garsus. Apšviesto balkono fone ryškėjo žmogaus siluetas. Iš arčiau jis pasirodė besąs malonios išvaizdos šviesiaplaukis paauglys, tipiškas ge-ros privačios mokyklos moksleivis.

– Labas, – tarė jaunuolis. Jis netvirtai užsidegė cigaretę ir spoksodamas į mane nulipo laiptais žemyn. – Ar nesutiktumėt su manim pašokti? Oi. E, atsiprašau, – pridūrė ištiesdamas ranką, tarsi būtume susitikę Itone per atvirų durų dieną, o jis – buvęs vidaus reikalų ministras, trumpam pamiršęs geras ma-nieras. – Saimonas Dalrimplas.

– Bridžita Džouns, – atsakiau, ceremoningai ištiesdama ranką ir jausdamasi pilnavertė gynybos tarybos narė.

– Labas. Aha. Labai malonu susipažinti. Tai gal *sutiksit* pa-šokti? – paklausė jis, vėl atvirtęs privačios mokyklos moksleiviu.

– Na, nežinau nežinau, – atsakiau, nesąmoningai vaidinda-ma girtą mergšę ir nusikvatodama giliu gomuriniu juoku kaip baro prostitutė.

– Čia pat. Tik vieną šokį.

* Tūkstantmečio pabaigos *(pranc.)*.

Dvejojau. Atvirai pasakius, jaučiausi pamaloninta. Toks žavus jaunuolis, o dar pavykęs stebuklas Marko Darsio akivaizdoje – ėmiau po truputį svaigti.

– Labai prašau, – neatlyžo Saimonas. – Aš niekad nesu šokęs su vyresne moterim. Ojei, baisiausiai atsiprašau, aš nenorėjau... – tęsė, pamatęs mano išraišką. – Norėjau pasakyti, su moterim, kuri jau baigusi mokyklą, – ištarė ir aistringai griebė mano ranką. – Būkit gera. Būčiau amžinai, amžinai dėkingas.

Buvo absoliučiai aišku, kad Saimonas Dalrimplas šokti mokėsi nuo pat lopšio, tad visai maloniai jaučiausi, pasidavusi patyrusio šokėjo judesiams, jei ne vienas nesmagumas: kaip čia gražiau pasakius, jaunuolis patyrė bene galingiausią erekciją, kokią tik turėjau laimės sutikti gyvenime, o kadangi šokome susiglaudę, niekaip nebuvo galima pagalvoti, kad kišenėje turi akinių dėklą.

– Dabar keičiamės, Saimonai, – tarė balsas.

Tai buvo Markas Darsis.

– Nagi, greičiau. Viens du – į vidų. Tau jau laikas miegoti.

Saimonas atrodė visiškai sugniuždytas. Klaikiai išraudo ir pabėgo atgal pas svečius.

– Galima? – paklausė Markas, tiesdamas man ranką.

– Ne, – atkirtau įniršusi.

– Kas atsitiko?

– Eee... – nutęsiau, ieškodama dingsties pykčiui paaiškinti. – Kaip galėjai taip žiauriai pasielgti su jautriu paaugliu, išgyvenančiu sunkiausią gyvenimo laikotarpį? – Pamačiusi Marko apstulbimą, tratėjau toliau: – Nors šiaip esu labai dėkinga, kad pakvietei mane į pobūvį. Pasakiška. Labai dėkoju. Vakaras tiesiog fantastiškas.

– Taip. Atrodo, tą jau sakei, – atsakė jis, tankiai mirksėdamas. Tiesą sakant, atrodė smarkiai susijaudinęs ir įžeistas.

– Aš... – trumpam nutilo, paskui pradėjo nervingai žingsniuoti po kiemelį, dūsaudamas ir taršydamas rankomis plaukus. – Kaip tau... Ar pastaruoju metu skaitei kokią gerą knygą?

Neįtikėtina.

– Markai, – pasakiau. – Jei tu dar kartą manęs paklausi, ar pastaruoju metu skaičiau kokią gerą knygą, aš nukąsiu sau pačiai galvą. Kodėl negali paklausti ko nors kito? Pamėgink pavarijuoti. Paklausk, ar aš turiu kokį hobį, ką galvoju apie bendrą Europos valiutą, ar esu patyrusi kokių jaudinančių nutikimų.

– Aš... – vėl pradėjo jis.

– Arba paklausk, su kuo labiausiai norėčiau permiegoti: su Daglu Herdu, Maiklu Hovardu ar su Džimu Deividsonu. Nors, tiesa, tas aišku iš karto, su Daglu Herdu.

– Daglu Herdu? – susidomėjo Markas.

– Mmmm. Taip. Jis toks jaudinamai griežtas, bet teisingas.

– Hmmm, – susimąstė Markas. – Taip sakai, bet Maiklas Hovardas turi nepaprastai žavią ir protingą žmoną. Reiškia, ir jis pats kažkuo patrauklus.

– Kaip manai, kuo? – paklausiau, vaikiškai tikėdamasi, kad jis užsimins seksą.

– Na...

– Pavyzdžiui, jis gali būti puikus lovoje, – pasiūliau.

– Arba neįtikėtinai gabus puodžius.

– Arba profesionalus aromaterapeutas.

– Ar pavakarieniausi su manim, Bridžita? – paklausė jis nei iš šio, nei iš to gerokai suirzęs, tarsi ketintų pasisodinti mane prie stalo ir atskaityti pamokslą.

Nutilau ir įsistebeilijau į jį.

– Ar mano mama tau liepė? – įtariai paklausiau.

– Ne... Aš...

– Una Alkonberi?

– Ne, ne...

Staiga supratau, kas vyksta.

– Reiškia, *tavo* mama, ką?

– Na taip, mano mama sakė...

– Aš nenoriu, kad tu kviestum mane vakarienės, nes tau taip liepė mama. Ir išvis, apie ką mes kalbėtume? Tu paklaustum, ar pastaruoju metu skaičiau kokią gerą knygą, o man tektų sukti galvą, ką čia tau pamelavus, ir...

Jis žiūrėjo į mane, aiškiai sutrikęs.

– Bet Una Alkonberi man sakė, kad tu baisi intelektualė, iš proto eini dėl knygų.

– Taip sakė? – pasitikrinau, netikėtai pamaloninta. – O ką dar ji sakė?

– Na, kad tu radikali feministė, o tavo socialinis gyvenimas tikras verpetas...

– Oooch... – sumurkiau.

– ... ir kad aplink tave sukasi milijonai vyrų.

– Ha.

– Girdėjau apie Danielį. Man labai gaila.

– Teisybė, juk mėginai mane įspėti, – paniurusi sumurmėjau. – Bet kuo jis tau taip nepatinka?

– Jis miegojo su mano žmona, – atsakė Markas. – Dvi savaitės po mūsų vestuvių.

Apstulbusi įbedžiau į jį akis, o balsas už mūsų sušuko: „Markiii!" Tai Nataša pasilenkusi stengėsi įžiūrėti, kas vyksta apačioje; jos siluetas buvo aiškiai matyti apšviestame lange.

– Markiiiii! – vėl pašaukė ji. – Ką tu ten apačioj veiki?

– Pernai per Kalėdas, – skubiai prakalbo Markas, – jau maniau, kad jei mano mama dar kartą pakartos „Bridžita Džouns", nueisiu tiesiai į „Sunday People" redakciją ir pameluosiu, jog vaikystėje ji mane mušdavo dviračio pompa. Paskui tave pamačiau... bet buvau apsirengęs tuo idiotišku megztiniu su rombais, kurį Una man dovanojo Kalėdoms... Bridžita, visos kitos mano pažįstamos merginos atrodo kaip nulakuotos. Nepažįstu daugiau nė vienos, kuri prisisegtų prie kelnaičių zuikio uodegėlę arba...

– Markai! – užklykė Nataša, lipdama laiptais pas mus.

– Bet juk tu turi draugę, – pasakiau: čia tai bent atradimas.

– Tiesą sakant, jau nebe, – atsakė jis. – Tik vakarienės? Kada nors?

– Gerai, – sušnibždėjau. – Gerai.

Po to pagalvojau, kad pats laikas namo: Nataša stebėjo mane kaip krokodilas, sergstintis savo kiaušinius, o aš ne tik spėjau Markui pasakyti savo adresą ir telefoną, bet ir susitariau susitikti kitą antradienį. Eidama per šokių salę pamačiau mamą, Uną ir Eleinę Darsi, gyvai šnekučiuojančias su Marku – nesusilaikiau nepagalvojusi, kokios būtų jų išraiškos sužinojus, kas ką tik įvyko. Netikėtai prieš akis stojo reginys: šių metų Kalėdos, kalakutienos troškinio vakarėlis, Brajanas Enderbis pasitempia kelnes ir pūkščia: „Hrrmpf. Gražu žiūrėti, kaip jaunimas linksminasi, ką?", o mudu su Marku Darsiu, kaip du cirko ruoniai, smaginame susirinkusiuosius trindamiesi nosimis ar čia pat užsiiminėdami seksu.

SPALIO 3, ANTRADIENIS

56 kg, alkoholio vienetai 3 (l.g.), cigaretė 21 (blogai), per pastarąsias 24 valandas žodis „suskis" pakartotas 369 kartus (apytikriai).

7.30 vakaro. Visiška panika. Po pusvalandžio užeis Markas Darsis manęs pasiimti. Ką tik parėjau iš darbo, plaukai kaip šieno kupeta, drabužiai pakirsti skalbimo krizės. Gelbėkit, padėkit! Ketinau apsimauti baltus „Levi's 501" džinsus, bet staiga susiprotėjau, kad Markas gali būti iš tų, kurie vedasi merginas į prašmatnius, baimę keliančius restoranus. Dieve, o Dieve, neturiu nė vieno prašmatnaus drabužio. Kažin, ar jis tikisi, kad prisisegsiu zuikio uodegėlę? Tai nereiškia, kad jis man rūpi ar panašiai.

7.50 vakaro. Jėzau, Jėzau. Dar neišsiploviau plaukų. Labai greitai įšoksiu į vonią.

8 valanda vakaro. Jau džiovinu plaukus. L. tikiuosi, kad Markas Darsis pavėluos; nenorėčiau, kad aptiktų mane su chalatu ir šlapiais plaukais.

8.05 vakaro. Plaukai, galima sakyti, išdžiovinti. Liko tik pasidažyti, apsirengti ir sumesti balaganą už sofos. Reikia nustatyti darbų eilę. Pirmoje vietoje makiažas, aptvarkysiu paskui.

8.15 vakaro. Jo dar nėra. L.g. Labai mėgstu vyriškius, kurie ateina pavėlavę, priešingai tiems, kurie atsivelka per anksti, išgąsdina ir sunervina, o be to, pamato besivoliojančius nereikalingus daiktus, kurių nespėta paslėpti.

8.20 vakaro. Na, dabar jau praktiškai pasiruošusi. Gal tik persirengsiu.

8.30 vakaro. Keista. Jis nelabai panašus į žmogų, kuris vėluotų daugiau kaip pusę valandos.

9 valanda vakaro. Negaliu patikėti. Markas Darsis mane apdurnino. Tai bent suskis!

SPALIO 5, KETVIRTADIENIS

56,5 kg (blogai), šokoladukai 4 (blogai), vaizdo įrašas peržiūrėtas 17 kartų (blogai).

11 valanda ryto. Sėdžiu tulike darbe. O ne, tik ne tai. Negana to, kad likau kvailės vietoj, tai dar tapau šiurpaus dėmesio objektu šio ryto pasitarime.

– Na gerai, Bridžita, – tarė Ričardas Finčas. – Duosiu tau dar vieną šansą. Izabelės Roselini procesas. Šiandien turi paskelbti nuosprendį. Mes manom, kad ją išteisins. Tuoj pat varyk į Aukščiausiąjį Teismą. Tik nelaipiok jokiais stulpais anei kolonom. Man reikia kieto, solidaus interviu. Paklausk, ar ji mano, kad visiems galima žudyti žmones, su kuriais nenori dulkintis. Ko dar lauki, Bridžita? Opapa.

Neturėjau nė mažiausio, nė mažytėliausio supratimo, apie ką jis kalba.

– Girdėjai apie Izabelės Roselini procesą? – paklausė Ričardas. – Juk bent retsykiais peržvelgi laikraščius?

Didžiausias šito darbo trūkumas tas, kad žmonės be atodairos bombarduoja tave vardais, pavardėm ir faktais, o tu per sekundės dalį turi nuspręsti, ar prisipažinti, kad neturi apie tai žalio supratimo; jei neprisipažini, paskui visą valandą apsimetinėji, kad išsamiai ir atidžiai ką nors svarstai, o iš tiesų desperatiškai gaudai bent menkiausias užuominas, kas tai galėtų būti: taip atsitiko ir su Izabelės Roselini procesu.

Dabar turiu bėgti prie teismo, po penkių minučių susitikti su filmavimo grupe, kurios bijau, ir per televiziją pakomentuoti tautai įvykį, apie kurį ničnieko nežinau.

11.05 ryto. Ačiū Tau, Viešpatie, už Pačulę. Išėjau iš tualeto ir sutikau ją, koridoriumi tempiamą įsišėlusių Ričardo šunų.

– Tau viskas gerai? – paklausė. – Atrodai pritrenkta.

– Ne ne, viskas gerai, – atsakiau.

– Tikrai? – Ji sustojo ir kurį laiką žiūrėjo į mane. – Klausyk, šitą, tu juk supratai, kad Ričardas kalbėjo ne apie Izabelę Roselini, ką? Iš tikrųjų ten Elena Rosini.

Šlovė Tau, dangiškasis Dieve, ir visiems Tavo angelams. Elena Rosini yra auklė, kaltinama nužudžiusi darbdavį, kuris pusantrų metų laikė ją uždaręs namuose ir nuolatos prievartavo. Sugriebiau porą laikraščių, norėdama pakeliui atgaivinti atmintį, ir nubėgau į taksi.

3 valanda popiet. Ką tik nutiko visiškai neįtikėtinas dalykas. Ištisą amžinybę slankiojau aplink Aukščiausiojo Teismo rūmus su filmavimo grupe ir didžiausia minia žurnalistų, kurie visi laukė proceso pabaigos. Tiesą sakant, buvo labai smagu. Net pradėjau galvoti, kad pono Tobulybės Darsio fintas turi tam tikrų privalumų. Staiga pamačiau, kad baigėsi cigaretės. Pašnibždomis paklausiau operatoriaus, labai simpatiško dėdės, ar nieko, jei penkioms minutėms šmurkštelsiu į parduotuvę, ir jis atsakė, kad viskas gerai, nes žurnalistus visad perspėja, kada išeis teisiamieji, todėl jei jis pamatys, kad kažkas vyksta, ateis ir mane pasikvies.

Kai kiti reporteriai išgirdo, kad einu į parduotuvę, irgi ėmė prašyti nupirkti cigarečių ar šokoladų, todėl gerokai užtrukau, kol viską išsiaiškinau. Stovėjau parduotuvėje ir stengiausi kuo tiksliau pardavėjui atskaičiuoti daugybės žmonių pinigus, tik staiga kažkoks vyrukas įbėgo priešais mane ir pasakė: „Ar galima „Quality Street" pakelį?", tarsi manęs nė nebūtų. Vargšas pardavėjas pasimetęs pažvelgė į mane.

– Atsiprašau, ar esate girdėjęs žodį „eilė"? – pasiteiravau geliančiu tonu ir atsisukau į jį. Tą pačią akimirką keistai suknirkiau. Tai buvo Markas Darsis su advokato toga. Įbedė į mane akis, kaip jis moka.

– Kur, po šimts perkūnų, tamsta buvai antradienį vakare? – paklausiau.

– Tavęs galėčiau to paties paklausti, – atsakė lediniu balsu. Tą akimirką į parduotuvę įgriuvo operatoriaus padėjėjas.

– Bridžita! – suriko jis. – Interviu nuplaukė. Elena Rosini išėjo iš Rūmų ir kažkur dingo. Nupirkai man „Minstrels"?

Netekau žado ir griebiau prekystalio kraštą, kad nenugriūčiau.

– Nuplaukė? – paklausiau, kai jau galėjau ištarti žodį. – Interviu nuplaukė? O Dieve. Mano paskutinis šansas po gaisrininkų stulpo, o aš išėjau pirkti šokoladų. Mane išmes. Ar kiti su ja pakalbėjo?

– Tiesą pasakius, niekas negavo su ja pakalbėti, – pasakė Markas Darsis.

– Ne? – paklausiau, beviltiškai žvelgdama į jį. – O tu iš kur žinai?

– Nes aš jos advokatas ir liepiau jai su niekuo nekalbėti, – nerūpestingai atsakė. – Žiūrėk, ji dabar mano automobilyje.

Man bežiūrint, Elena Rosini iškišo galvą pro automobilio langą ir su užsienietišku akcentu suriko:

– Atsiprašau, Markai. Būk geras, nupirk ne „Quality Street", bet „Dairy Box", gerai?

Prie parduotuvės privažiavo mūsų filmavimo grupė.

– Derekai! – pro langą suriko operatorius. – Mums vieną „Twix" ir vieną „Lion", gerai?

– Tai kur tu buvai antradienį? – paklausė Markas Darsis.

– Kaip durnė laukiau tavęs, – iškošiau pro sukąstus dantis.

212

– Kada, penkios po aštuonių? Kai aš dvylika kartų spaudžiau skambutį?

– Taip, aš tada... – tęsiau, pradėjusi miglotai suvokti, kas iš tiesų įvyko, – džiovinausi plaukus.

– Tavo džiovintuvas galingas? – paklausė jis.

– Taip, 1600 voltų „Salon Selectives", – išdidžiai atsakiau. – O ką?

– Gal įsigyk tylesnį džiovintuvą arba kiek anksčiau pradėk ruoštis. Na, nieko. Einam, – tarė juokdamasis. – Pasakyk operatoriui, kad pasiruoštų, žiūrėsim, gal pavyks tau padėti.

Viešpatie. Kokia gėda. Esu absoliuti idiotė.

9 valanda vakaro. Net sunku patikėti, kaip viskas puikiai susiklostė. Ką tik penktą kartą peržiūrėjau „Good Afternoon!" užsklandą: „Tik mūsų programoje, „Good Afternoon!", jūsų dėmesiui išskirtinis interviu su Elena Rosini po šios dienos teismo posėdžio, kuriame ji išteisinta. Eleną Rosini kalbina mūsų specialioji korespondentė Bridžita Džouns".

Šitas gabaliukas tiesiog *nuostabus*: „Eleną Rosini kalbina mūsų specialioji korespondentė Bridžita Džouns".

Tik dar vieną kartą peržiūrėsiu ir po to jau tikrai išjungsiu.

SPALIO 6, PENKTADIENIS

57 kg (ieškojau paguodos valgyme), alkoholio vienetai 6 (alkoholizmo problema), momentinės loterijos bilietai 6 (ieškojau paguodos azartiniuose lošimuose), 1471 skambučiai patikrinti, ar neskambino Markas Darsis, 21 (akivaizdu, jog tik iš smalsumo), vaizdo įrašas peržiūrėtas 9 kartus (jau geriau).

9 valanda vakaro. Chm. Vakar palikau mamai žinutę, kurioje papasakojau apie savo sėkmę, todėl kai šįvakar paskambino, maniau, jog norės pasveikinti; bet ne, kalbėjo tik apie pobūvį. Una ir Džefris tą, Brajanas ir Meivisė aną, o Markas toks nuostabus, o kodėl aš su juo nesikalbėjau ir t. t., ir t. t. Kilo baisi pagunda pasakyti, kas iš tiesų įvyko, bet susivaldžiau, įsivaizdavusi pasekmes: ekstatišką klyksmą išgirdus apie sutartą pasimatymą ir žvėrišką vienturtės dukters nužudymą sužinojus, kuo viskas iš tiesų baigėsi.

Vis tikėjausi, kad, nepaisant anos nelaimės su džiovintuvu, jis man paskambins ir dar kartą pakvies vakarienės. Gal reikėtų parašyti laiškelį, padėkoti už interviu ir atsiprašyti už džiovintuvą? Tai nereiškia, kad jis man rūpi ar ką. Išsiauklėjimas reikalauja.

SPALIO 12, KETVIRTADIENIS

57,5 kg (blogai), alkoholio vienetai 3 (sveika ir normalu), cigarečių 13, riebalų vienetų 17 (įdomu, ar įmanoma suskaičiuoti viso kūno riebalų vienetus? Tikiuosi, kad ne), momentinės loterijos bilietai 3 (visai nieko), 1471 skambučių patikrinti, ar skambino Markas Darsis, 12 (jau geriau).

Hrrr. Įsiutau perskaičiusi laikraštyje globėjišką straipsnį, parašytą Patenkintos Sutuoktinės. Pavadinimas kupinas labai subtilios ironijos: „Vienišo gyvenimo džiaugsmai".

„Šios moterys jaunos, ambicingos ir turtingos, tačiau jų gyvenimai paženklinti skausmingos vienatvės... Vakarais, užvėrus įstaigų duris, prieš jas atsiveria žiojinti emocinė tuštuma... Vienišos madų vergės ieško paguodos, valgydamos sudėtingus pusfabrikačius, primenančius naminį maistą, kokį ruošdavo mama..."

Ho. Na ir įžūlumas. Įdomu, iš kur ponia Patenkinta Sutuoktinė, ištekėjusi dvidešimt dvejų metų, žino tokius dalykus?

Imsiu ir parašysiu straipsnį, kuriame apibendrinsiu „dešimtis pokalbių" su Patenkintomis Sutuoktinėmis. „Vakare, vos uždariusios įstaigų duris, jos apsipila ašaromis, nes po sekinančios darbo dienos dar turi skusti bulves ir rūšiuoti nešvarius skalbinius, o išpampęs vyrelis didžiausiu alaus pilvu riaugėdamas drybso priešais televizorių, reikalaudamas keptų bulvių, ir žiūri futbolą. Kitais vakarais jos, apsijuosusios senamadiškomis prijuostėmis, puola į juodąsias nevilties skyles, nes vyrai paskambinę praneša, jog ir vėl užtruks darbe, o ragelyje girdėti odinių drabužių girgždesys bei seksualių vienišų merginų kikenimas."

Po darbo susitikau su Šeron, Džude ir Tomu. Tomas irgi mintyse kūrė įnirtingą straipsnį apie emocines prarajas, kiekviename žingsnyje tykančias Patenkintų Sutuoktinių.

„Jie daro lemiamą įtaką visoms gyvenimo sritims, pradedant naujai statomais namais ir baigiant produktais, pristatomais į supermarketus", turėtų būti rašoma pasipiktinusio Tomo straipsnyje. „Kas žingsnis regime Anės Samers parduotuves, skirtas namų šeimininkėms, kurios iš paskutiniųjų siekia pamėgdžioti jaudulingą seksą – neatimamą laisvų žmonių gyvenimo dalį. „Marks and Spencer" gastronomijos skyriuje randasi vis daugiau egzotiškų maisto patiekalų išsisėmusioms poroms, kurios apsimetinėja sėdinčios jaukiame restorane kaip laisvi žmonės ir stengiasi pamiršti, jog tuoj kažkam reikės plauti indus."

– Po velnių, man jau bloga darosi nuo šito pasipūtėliško vaitojimo apie vienišių vargus! – riaumojo Šeron.

– Taip, taip! – pritariau.

– Dar pamiršai užknisinėjimą, – riūgtelėjo Džudė. – Mus nuolat užknisinėja.

– Be to, mes ne vieniši. Šeimas mums atstoja gausūs draugai, su kuriais palaikome glaudžius santykius telefonu, – tarė Tomas.

– Taip! Valio! Laisvai gyvenantys vienišiai neprivalo visą laiką aiškintis ir teisintis, jiems būtina suteikti pagarbos vertą statusą visuomenėje, kaip, pavyzdžiui, geišoms, – patenkinta surikau, siurbdama iš stiklinės čilietišką „Chardonnay".

– Geišoms? – paklausė Šeron, šaltai žiūrėdama į mane.

– Užsičiaupk, Bridže, – sumarmaliavo Tomas. – Tu girta. Stengiesi alkoholyje nuskandinti žiojinčią emocinę prarają.

– Na ir kas, Šezė irgi, – paniurusi atrėžiau.

– 'sai ne, – nesutiko Šeron.

– Taiftaif, – atsakiau.

– Grai. Abi 'sičiaupkit, – įsiterpė Džudė, dar kartą nusiriau-gėjusi. – 'Siimam darbutli „Chardonnay"?

SPALIO 13, PENKTADIENIS

58 kg (bet tik dėl to, kad laikinai virtau vyno talpykla), alkoholio vienetų 0 (geriu tai, kas dar liko talpykloje), kalorijų 0 (l.g.)*
* Tiesą sakant, jei jau rašau, tai rašysiu sąžiningai. Visai ne l.g., nes 0 kalorijų liko po to, kai tuoj po valgio išvėmiau 5876 kalorijas.

O Dieve, kokia aš vieniša. Prieš akis ilgiausias savaitgalis, o aš neturiu nei mylimo žmogus, nei jokių pramogų. Bet man ir nerūpi. Nusipirkau „Marks and Spencer" gastronomijos sky-riuje puikų imbiero pudingą, kurį tik reikia pašildyti mikro-bangėje.

SPALIO 15, SEKMADIENIS

57 kg (geriau), alkoholio vienetai 5 (buvo ypatinga proga), cigarečių 16, kalorijos 2456, minutės, praleistos svajojant apie poną Darsį, 245.

8.55 ryto. Mikliai išbėgau nusipirkti cigarečių, kad spėčiau grįžti iki „Puikybės ir prietarų" per BBC. Keista, kad gatvėse tiek automobilių. Argi ne laikas sėdėti namie ir ruoštis žiūrėti filmą? Kaip puiku, kad tauta taip užsikabino. Asmeniškai aš užkibau, nes jaučiu paprastą žmogišką poreikį, kad Darsis per-miegotų su Elizabete. Tomas tvirtina, kad futbolo guru Nikas Hornbis savo knygoje rašo, esą vyrų pamišimas dėl futbolo ne-skatina jų įsivaizduoti savęs futbolininkais. Testosteronu per-mirkę aistruoliai nenorėtų patys būti aikštėje, tvirtina Hornbis; jie serga už saviškių komandą kaip už savo išrinktuosius, atliekančius panašias į parlamento funkcijas. Lygiai tą patį aš jaučiu Darsiui ir Elizabetei. Jie mano išrinktieji atstovai dulkinimosi ar, veikiau, flirto srityje. Tačiau visai nenoriu savo akimis matyti, kaip jie pasiekia tikslą. Nepakęsčiau, jei televizija parodytų, kaip Darsis su Elizabete lovoje po visko užsidega cigaretes. Tai būtų neteisinga, nenatūralu ir visiškai neįdomu.

10.30 ryto. Ką tik paskambino Džudė, ir abi dvidešimt minučių mūkėm: „Oooo, tas ponas Darsis!" Taip fantastiškai kalba, tarsi jam ant visko pasaulyje nusispjaut. Po to sekė ilga diskusija apie lyginamuosius pono Darsio ir Marko Darsio privalumus; abi sutikome, kad ponas Darsis žymiai patrauklesnis, nes labai arogantiškas, bet faktas, kad yra išgalvotas, smarkiai menkina jo šansus.

SPALIO 23, PIRMADIENIS

58 kg, alkoholio vienetų 0 (l.g. Atradau naują puikų alkoholio pakaitalą, trintų vaisių kokteilį su pienu – l. skanu), cigarečių 0 (kokteilis slopina cigarečių poreikį), kokteiliai 22, kalorijos 4265 (4135 iš kokteilių).

Uch. Kaip tik ruošiausi žiūrėti „Panoramą", kurios tema: „Vis daugiau aukštos kvalifikacijos darbuotojų moterų užima prestižines darbo vietas ir gauna didžiausius atlyginimus" (meldžiuosi Aukštybių Viešpačiui ir visiems jo serafimams, kad vieną dieną ir aš tokia tapčiau): „Ar nauji mokymo planai padės išspręsti problemą?", kai atsiverčiau „Standard" ir pamačiau nufotografuotus klaikius iki ašarų Darsį su Elizabete, apsirengusius pižoniškais šiuolaikiškais drabužiais, besivioliojančius apsikabinusius kažkokioje pievoje: ji – slouniškai nusibalinusi plaukus, su lininiu kostiumu, jis – dryžuotais polo marškinėliais, odiniu švarku ir siaurutėliais ūsiukais. Panašu, kad seniai kartu miega. Baisiausia šlykštynė. Sunerimau ir pasimečiau, nes ponas Darsis juk negali būti toks tuščias ir niekingas, kad taptų aktoriumi, tačiau jis *yra* aktorius. Hmmm. Visiškai susipainiojau.

SPALIO 24, ANTRADIENIS

58,5 kg (prakeikimas, tai vis tie kokteiliai), alkoholio vienetų 0, cigarečių 0, kokteiliai 32.

Darbe viskas nuostabu. Nuo to laiko, kai paėmiau interviu iš tos Elenos, viskas klojasi kaip iš pypkės.

– Nagi! Nagi! Rozmari Vest! – rėkavo Ričardas Finčas, man įėjus į kabinetą (na taip, truputį pavėlavau, bet kiekvienam tai gali atsitikti), ir kumščiavo orą kaip boksininkas. – Aš taip mąstau: lesbietiškos prievartos aukos. Mąstau: Dženetė Vinterson, mąstau apie gydytojus. Dar mąstau: ką lesbietės *iš tikrųjų* veikia lovoje?

Staiga atsisuko tiesiai į mane.

– Gal tu žinai? – Visi išsprogino į mane akis. – Nagi judinkis, Bridžita, amžina vėluotoja, – nekantriai sušuko. – Ką lesbietės veikia lovoje?

Giliai įkvėpiau oro.

– Tiesą sakant, manau, kad geriau pasidomėkime Darsio ir Elizabetės romanu tikrovėje, ne ekrane.

Jis lėtai nužvelgė mane nuo galvos iki kojų ir atgal.

– Genialu, – ištarė pagarbiu tonu. – Velnias, absoliučiai genialu. Gerai. Kas vaidina Darsį ir Elizabetę? Nagi, nagi, – ir vėl sujudo boksuotis.

– Kolinas Firtas ir Dženiferė Elė, – atrėžiau.

– Ar žinai, mano miela, – tarė jis mano kairei krūčiai, – kad esi prakeiktas genijus?

Seniai svajojau, kad pasirodysiu esanti genijus, bet nemaniau, kad taip atsitiks – man *ar mano kairei krūčiai*.

LAPKRITIS

NUSIKALTĖLĖ ŠEIMOJE

LAPKRIČIO 1, TREČIADIENIS

56,5 kg (Valio! Valio!), alkoholio vienetai 2 (l.g.),
cigaretės 4 (bet pas Tomą negalėjau rūkyti, kad nepadegčiau
Alternatyviosios Mis Pasaulis kostiumo), kalorijos 1848 (g.),
kokteilių 12 (puiki pažanga).

Užbėgau pas Tomą aukščiausio lygio susirinkimui, skirtam apsvarstyti Marko Darsio temą. Tačiau Tomas buvo klaikiai sudirgęs dėl artėjančių Alternatyviosios Mis Pasaulis rinkimų. Jau seniausiai buvo susikūręs kostiumą „Mis Globalinis Atšilimas", bet staiga įpuolė į abejones.

– Neturiu nė mažiausio šanso, – kartojo, puldinėdamas nuo veidrodžio prie lango. Buvo užsimovęs iš polistireno pagamintą rutulį, išpieštą kaip gaublys, tik su ištirpusiais ašigalių ledynais ir išdegusia skyle vietoj Brazilijos. Vienoje rankoje laikė baslį iš tropikų medienos ir purškiamą dezodorantą, o kitoje neaiškų gauruotą daiktą, kurį vadino negyvu ocelotu.

– Kaip manai, ar turėčiau išsipaišyti melanomą? – paklausė.

– Tai grožio konkursas ar karnavalas?

– Tas ir yra, kad nežinau, ir niekas nežino, – atsakė Tomas, nusimesdamas galvos papuošalą – miniatiūrinį medį, kurį per pasirodymą ketino padegti. – Ir tas, ir tas. Svarbu viskas. Grožis. Originalumas. Meniškumas. Viskas idiotiškai neaišku.

– Dalyvauti gali tik gėjai? – paklausiau žaisdama polistireno gabalu.

– Ne. Užsirašo kas tik nori: vyrai, moterys, žvėrys. Čia ir yra problema, – atsakė, šokteldamas atgal prie veidrodžio. – Kartais pagalvoju, kad turėčiau daugiau šansų laimėti, jei dalyvaučiau kartu su kokiu labai patikimu šunim.

Po ilgų diskusijų sutarėme, kad nors globalinio atšilimo tema pati savaime parinkta nepriekaištingai, vis dėlto niekaip negalima pasakyti, kad polistireno rutulio pavidalo vakarinė suknelė labai skoningai išryškintų figūros privalumus. Apskritai paėmus galiausiai pasirodė, kad mudu abu labiau linkę įsivaizduoti ilgą, plazdančią suknelę iš kūnu lengvai sruvenančio melsvo šilko, su dūmų bei žemės spalvų šešėliais, simbolizuojančiais tirpstančius ašigalius.

Supratusi, kad šiuo metu neišgausiu iš Tomo nieko vertingo Marko Darsio klausimu, nelaukiau vėlumos ir išėjau namo, pažadėjusi labai rimtai pagalvoti apie konkursui tinkamiausią maudymosi kostiumą bei kasdienę suknelę.

Grįžusi paskambinau Džudei, tačiau ji tuoj pradėjo man pasakoti, jog šio mėnesio „Cosmopolitan" numeryje rado nuostabiausią naujieną, kuri vadinasi *feng shui* ir padeda gyvenime pasiekti visko, ko nori. Pasirodo, tereikia ištuštinti visas bute esančias spintas bei spinteles, taip panaikinant tave kausčiusius blokus, o paskui padalyti butą į devynias sritis (tai vadinasi „ba-gua žemėlapis"), kurios atitinkamai simbolizuoja įvairias gyvenimo sritis: karjerą, šeimą, santykius, turtą ar, pavyzdžiui, palikuonis. Tai, ką turi konkrečioje savo buto srityje, lemia šios tavo gyvenimo srities sėkmę. Pavyzdžiui, jei nuolat neturi pinigų, gal taip yra dėl to, kad tavo Turto srityje stovi šiukšliadėžė.

Labai susidomėjau naująja teorija, nes ji tiek daug paaiškina. Tuoj pat nusipirksiu „Cosmo". Džudė liepė nepasakoti Šeron, nes ši, aišku, tvirtina, jog *feng shui* yra paistalas. Galiausiai man pavyko nuvairuoti pokalbį prie Marko Darsio.

– *Žinoma*, kad jis tau nepatinka, Bridžita, aš niekad gyvenime nebūčiau pagalvojusi, – pasakė Džudė. Anot jos, atsakymas akivaizdus: turėčiau surengti vakarienę ir pakviesti jį.

– Puikiausias sprendimas, – paaiškino ji. – Tai visai kas kita, negu eiti į pasimatymą: nebelieka jokios įtampos, be to, gali puikiausiai pasirodyti, prikviesti draugų, kurie apsimes, kad eina dėl tavęs iš proto.

– Džude, – pasiteiravau įsižeidusi, – tu sakei „apsimes"?

LAPKRIČIO 3, PENKTADIENIS

58 kg (hrrr), alkoholio vienetai 2, cigaretės 8, kokteilių 13, kalorijos 5245.

11 valanda ryto. Labai susijaudinusi ruošiuosi vakarienei. Nusipirkau stebuklingą Marko Pjero Vaito* kulinarijos receptų knygą. Pagaliau supratau, kuo paprastas naminis maistas skiriasi nuo gaminamo restoranuose. Kaip sako Marko, viską lemia skonio *koncentracija,* o padažų paslaptis – tikras sultinys. Reikia pridėti didžiulius puodus žuvies ašakų, vištienos kaulų ir pan., ilgai virti, o paskui užšaldyti ledo kubeliams skirtose formelėse. Tada gaminti pietus, už kuriuos „Michelin" gidas skirtų tris žvaigždutes, tampa taip paprasta, kaip iškepti bulvių apkepą: net dar paprasčiau, nes nereikia skusti bulvių, jos apkepamos žąsies taukuose. Kaip gali būti, kad iki šiol to nesupratau?

Štai kaip atrodo mano būsimos vakarienės meniu:

Kreminė salierų sriuba (l. paprasta ir pigu, ypač kai turi iš anksto pasigaminto sultinio).

Grilyje keptas tunas su vynuoginių pomidorų piurė, apkeptais česnakais ir bulvėmis *fondant.*

Apelsinų konfitiūras. *Crème Anglaise* su „Grand Marnier" likeriu.

Bus nuostabu. Išgarsėsiu kaip virėja iš Dievo malonės, kuriai vieni niekai akimoju sukurti keturių patiekalų vakarienę.

---

* Marco Pierre White – garsiausias Anglijos virėjas, turintis trimis „Michelin" žvaigždutėmis įvertintą restoraną „The Oak Room".

Žmonės būriais plūs į mano rengiamus priėmimus, pakeliui džiūgaudami: „Kaip nuostabu eiti vakarienės pas Bridžitą, ji sugeba pateikti „Michelin" lygio valgius jaukioje bohemiškoje aplinkoje". Padarysiu Markui Darsiui neišdildomą įspūdį; pagaliau jis supras, kad nesu kokia eilinė vėpla.

LAPKRIČIO 5, SEKMADIENIS

57 kg (katastrofa), cigaretės 32, alkoholio vienetai 6 (parduotuvė nebeturi vaisinių kokteilių – tikra niekšybė), kalorijos 2266, momentinės loterijos bilietai 4.

7 valanda vakaro. Hrrr. Šiandien Gajaus Fokso šventė, o manęs niekas nepakvietė prie jokio laužo. Iš visų pusių sproginėja fejerverkai. Eisiu pas Tomą.

11 valanda vakaro. Baisiai pavykęs vakarėlis pas Tomą, kuris stengiasi susitaikyti su faktu, kad Alternatyviosios Mis Pasaulis titulas atiteko prakeiktai Joanai Arkietei.

– Labiausiai mane siutina, kai visi tvirtina, jog tai ne grožio konkursas, bet iš esmės *yra* grožio konkursas. Dabar ir galvoju, o jei ne ta nosis... – pasakė Tomas, įnirtingai žiūrėdamas į veidrodį.

– Kokia nosis?

– Mano nosis.

– O kas jai yra?

– Kas jai yra? Cha! Tu tik *pažiūrėk!*

Pasirodė, kad ant nosies yra mažulytė kuprelė: kai Tomui buvo septyniolika, kažkas jam per tą vietą užvožė buteliu.

– Supranti, apie ką kalbu?

Paaiškinau, jog, mano manymu, negalima kuprelės kaltinti dėl to, kad Joana Arkietė išplėšė titulą jam tiesiai iš rankų, nebent vertintojų komisija apžiūrinėjo dalyvius pro galingą teleskopą; bet tada Tomas pradėjo aimanuoti esąs per storas ir turįs pradėti laikytis dietos.

– Kiek kalorijų galima suvalgyti laikantis dietos? – paklausė jis.

– Apie tūkstantį. Na, asmeniškai aš dažniausiai taikausi į tūkstantį, bet iš tikrųjų suvalgau pusantro, – pasakiau ir dar nebaigusi suvokiau, jog yra ne visai taip.

– Tūkstantį? – apstulbęs paklausė Tomas. – Bet aš maniau, kad reikia dviejų tūkstančių vien gyvybei palaikyti.

Išsižiojusi spoksojau į jį. Suvokiau tiek metų laikiusis dietos, kad iš mano sąmonės absoliučiai išnyko mintis, jog kalorijos reikalingos gyvybei palaikyti. Pasiekiau tokią stadiją, kai manau, kad mitybos idealas yra išvis nieko nevalgyti, o žmonės valgo tik todėl, kad yra godūs ir negali susilaikyti, antraip atkakliai laikytųsi dietos.

– Kiek kalorijų turi virtas kiaušinis? – paklausė Tomas.

– Septyniasdešimt penkias.

– Bananas?

– Didelis ar mažas?

– Mažas.

– Nuluptas?

– Taip.

– Aštuoniasdešimt, – tvirtai atsakiau.

– Alyva?

– Juoda ar žalia?

– Juoda.

– Devynias.

– Romo kokteilis?

– Aštuoniasdešimt vieną.

– Dėžutė „Milk Tray"?

– Dešimt tūkstančių aštuonis šimtus devyniasdešimt šešias.

– Iš kur tu tą viską žinai?

Susimąsčiau.

– Žinau ir tiek, kaip žmonės moka abėcėlę ar daugybos lentelę.

– Gerai. Devyniskart aštuoni? – paklausė Tomas.

– Šešiasdešimt keturi. Ne, penkiasdešimt šeši. Septyniasdešimt du.

– Kokia raidė eina prieš J? Greitai.

– P. L, norėjau pasakyti I.

Tomas sako, kad aš trenkta, bet aš tiksliai žinau, kad esu normali ir visiškai tokia pat, kaip kiti, t. y. Šeron ir Džudė. Atvirai sakant, nerimauju dėl Tomo. Man atrodo, pasiryžęs dalyvauti grožio konkurse jis palūžo nuo įtampos, prie kurios mes, moterys, seniai pripratome, ir darosi nesaugus, liguistai susirūpinęs savo išvaizda potencialus anorektikas.

Vakarėlio kulminacijai Tomas, norėdamas pralinksmėti, pradėjo laidyti fejerverkus nuo stogo į apačioje gyvenančių kaimynų sodą; Tomas sako, jog jie nekenčia homoseksualistų.

LAPKRIČIO 9, KETVIRTADIENIS

56,5 kg (be tų kokteilių iškart geriau), alkoholio vienetai 5 (jau geriau taip, negu didžiulis pilvas, prikimštas trintų vaisių), cigarečių 12, kalorijos 1456 (puiku).

Labai jaudinuosi dėl būsimos vakarienės. Numatyta kitos savaitės antradieniui. Svečių sąrašas:

Džudė	Bjaurybė Ričardas
Šezė	
Tomas	Pamaiva Džeromas (nebent man pasisektų ir iki antradienio juodu su Tomu susipyktų)
Magda	Džeremis
Aš	Markas Darsis

Markas Darsis labai apsidžiaugė, kai jam paskambinau.

– Ką gaminsi? – paklausė. – Ar gerai gamini?

– A, žinai... – abejingai nutęsiau. – Paprastai naudojuosi Marko Pjero Vaito receptais. Tu net neįsivaizduoji, kaip viskas paprasta, jei tik pasirūpini skonio koncentracija.

Jis nusijuokė ir pasakė:

– Tik neruošk nieko labai sudėtingo. Atsimink, žmonės ateina pabūti su tavim, o ne valgyti suflė iš liukrinių indelių.

Danielis niekad nebūtų pasakęs tokio malonaus dalyko. L. laukiu antradienio.

LAPKRIČIO 11, ŠEŠTADIENIS

56 kg, alkoholio vienetai 4, cigaretės 35 (krizė), kalorijos 456 (negaliu valgyti).

Tomas dingo. Pradėjau dėl jo nerimauti šiandien rytą, kai paskambino Šeron ir pasakė, kad negalėtų prisiekti, bet mananti, jog vėlų ketvirtadienio vakarą mačiusi Tomą einantį Ledbrouk Grouvu, ranka prisidengusį burną ir, atrodo, pamušta akim. Tačiau kol prikalbino taksistą apsisukti ir sugrįžti į tą vietą, Tomas išnyko. Vakar ji paliko jo atsakiklyje dvi žinutes klausdama, ar viskas tvarkoj, tačiau atsakymo nesulaukė.

Jai pasakojant staiga prisiminiau, kad ir pati trečiadienį palikau Tomui žinutę klausdama, ar jis niekur nedings savaitgalį, o jis neatsakė, ir tai jam absoliučiai nebūdinga. Prasidėjo įnirtingas skambinėjimas. Tomo telefono niekas nekėlė, todėl aš paskambinau Džudei, kuri prisipažino taip pat jo nemačiusi. Pamėginau prisiskambinti Tomo Pamaivai Džeromui: nieko. Džudė pasakė, kad paskambins Saimonui, kuris gyvena greta Tomo, ir paprašys užeiti pažiūrėti. Po dvidešimt minučių paskambino man ir pranešė, kad Saimonas ištisą amžinybę skambinęs prie Tomo durų ir net daužęs kumščiais, tačiau atsako nesulaukęs. Tada vėl paskambino Šeron. Ji kalbėjo su Rebeka, kuri tarsi prisiminė, jog Tomas žadėjęs eiti pietų pas Maiklą. Paskambinau Maiklui, o tas atsakė, jog Tomas palikęs labai keistą žinutę beveik neatpažįstamu balsu, kurioje tik pasakęs, jog ateiti negalėsiąs, bet nieko nepaaiškinęs.

3 valanda popiet. Po truputį puolu į paniką, kartu gardžiuodamasi jausmu, kad esu dramatiškų įvykių centre. Esu praktiškai geriausia Tomo draugė, todėl visi skambina man, o aš reaguoju į situaciją ramiai, tačiau giliai susirūpinusi. Staiga pagalvojau, gal Tomas sutiko kokį naują draugą ir juodu abu, pasislėpę nuo žmonių akių, mėgaujasi trumpučiu medaus mėnesiu? Gal Šeron matė visai ne jį, gal mėlynė po akim tėra azartiško sekso su jaunu partneriu produktas, o gal Tomas mėgino postmodernistišką-ironišką siaubiakų makiažą? Turiu visiems paskambinti ir išbandyti naująją teoriją.

3.30 popiet. Bendroji nuomonė suniekino mano teoriją, nes niekas netiki, kad Tomas, sutikęs naują partnerį (jau nekalbant apie rimtą romaną), ištvertų tuoj pat visų neapskambinęs ir neprisigyręs. Negaliu su tuo ginčytis. Galvoje sukasi klaikiausios mintys. Nėra jokių abejonių, kad pastaruoju metu Tomas atrodė pakrikęs. Pradedu galvoti, ar tikrai esu gera draugė? Mes, Londono gyventojai, tokie užsiėmę ir klaikūs egoistai. Ar įmanoma, kad vienas mano draugų būtų toks nelaimingas, jog... ah-ha, tai *štai kur* buvau padėjusi naują „Marie Claire" numerį, ant šaldytuvo!

Vartydama „Marie Claire" pradėjau įsivaizduoti Tomo laidotuves ir ką reikėtų apsirengti. Fūūūū, staiga prisiminiau vieną parlamento narį, kuris mirė užsimovęs ant galvos plastikinį šiukšlių maišą ir įsikandęs šokoladinį saldainį su apelsinų džemu ar ką panašaus. Įdomu, ar Tomas slapta nuo mūsų užsiiminėjo iškrypėlišku seksu?

5 valanda popiet. Ką tik vėl paskambinau Džudei.

– Kaip manai, gal paskambinti policijai, tegu įsilaužia į jo butą? – paklausiau.

– Aš jau skambinau, – atsakė Džudė.

– Ir ką jie sakė? – nesusilaikiau ir slapta įsižeidžiau, kad Džudė paskambino policijai nepasitarusi su manim. Aš esu geriausia Tomo draugė, o ne Džudė.

– Neatrodo, kad jiems tai padarė didelį įspūdį. Sakė, kad paskambinčiau pirmadienį, jei iki tol jis neatsiras. Juos galima suprasti. Gal ir tikrai truputį isteriška pulti su policija ieškoti dvidešimt devynerių metų nevedusio vyriškio, jei jis šeštadienį rytą nesėdi namie ir neatėjo pas draugą pietų, juolab kad ir taip neketino eiti.

– Ne, įvyko kažkas baisaus, aš jaučiu, – ištariau be galo paslaptingai bei prasmingai ir pirmą kartą gyvenime pagalvojau, kokia esu jautri ir antgamtiškai įžvalgi.

– Labai tave suprantu, – atsakė Džudė pikta lemiančiu balsu. – Aš irgi jaučiu. Akivaizdu, jog įvyko kažkas bloga.

7 valanda vakaro. Nepaprasta. Po pastarojo pokalbio su Džude negalėjau net pagalvoti apie parduotuves ar panašius paviršutiniškus užsiėmimus. Pamaniau, jog dabar kaip tik tinkamas laikas užsiimti *feng shui*, todėl išėjau ir nusipirkau „Cosmopolitan". Naudodamasi žurnale pateiktu piešiniu, labai atidžiai sudariau savo buto žemėlapį. Staiga pamačiau siaubingą dalyką. Mano buto Draugų ir Pagalbininkų srityje stovėjo šiukšliadėžė. Nereikia stebėtis, kad nelemtasis Tomas pranyko.

Skubiai paskambinau Džudei ir viską pranešiau. Džudė liepė tuoj pat perkelti šiukšliadėžę.

– O kur, labai įdomu? – paklausiau. – Tik jau ne į Santykių ar Palikuonių sritis.

Džudė prisakė palaukti ir nuėjo pasiimti „Cosmopolitan".

– Gal Turto? – paklausė grįžusi.

– Na, nežinau, artėja Kalėdos, ir šiaip, – numykiau, jausdamasi tikra menkysta.

– Na, jei taip žiūri į gyvenimą. Noriu pasakyti, kad vienos dovanos pirkti jau vis tiek nereikės... – apkaltino mane Džudė.

Galiausiai nutariau šiukšliadėžę perkelti į Pažinimo sritį ir nuėjau į artimiausią supermarketą įsigyti keletą *apvalialapių* augalų, kuriuos ketinau pastatyti Šeimos bei Draugų ir Pagalbininkų srityse (augalai aštriais lapais, o labiausiai kaktusai, labai žalingi). Pasilenkusi traukiau vazoną iš spintelės po kriaukle ir staiga išgirdau, kaip kažkas dzingtelėjo. Susivokusi trinktelėjau sau delnu į kaktą. Tai buvo atsarginiai Tomo buto raktai, kuriuos man paliko išvažiuodamas į Ibizą.

Pradžioje pagalvojau, kad reikėtų ten nueiti *be Džudės*. Ji juk paskambino policijai nepasitarusi su manim. Tačiau paskui tokios mintys pasirodė labai žemos, todėl jai paskambinau ir nutarėme dar pasiimti Šezę: juk tai ji pirmoji paskelbė paiešką.

Tačiau kai įsukome į Tomo gatvę, aš atsipeikėjau: užuot vaizdavusis, kaip oriai, tragiškai ir iškalbingai bendrausiu su fotoreporteriais bei sykiu baiminusis, kad policija mane apkaltins Tomo nužudymu, suvokiau, jog tai ne žaidimas. Gal iš tiesų įvyko kas nors tragiško ir baisaus!

Lipome priekiniais laiptais nesikalbėdamos ir nežiūrėdamos viena į kitą.

– Gal pirmiausia reikėtų paskambinti, – šnibždomis pasiūlė Šeron, kai aš prikišau raktą prie durų.

– Aš paskambinsiu, – pasišovė Džudė. Trumpai dirstelėjo į mus ir paspaudė skambutį.

Stovėjome visiškoje tyloje. Nieko. Ji paspaudė dar kartą. Jau ketinau kišti raktą į spyną, kai iš telefonspynės pasigirdo balsas:

– Alio?

– Kas ten? – paklausiau virpėdama.

– O kaip tau atrodo, idiote?

– Tomai! – džiaugsmingai suriaumojau. – Įleisk mus!

– Kas tie mes? – įtariai paklausė balsas.

– Aš, Džudė ir Šezė.

– Žinai, zuikeli, gal geriau ateikit kitą kartą.

– Et, velniop, – įsiterpė Šezė, nustumdama mane šalin. – Tomai, tu pusproti, ar žinai, kad pusė Londono per tave skambina policijai ir šukuoja sostinę, nes niekas nežino, kur dingai? Na jau ne, dabar malonėk mus įsileisti.

– Įsileisiu tik Bridžitą, – kaprizingai pareiškė Tomas. Aš angeliškai nusišypsojau draugėms.

– Tik jau nebūk tokia sumauta primadona, – pasipiktino Šezė.

Tyla.

– Baik išsidirbinėti, kvaily. Tuoj pat įleisk.

Vėl tyla. Paskui pasigirdo skambučio „bizzzz".

– Tik nenusigąskit, – Tomo balsas pasitiko mus dar belipančias į jo aukštą.

Visos trys suklykėme. Tomo veidas buvo siaubingai sumaitotas, geltonas ir juodas, kur ne kur sutvirtintas gipsu.

– O, Tomai, kas tau atsitiko? – surikau, nerangiai verždamasi jį apkabinti ir bučiuodama į ausį. Džudė prapliupo ašaromis, o Šezė spyrė į sieną.

– Tomai, tu nesijaudink, – suurzgė ji. – Mes surasim prakeiktus šiknius, kurie tau tai padarė.

– Kas atsitiko? – vėl paklausiau, o mano skruostais ėmė sroventi ašaros.

– Em, na... – atsakė sutrikęs Tomas, išsivaduodamas iš mano glėbio, – aš, mat, em, pasitiesinau nosį...

Paaiškėjo, kad Tomas trečiadienį slapta nuėjo į operaciją, o mums nesakė todėl, kad anąkart labai atsainiai pažiūrėjome į jo nosies netobulumą. Buvo sutarta, kad jį prižiūrės Džeromas, nuo šiol vadinamas Kiaule Džeromu (turėtų būti Beširdis Džeromas, tačiau visos sutikome, jog toks vardas skambėtų nepelnytai patraukliai). Tačiau Kiaulė Džeromas, pamatęs Tomą po operacijos, labai pasibjaurėjo, pareiškė kelioms dienoms išvykstąs, dėjo į krūmus ir dingo. Vargšas Tomas buvo toks prislėgtas, sukrėstas ir apdujęs nuo narkozės, kad paprasčiausiai išjungė telefoną, palindo po antklodėmis ir užmigo.

– Reiškia, tai tave ketvirtadienį mačiau Ledbrouk Grouve? – paklausė Šezė.

Taip, tai buvo Tomas. Jis palaukė, kol stos gili tamsa, ir tada pagaliau ryžosi išlįsti paieškoti maisto. Nepaisant akivaizdaus mūsų džiaugsmo, kad Tomas gyvas, pastarasis labai liūdėjo dėl Džeromo.

– Niekas manęs nemyli, – kalbėjo jis.

Aš liepiau jam paskambinti į mano atsakiklį ir išklausyti dvidešimt dvi neriišlias žinutes nuo paklaikusių draugų, kurie išprotėjo vos jam dingus: jų susidomėjimas apmalšino mus kamavusią vienišos mirties baimę ir nerimą, kad lavoną apgrauš Elzaso aviganis.

– Arba kad lavono neras tris mėnesius... ir jis pradės *tekėti* ant kilimo, – pridūrė Tomas.

Ir išvis, pasakėm Tomui, kaip vienas pusprotis pamaiva idiotišku vardu galėjo priversti pagalvoti, kad jo niekas nemyli?

Išgėrus po porą „Kruvinųjų Merių", Tomas jau kvatojosi iš Džeromo, mėgdžiodamas jo amžiną susirūpinimą „savižina" ir tyčiodamasis iš ilgų aptemptų apatinių kelnių, pirktų pas Kalviną Kleiną. Per tą laiką Tomui paskambino Saimonas, Maiklas, Rebeka, Magda, Džeremis ir nežinomas jaunuolis, pasivadinęs Elziu.

– Aš žinau, kad mes visi psichai, vienišiai, nesugebam palaikyti normalių santykių ir bendraujame tik telefonu, – pagautas sentimentų suvebleno Tomas, – bet vis tiek esam tarsi šeima, ką?

Taip ir žinojau, kad *feng shui* padės. Dabar, kai apvalialapis augalas jam skirtą užduotį atliko, ketinu jį perstumti į Santykių sritį. Gaila, kad nėra Kulinarijos srities. Liko tik devynios dienos.

LAPKRIČIO 20, PIRMADIENIS

56 kg (l.g.), cigarečių 0 (nieku gyvu negalima rūkyti, kai darai kulinarijos stebuklus), alkoholio vienetai 3, kalorijų 200 (pastangos, įdėtos einant į supermarketą, veikiausiai sudegino daugiau kalorijų, negu nupirkau, jau nekalbant apie tai, ką suvalgiau).

7 valanda vakaro. Ką tik grįžau iš supermarketo, kur išgyvenau klaikų, viduriniosios klasės viengungiui baisią kaltę įvarantį patyrimą: stovėjau eilėje greta sėkmingai funkcionuojančių asmenybių su vaikais, pirkusių pupas, žuvies pirštelius, abėcėlinius makaronus ir panašius daiktus, o mano krepšyje buvo:

20 česnako galvučių,
skardinė žąsies taukų,
butelis „Grand Marnier" likerio,
8 gabalai tuno filė,
36 apelsinai,
1 litras riebios grietinėlės,
4 vanilės lazdelės po 1.39 svaro už vieną.

Reikia pradėti ruoštis šį vakarą, nes rytoj dirbu.

8 valanda vakaro. Och, visai nenoriu prasidėti su maistu. Juo labiau imtis kapstyti pasibjaurėtiną vištienos kaulų krūvą: totali šlykštynė.

10 valanda vakaro. Na gerai, sudėjau tuos kaulus į puodą. Bet kilo problema: Marko rašo, jog skonį išryškinančius porus bei salierus reikia surišti, o aš turiu tik mėlyną virvelę. Et, nieko, gal tiks ir tokia.

11 valanda vakaro. Siaubas, tas sultinys verda ištisus amžius, bet apsimoka, nes sumokėjusi tik 1.70 svaro pasigaminsiu dešimt litrų puikaus sultinio, užšaldyto ledo formelėse. Mmm, apelsinų konfitiūras irgi bus puikus. Na, dabar tik liko smulkiai supjaustyti trisdešimt šešis apelsinus ir sutarkuoti žieveles. Ilgai netruksiu.

1 valanda nakties. Pavargau, akys merkiasi, bet sultinį reikia virti dar dvi valandas, o apelsinai dar mažiausiai valandą turi pabūti orkaitėje. Sugalvojau. Sumažinsiu viryklės ir orkaitės temperatūrą iki minimumo ir paliksiu sultinį virti per naktį, o apelsinus orkaitėje, kur jie labai suminkštės, kaip troškinys.

LAPKRIČIO 21, ANTRADIENIS

55,5 kg (nervai degina riebalus), alkoholio vienetai 9 (l. blogai), cigaretės 37 (l.l. blogai), kalorijos 3479 (ir dar pasibjaurėtinos).

9.30 ryto. Atidengiau puodą. Vietoje dešimties litrų koncentruoto skonio sultinio radau apdegusius vištos kaulus, padengtus drebučiais. Užtat apelsinų konfitiūras atrodo fantastiškai, lygiai taip, kaip nuotraukoje, tik kiek tamsesnis. Reikia eiti į darbą. Pareisiu ketvirtą, tada ir sugalvosiu, kaip įveikti sriubos krizę.

5 valanda popiet. Viešpatie. Ne diena, o košmaras. Rytą pasitarime Ričardas Finčas prie visų iškaršė man kailį.

– Bridžita, dėl Dievo meilės, padėk tą virimo knygą. Fejerverkų apdeginti vaikai. Taip mąstau: suluošinti vaikai. Mąstau: džiugios šeimos šventės virsta košmarais. Mąstau: po dvidešimt metų. Kas nutiko tam vaikigaliui, kurio kišenėje šešiasdešimtais metais sprogo petarda ir nutraukė penį? Kur jis dabar? Bridžita, surask man fejerverkų vaiką be penio. Surask man septinto dešimtmečio Gajų Foksą Bobitą.

Hrrr. Subjurusi kaip naginė rinkau keturiasdešimt aštuntą telefono numerį, norėdama sužinoti, ar tikrai egzistuoja pagalbos grupė nusvilusių penių savininkams, kai mano telefonas suskambėjo.

– Labas, meilute, čia mama, – jos balsas buvo neįprastai aukštas ir isteriškas.

– Labas, mam.

– Labas, meilute, sakau paskambinsiu, atsisveikinsiu prieš išvažiuodama, tikiuosi, tau viskas gerai.

– Išvažiuodama? Kur išvažiuoji?

– O. Ahahahaha. Juk sakiau, mudu su Chulijum norim porai savaitėlių šoktelti į Portugaliją, tik pasimatyti su šeima ir panašiai, žinai, truputį įdegti prieš Kalėdas.

– Tu man nesakei.

– Ai, meilute, nebūk tokia paikšelė, tikrai sakiau. Turi išmokti klausytis. Na, gerai, tai laikykis.

– Aha.

– A, tiesa, meilute, dar štai kas.

– Kas?

– Taip atsitiko, kad buvau baisiai užsiėmusi, pamiršau užsisakyti banke kelionės čekių.

– O, nesijaudink, galėsi juos pasiimti oro uoste.

– Bet matai, meilute, aš dabar kaip tik važiuoju į oro uostą ir žiūriu, kad pamiršau banko kortelę.

Išsproginau akis į telefoną.

– Taip nepasisekė. Tai ir pagalvojau... Ar tu negalėtum man paskolinti truputį grynųjų? Žinai, nedaug, tik kokius porą šimtų, gal tris, kad galėčiau nusipirkti kelionės čekių.

Ji kalbėjo tokiu tonu, kad nejučia prisiminiau girtuoklius, kaulijančius smulkių puodeliui arbatos.

– Bet aš dabar labai dirbu, mama. Ar Chulijus negali truputį paskolinti?

Ji baisiai pasipūtė.

– Negaliu patikėti, kad gali būti tokia nedraugiška, meilute. Po to, ką esu dėl tavęs padariusi. Aš tau dovanojau *gyvybę*, o tu net negali savo motinai paskolinti keleto svarų kelionės čekiams.

– Bet kaip aš tau juos įduosiu? Reikės eiti prie pinigų automato, paskui perduoti grynuosius per kurjerį, o jis juos pavogs ir viskas baigsis idiotiškai. Kur tu esi?

– Oooo. Tiesą sakant, žinai, taip vykusiai susiklostė, aš kaip tik visai čia pat, jei po penkių minučių išlėktum prie banko kitoje gatvės pusėje, aš tavęs ten laukčiau, – pliurpė ji. – Tai super, meilute. Ikiiii!

– Bridžita, *karve tu,* kur dabar išleki? – užbliovė Ričardas, man besistengiant tyliai išsprūsti. – Ar jau radai tą beuodegį sprogdintoją?

– Gavau labai svarbios informacijos, – atsakiau stuksendama pirštu per nosį ir išlėkiau iš kambario.

Stovėjau prie pinigų automato, laukiau, kol iš jo išlįs šviežutėliai, traškūs mano banknotėliai ir galvojau, kaip mama ketina išsiversti dvi savaites Portugalijoje su dviem šimtais svarų, kai pamačiau ją atskubančią su akiniais nuo saulės, nors lauke lynojo, ir skubriai besidairančią per petį.

– A, štai tu, meilute. Baisiausiai miela. Labai labai ačiū. Reikia bėgti, vėluoju į lėktuvą. Ikiiiii! – išgiedojo ji, čiupdama banknotus man iš rankų.

– Kas čia darosi? – paklausiau. – Ką tu čia veiki, kai oro uostas kitam miesto gale? Kaip galvoji išsiversti be banko kortelės? Kodėl Chulijus negali tau paskolinti pinigų? Kodėl? Ką čia sugalvojai? Ką?

Akimirką pasirodė, jog ji išsigando ir ketina pravirkti, bet paskui įbedė akis į tolį ir nutaisė įskaudintos princesės Dianos išraišką.

– Aš susitvarkysiu, meilute, – ir nusišypsojo ypatinga, narsia šypsena.

– Na, laikykis, – pridūrė slopstančiu balsu, skubiai mane apsikabino ir nubėgo, mostais stabdydama važiuojančias mašinas ir kaukšėdama per gatvę.

7 valanda vakaro. Ką tik parėjau namo. Na ką gi. Ramiau, ramiau. Sriuba bus kuo puikiausia. Išvirsiu ir sutrinsiu daržoves, kaip rašoma recepte, o paskui imsiuosi skonio koncentracijos – nuskalausiu mėlynus drebučius nuo vištos kaulų ir užpylusi grietinėle užvirsiu kaip sriubą.

8.30 vakaro. Viskas nuostabu. Visi svečiai susirinko svetainėje. Markas Darsis labai mielas, atnešė šampano ir belgiškų šokoladinių saldainių dėžę. Dar nepagaminau karšto patiekalo, tik paruošiau bulves, bet tikrai ilgai neužtruksiu. Vis tiek pradėti reikia nuo sriubos.

8.35 vakaro. O Jėzau. Pakėliau puodo dangtį, norėdama išgraibyti kaulus. Sriuba ryškiai mėlyna.

9 valanda vakaro. Mano mylimiausi draugai nuostabiausi pasaulyje. Mėlyną sriubą priėmė tiesiog puikiai, Markas Darsis su Tomu net ilgokai pasamprotavo apie tai, kad reikėtų atsikratyti spalvinių prietarų maisto srityje. Kodėl pagaliau, kaip sakė Markas, – tik dėl to, kad ne taip lengva iš karto sugalvoti mėlyną daržovę, – turėtume priešintis mėlynai sriubai? Juk žuvies piršteliai irgi nėra iš prigimties oranžiniai. (Pasakysiu tiesą, nepaisant visų pastangų, sriubos skonis buvo kaip virintos grietinėlės, ir Bjaurybė Ričardas labai nemandagiai tą pastebėjo.Tada Markas Darsis jo paklausė, kur dirbąs, ir išėjo l. juokingai, nes praėjusią savaitę Bjaurybę Ričardą atleido iš darbo už sąskaitų klastojimą.) Na nieko, nesvarbu. Užtat karštas patiekalas bus l. skanus. Gerai, turiu pradėti gaminti vynuoginių pomidorų piurė.

9.15 vakaro. O varge. Ko gero, mikseryje buvo kažko įpilta, gal „Fairy" skysčio, nes pomidorų piurė suputojo ir jos triskart daugiau, negu buvo pomidorų. Negana to, bulvės *fondant* turėjo būti iškepusios prieš dešimt minučių, o tebėra kietos kaip akmenys. Gal įkišiu į mikrobangę? Aaaaaa, aaaaa... Ką tik apžiūrėjau šaldytuvą ir neradau tuno. Kas nutiko tunui? Kas?

9.30 vakaro. Ačiū Dievui. Džudė su Marku Darsiu atėjo į virtuvę, padėjo man iškepti didžiulį omletą, sugrūdo pusiau iškepusias bulves ir apkepė jas keptuvėje, paskui padėjo ant stalo kulinarijos knygą, kad visi galėtų pamatyti, kaip būtų atrodęs ant grilio keptas tunas. Na, bent apelsinų konfitiūras bus geras. Atrodo beprotiškai. Tomas patarė nesiterlioti ruošiant *Crème Anglaise* su „Grand Marnier" likeriu, geriau visi išgersime „Grand Marnier".

10 valanda vakaro. L. liūdna. Svečiams prarijus pirmą šaukštelį apelsinų konfitiūro, viltingai apsidairiau aplinkui. Tvyrojo nejauki tyla.

– Kas čia, zuikeli? – galų gale paklausė Tomas. – Ar marmeladas?

Pagauta siaubo paragavau šaukštelį kūrinio. Jis teisus: marmeladas. Pasirodo, išleidusi krūvą pinigų ir baisiai nusikamavusi, draugams sugebėjau patiekti:

mėlyną sriubą,
omletą
ir marmeladą.

Esu beviltiška nevykėlė. Vakarienė kaip trijų žvaigždučių restorane? Veikiau kaip stoties užkandinėje.

Nemaniau, kad po marmelado dar gali nutikti kas nors blogesnio. Tačiau vos spėjau nurinkti siaubingosios vakarienės likučius, suskambo telefonas. Laimei, pakėliau ragelį miegamajame. Skambino tėtis.

– Ar tu viena? – paklausė jis.

– Ne. Visi čia. Džudė ir šiaip visi. O ką?

– Aš... tik norėjau, kad nebūtum viena, kai... Atsiprašau, Bridžita. Turiu tau labai blogų naujienų.

– Kas? Kokių?

– Tavo motinos ir Chulijaus ieško policija.

2 valanda nakties. Northemptonšire, Alkonberių svečių kambario viengulėje lovoje. Uch. Užėmė kvapą ir turėjau prisėsti atsigauti, o tėtis kaip papūga ragelyje kartojo: „Bridžita? Bridžita? Bridžita?"

– Kas atsitiko? – galiausiai išstenėjau.

– Atrodo, juodu išviliojo pinigus iš daugybės žmonių, tarp jų keletas mūsų artimiausių draugų – dar turiu vilties, kad mama nežinojo, kas iš tikrųjų vyksta. Kol kas sukčiavimo mastai nežinomi, bet iš to, ką sako policija, atrodo, jog mama gali ilgam sėsti į kalėjimą.

– O Dieve mano. Tai štai kodėl ji išlėkė į Portugaliją su mano dviem šimtais.

– Gali būti, kad dabar jie jau gerokai toliau.

Pamačiau prieš mano akis skleidžiantis ateitį kaip didžiulį košmarą: Ričardas Finčas pramins mane „Netikėtai įkalintos viengungės" dukterim, privers paimti iš mamos interviu kalėjimo pasimatymų kambaryje, pokalbį transliuos tiesiogiai į eterį ir dar jam nesibaigus paskelbs, jog išmeta mane iš darbo.

– Kaip jie tą darė?

– Panašu, kad Chulijus naudojosi tavo motina kaip „masalu", taip sakant, ir jos padedamas išlupo iš Unos ir Džefrio, Naidželo ir Elizabetės, Malkolmo ir Eleinės (Dieve, juk tai Marko Darsio tėvai) nemenkas sumas, po kelis tūkstančius svarų, kaip įnašą už bendro valdymo atostogų butus*.

– Ir tu nežinojai?

– Ne. Atrodo, jie jautė tam tikrą nesmagumą, kad ėmėsi verslo reikalų su slidžiu išsikvėpinusiu juočkiu, paviliojusiu jų seno draugo žmoną, todėl nė vienas nieko man neprasitarė.

– Ir kas atsitiko?

– Tų bendro valdymo butų visai nebuvo. Iš tavo motinos ir mano santaupų ir pensijų fondų neliko nė grašio. Be to, aš neapsižiūrėjęs palikau namą užrašytą mamos vardu, ir ji jį užstatė. Bridžita, dabar mes beturčiai ir benamiai, o tavo motina išgarsės kaip apgavikė ir nusikaltėlė.

Tai ištaręs apsiverkė. Prie telefono priėjo Una ir pasakė man, kad išvirs jam arbatos. Aš pasakiau, kad po dviejų valandų būsiu, bet Una liepė nevažiuoti susijaudinus, nes nieko padaryti neįmanoma, geriau palaukti ryto.

Padėjusi ragelį atsišliejau į sieną, vangiai keikdamasi, kad palikau cigaretes svetainėje. Tačiau į kambarį tuoj pat įėjo Džudė, nešina taure „Grand Marnier".

– Kas atsitiko? – paklausė ji.

Vienu mauku išgėriau likerį ir viską jai papasakojau. Džudė nepratarė nė žodžio, tik tuoj pat atvedė Marką Darsį.

– Čia aš kaltas, – pasakė jis, veldamas rankomis plaukus. –

* Bendro valdymo atostogų butai (*time-share apartments*) – sistema, leidžianti keliems savininkams bendrai valdyti butą ar namą kurortinėje vietoje ir sutartą skaičių dienų per metus leisti ten atostogas.

Turėjau tau aiškiau pasakyti per tą „Kunigų ir lengvabūdžių" vakarėlį. Juk žinojau, kad tas Chulijus kažkoks slidus.

– Kaip tai?

– Girdėjau, kaip jis kalbėjo mobiliu telefonu, stovėdamas už gyvatvorės. Nepastebėjo, kad jo klausausi. Jeigu būčiau bent įtaręs, kad čia įpainioti mano tėvai, tai aš... – jis papurtė galvą. – Gerai pagalvojęs prisimenu, kaip mama kažką minėjo, bet kadangi paprastai pasišiaušiu tik išgirdęs žodžius „bendro valdymo butai", tai ji veikiausiai išsigando ir nieko nebesakė. Kur dabar tavo mama?

– Nežinau. Portugalijoje? Rio de Žaneire? Kirpykloje?

Jis pradėjo žingsniuoti po kambarį ir tarsi kulkosvaidis tratinti klausimus, visai kaip tikras aukštos klasės advokatas.

„Kokių priemonių imtasi jai surasti?" „Apie kokias pinigų sumas čia kalbama?" „Kaip viskas išaiškėjo?" „Kodėl įsikišo policija?" „Kas dar žino?" „Kur dabar tavo tėvas?" „Ar nori pas jį važiuoti?" „Ar leisi tave nuvežti?" Štai ką jums pasakysiu, jis atrodė velniškai seksualiai.

Pasirodė Džudė su puodeliais kavos. Markas nusprendė, jog bus geriausia, jei jis lieps savo vairuotojui nuvežti mudu abu į Grafton Andervudą, ir vieną trumpą akimirką mane užliejo absoliučiai nepažįstamas jausmas – dėkingumas mamai.

Nuvažiavę pas Uną ir Džefrį radome visus labai susijaudinusius, po butą apsiašaroję šlaistėsi Enderbiai ir Alkonberiai, o ką tik atvykęs Markas Darsis tuoj puolė skambinti telefonu. Pasijutau truputį kalta, nes, nepaisant viso siaubo, tam tikra esybės dalimi mėgavausi tokia padėtimi: kasdieniai reikalai atidėti neribotam laikui, visi kaip per Kalėdas maukia stiklus chereso ir šlamščia sumuštinius su lašišos pasta. Lygiai toks pat jausmas kaip tada, kai senelę ištiko šizofrenijos priepuolis, ji visiškai nuoga išbėgo į Penės Hasbends-Bosvort sodą ir mums teko kviesti policiją.

55 kg (valio!), alkoholio vienetai 3, cigaretės 27 (visiškai supran-
tama, kai tikra motina apgavikė ir nusikaltėlė), kalorija 5671
(o varge, atrodo, apetitas grįžo), momentinės loterijos bilietai 7
(nesavanaudiškas mėginimas išlošti pinigų ir atiduoti nukentėju-
siems, nors, gerai pagalvojus, gal visų neatiduočiau), bendras
laimėjimas 10 svarų, pelnas 3 svarai (reikia kažkaip pradėti).

10 valanda ryto. Vėl savo bute, visiškai išsekusi ir neišsi-
miegojusi. Negana to, dar gausiu darbe į akį už pavėlavimą.
Kai išvažiavau, tėtis atrodė truputį atsigavęs: svyravo tarp
svaigulingo džiaugsmo, kad Chulijus pasirodė besąs šunsnu-
kis, todėl dabar mama tikriausiai grįš pas jį naujam gyveni-
mui, ir juodžiausios depresijos, nes naujajame gyvenime teks
lankymo dienomis važinėti į kalėjimą visuomeniniu trans-
portu.

Markas Darsis labai anksti išvyko į Londoną. Palikau jo at-
sakiklyje žinutę, kurioje padėkojau už pagalbą ir panašiai, ta-
čiau jis man nepaskambino. Aišku, Nataša ir į ją panašios tik-
riausiai nešeria jo mėlyna sriuba ir nei iš šio, nei iš to nevirsta
nusikaltėlių dukterimis.

Una ir Džefris liepė nesijaudinti dėl tėčio, nes pas juos ku-
rį laiką pabus Brajanas ir Meivisė, tad padės jį prižiūrėti. Pra-
dėjau galvoti, kodėl visi sako „Una ir Džefris", o ne „Džefris ir
Una", tačiau „Malkolmas ir Eleinė", o taip pat „Brajanas ir
Meivisė". Be to, dar „Naidželas ir Odrė" Kolsai. Niekas niekad
nesako ir nesakys „Džefris ir Una", tačiau taip pat nesakys
„Eleinė ir Malkolmas". Kodėl? Nejučiomis ėmiau galvoti apie
savo vardą: įsivaizdavau, kaip po daugelio metų Šeron arba
Džudė mirtinai nukamuos savo dukras, zyzdamos: „Bet, mie-
loji, juk tu pažįsti Bridžitą ir *Marką,* jie gyvena didžiuliame na-
me Holand Parke ir nuolat atostogauja Karibuose". Taip. Taip
ir bus: Bridžita ir Markas. Bridžita ir Markas Darsiai. Arba tie-
siog Darsiai. Tik jau ne Markas ir Bridžita Darsiai. Neduok

Dieve. Visai neskamba. Staiga baisiai bjauriai pasijutau, kad galvoju apie Marką Darsį kaip guvernantė Marija iš „Muzikos garsų" apie kapitoną fon Trapą; dabar dar turėčiau pabėgti pas vienuolyno vyresniąją, o ji man sudainuotų „Įkopk į visus kalnus".

LAPKRIČIO 24, PENKTADIENIS

56,5 kg, alkoholio vienetai 4 (bet gėriau policijos akivaizdoje, taigi tikrai nieko blogo), cigarečių 0, kalorijų 1760, 1471 skambučių tikrinant, ar skambino Markas Darsis, 11.

10.30 vakaro. Viskas eina blogyn. Jau maniau, kad vienintelis šviesos spindulėlis mano motinos nusikalstamumo fone bus galimybė arčiau susipažinti su Marku Darsiu, tačiau jis man nepaskambino nuo tada, kai išvažiavo iš Alkonberių. Ką tik buvo atėję policininkai manęs apklausti. Elgiausi visai kaip žmonės, prieš televizijos kameras pasakojantys apie savo akimis matytą lėktuvo katastrofą: kalbėjau klišėmis, nugirstomis žiūrint žinių laidas, filmus apie teismo procesus ar policinius detektyvus. Nė pati nepajutusi savo motiną apibūdinau kaip „baltosios rasės" ir „vidutinio kūno sudėjimo".

Užtat policininkai buvo neapsakomai žavūs ir draugiški. Tiesą sakant, pabuvo ilgokai, o vienas pasakė, kad dar kada užsuks eidamas pro šalį ir papasakos, kaip juda byla. Turiu pasakyti, kad elgėsi tikrai maloniai.

*57 kg, alkoholio vienetai 2 (cheresas, hrrr), cigaretės 3 (surūky-
tos persisvėrus pro Alkonberių langą), kalorijos 4567 (valgiau
tik kreminius pyragaičius ir sumuštinius su lašiša),
1471 skambučių tikrinant, ar neskambino Markas Darsis, 9 (g.).*

Ačiū Dievui. Mama paskambino tėčiui. Atrodo, liepė jam
nesijaudinti, ji esanti saugioje vietoje ir viskas būsią gerai, o po
to padėjo ragelį. Policininkai klausėsi telefono pokalbių Unos
ir Džefrio namuose, kaip tame filme „Telma ir Luiza"; jie sakė,
jog mama tikrai skambinusi iš Portugalijos, tik ne visai aišku, iš
kokios vietos. Kaip norėčiau, kad paskambintų Markas Darsis.
Aišku, kad jį išgąsdino kulinarinės katastrofos bei nusikaltėliai
šeimoje, tik buvo pernelyg mandagus ir to neparodė. Bendri
tvenkinyje praleistos kūdikystės atsiminimai nublanksta prieš
pavogtas tėvų santaupas, kurias išviliojo nenaudėlė žioplės
Bridžitos mama. Šiandien popiet važiuosiu pas tėtį kaip tragiš-
ka visų vyrų pamesta senmergė, o ne prabangiu automobiliu
su vairuotoju, sėdėdama šalia aukštos klasės advokato, kaip
esu įpratusi.

1 valanda popiet. Valio! Valio! Jau einant pro duris su-
skambo telefonas, atsiliepusi išgirdau tik keistą signalą. Padė-
jau ragelį, telefonas suskambo dar kartą. Skambino Markas iš
Portugalijos. Koks jis puikus ir gudrus. Pasirodo, visą savaitę
laisvu nuo aukščiausios klasės advokatavimo laiku jis kalbėjo-
si su policija, o vakar išskrido į Albufeirą. Tenykštė policija su-
rado mamą, ir Markas mano, kad ji išsisuks, nes visiems aišku,
jog neturėjo nė mažiausio supratimo, ką rezga Chulijus. Poli-
cininkams pavyko atsekti šiek tiek pinigų, tačiau Chulijus din-
go. Mama grįžta šįvakar, bet tiesiai iš lėktuvo turės vykti į po-
liciją apklausai. Markas liepė nesijaudinti, tikriausiai viskas
bus gerai, tačiau jei kartais nepavyktų, jis jau susitaręs įmokė-
ti užstatą. Nespėjau jam nė padėkoti, kaip telefonas išsijungė.

Siaubingai troškau paskambinti Tomui ir iškloti nuostabiąsias naujienas, bet prisiminiau, kad niekam negalima pasakoti apie mamą; be to, lyg prisimenu, kad paskutinį kartą kalbėdama su Tomu apie Marką Darsį minėjau, jog jis yra išvėsęs mamos lepūnėlis.

LAPKRIČIO 26, SEKMADIENIS

57,5 kg, alkoholio vienetų 0, cigaretės 1/2 (jokių šansų, kad bus dar), kalorijų Dievas žino kiek, minučių, praleistų trokštant užmušti mamą, 188 (nuosaikiausiu vertinimu).

Ne diena, o košmaras. Iš pradžių manėme, kad mama turi grįžti vakar vakare, paskui – kad šiandien rytą, paskui šiandien popiet. Tris kartus buvome susiruošę važiuoti į Getviką, tačiau galiausiai paaiškėjo, jog ji grįžta šį vakarą į Lutoną, lydima policijos. Mudu su tėčiu, naiviai tikėdamiesi, jog išgyvenimai bus aplaužę mamai ragus, buvome pasirengę sutikti ir guosti naujai užgimusį žmogų.

– Tuoj pat paleisk mane, *nevisaproti,* – nuaidėjo balsas per visą atvykimo salę. – Esame Britanijos teritorijoje, čia žmonės mane pažįsta, ir visai netrokštu jiems pasirodyti *grubiai stumdoma* policijos. Ooch, žinot, ką prisiminiau? Atrodo, lėktuve po krėslu palikau savo šiaudinę skrybėlę.

Abu policininkai užvertė akis į dangų, o mama, apsirengusi septinto dešimtmečio stiliaus paltu baltais ir juodais langeliais (tikriausiai ilgai tokio ieškojo, norėdama prisiderinti prie policijos uniformų), su juodais akiniais ir skara it strėlė pralėkė bagažo išdavimo link. Policininkai nuvargusiu žingsniu vilkosi iš paskos. Beveik po valandos jie grįžo. Vienas policininkas rankoje nešė šiaudinę skrybėlę.

Kai pamėgino ją įsodinti į policijos automobilį, vos neužvirė tikra kova. Tėtis apsiašarojęs sėdėjo priekinėje savo „Sier-ros" sėdynėje, o aš stengiausi paaiškinti mamai, kad ji privalo nuvažiuoti į policiją ir sužinoti, ar jai iškelti kaltinimai; tačiau ji tik kartojo: „Och, meilute, nebūk kvaila. Prieik arčiau. Kas čia tau ant veido? Negi neturi nosinaitės?"

– Mam, – užprotestavau, kai ji išsiėmė iš kišenės nosinę ir spjovė į ją. – Tau pateiks kriminalinius kaltinimus, – tebes-purdėjau, kai ji padėjo valyti man veidą. – Manau, geriau nu-stok priešintis ir ramiai nuvažiuok su policininkais į skyrių.

– Pažiūrėsim, meilute. Gal rytoj, kai sutvarkysiu krepšį su daržovėm. Palikau kilogramą bulvių, dabar jos tikriausiai su-dygo. Aišku, kol manęs nebuvo, niekas jų nė pirštu nepalietė, be to, galiu lažintis, jog Una neužsuko šildymo.

Tik kai priėjęs tėtis trumpai drūtai priminė, jog namą iš jų atims drauge su daržovių krepšiu, mama užsičiaupė ir įsižei-dusi leidosi pasodinama į užpakalinę automobilio sėdynę šalia policininko.

LAPKRIČIO 27, PIRMADIENIS

57 kg, alkoholio vienetų 0, cigarečių 50 (o taip! taip!), 1471 skambučių tikrinant, ar neskambino Markas Darsis, 12, išmiegotų valandų 0.

9 valanda ryto. Rūkau paskutinę cigaretę prieš eidama į darbą. Jaučiuosi kaip negyva. Vakar mudviem su tėčiu teko dvi valandas laukti ant suolo prie policijos nuovados. Pagaliau iš-girdome koridoriumi artėjantį balsą:

– Taip, jūs teisus, tai aaaš! Kiekvieną rytą, programoje „Ne-tikėtos viengungės". Aišku, galima. Ar turit kuo rašyti? Čia? Kokiu vardu užrašyti? Ach, koks jūs juokdarys... Iš kur žinot, kad mirštu kaip noriu pasimatuoti tokį...

– A, tėtuk, tu čia, – pareiškė mama, išnirdama iš už kampo

su policininko šalmu ant galvos. – Automobilis yra? Kad jūs ži-
notumėt, kaip noriu kuo greičiau parsirasti namo ir užkaisti
arbatą! Una nepamiršo įjungti taimerį?

Tėtis atrodė susiglamžęs, apstulbęs ir sutrikęs, aš jaučiausi
lygiai taip pat.

– Tai tave paleido?

– Ak, meilute, nebūk kvaila! „Paleido"! Jau tu kad pasaky-
si! – skubiai sučiauškėjo mama, vartydama akis prieš policinin-
ką ir stumdama mane pro duris. Policininkas taip raudo ir šo-
kinėjo aplink ją, kad nebūčiau nė kiek nustebusi, jei paaiškėtų,
jog mama atgavo laisvę mainais į seksualines paslaugas ap-
klausos kambaryje.

– Tai kas dabar bus? – paklausiau, kai tėtis pagaliau sukišo
į „Sierra" bagažinę visus jos lagaminus, skrybėles, šiaudinį asi-
liuką („Koks super, ar ne?") bei kastanjetes ir užvedė variklį.
Buvau pasiryžusi jai neleisti šito nuleisti juokais, apsimesti, jog
nieko neįvyko, ir vaidinti toliau.

– Meilute, jau viską išsiaiškinom, buvo tik kvailas nesusi-
pratimas. Ar kas šitoj mašinoj rūkė?

– Mama, kas atsitiko? – paklausiau grėsmingai. – Kur din-
go visų pinigai ir bendro valdymo atostogų butai? Kur mano
du šimtai svarų?

– Pfff! Paprasčiausiai atsirado kvailų problemų dėl statybos
leidimų. Žinai, kai kurie Portugalijos valdininkai klaikūs kyši-
ninkai. Jiems tik duok ir duok, kaip kokiai Vini Mandelai. To-
dėl Chulijus tiesiog grąžino žmonėms jų įnašus. Tarp kitko,
atostogos buvo super! Oras, aišku, nepastovus, bet...

– O kur dabar Chulijus? – įtariai pasiteiravau.

– O, jis pasiliko Portugalijoje, nori sutvarkyti tą kebeknę su
statybos leidimais.

– O mano namas? – paklausė tėtis. – Ir santaupos?

– Nesuprantu, ką čia kalbi, tėtuk. Nieko tam namui neat-
sitiko.

Tačiau, mamos nelaimei, sugrįžę namo pamatėme, jog vi-
sos spynos pakeistos, tad teko grįžti pas Uną ir Džefrį.

– Och, Una, žinai, aš mirštu iš nuovargio, gal eisiu ir iškart atsigulsiu, – pareiškė mama, metusi vienintelį žvilgsnį į pagiežingus veidus, šaltą vakarienę ir apiblankusias burokėlių riekeles.

Suskambo telefonas, kvietė tėtį.

– Tai Markas Darsis, – pasakė tėtis sugrįžęs. Mano širdis sulapatavo, tačiau pasistengiau suvaldyti veido išraišką. – Jis Albufeiroje. Atrodo, su... su tuo sukčium juočkiu pavyko kažką sutarti... ir atgauti dalį pinigų. Ko gero, namo mes neprarasim...

Tai išgirdę visi garsiai, džiaugsmingai sušukome, o Džefris uždainavo „Ilgiausių metų“. Jau laukiau, kol Una pasakys ką nors apie mane, bet ji nutylėjo. Kaip visada. Vos tik aš nusprendžiu, kad Markas Darsis man visai patinka, visi tuoj pat nustoja man jį piršti.

– Ar ne per daug pieno, Kolinai? – paklausė Una, duodama tėčiui arbatos puodelį su išpieštomis gėlėmis ir abrikosais.

– Nežinau... Nesuprantu, kodėl... Nieko nebesusigaudau... – susirūpinęs atsakė tėtis.

– Klausyk, jaudintis visai nėra ko, – tarė Una neįprastai ramiu ir autoritetingu balsu, ir aš staiga joje pamačiau rūpestingą mamą, kokios niekad neturėjau. – Tiesiog įpyliau truputį per daug pieno. Gal nupilsiu lašelį ir pridėsiu karšto vandens.

Pagaliau ištrūkusi iš katastrofos vietos, beprasmiškai maištaudama nulėkiau į Londoną, smarkiai viršydama greitį ir visą kelią rūkydama kaip kaminas.

GRUODIS

O JĖZAU

GRUODŽIO 4, PIRMADIENIS

*58 kg (chm, reikėtų prieš kalėdinį apsirijimą kiek suplonėti),
alkoholio vienetai viso labo 3, cigaretės 7 (šventoji), kalorijos
3876 (o varge), 1471 skambučių tikrinant, ar neskambino
Markas Darsis, 6 (g.).*

Nuėjau į supermarketą ir ėmiau nei iš šio, nei iš to galvoti apie Kalėdų eglutes, židinius, giesmes, pyragus ir panašius dalykus. Staiga supratau kodėl. Iš ventiliacijos angų prie įėjimo, iš kurių paprastai pučiamas kepamos duonos kvapas, šiandien sklido kalėdinių pyragų aromatas. Neįtikėtina, kad žmonės galėtų taip ciniškai elgtis. Prisiminiau mėgstamą kalėdinį Vendi Koup eilėraštį:

*Kalėdos artinas linksmai eglučių spindesy,
Vaikai ant slidžių ir rogučių dūksta sau visi,
Džiugiais balsais varpeliai ataidi iš toli,
Tačiau tau noris nusišaut, jei vienišas esi.*

Markas Darsis vis dar tyli.

GRUODŽIO 5, ANTRADIENIS

*58 kg (viskas, nuo šiandien jau tikrai pradėsiu laikytis dietos),
alkoholio vienetai 4 (šventinio sezono pradžia), cigarečių 10,
kalorijos 3245 (jau geriau), 1471 skambučių 6 (stabili pažanga).*

Dėmesį blaško kalėdinių dovanų katalogai, krintantys iš visų laikraščių. Labiausiai man patiko skydo formos metalinis stovas akiniams, aptrauktas „žaismingu kailiuku": „O, kaip dažnai dedame akinius tiesiai ant stalo, tarsi prašytumės nelaimingo atsitikimo". Šventa teisybė. Elegantiška „Juodosios katės" raktinė su žibintuvėliu iš tiesų lengvai prisisega prie raktų ryšulio ir „ryškiu raudonu spinduliu apšviečia kiekvieno kačių mylėtojo rakto skylutę". Bonsai rinkinys! Valio! „Įsigilinkite į senovinį bonsai auginimo meną, įsigiję šį vazoną, kuriame pasodintas gležnas rožinės japoniškos vyšnios daigas." Gražu, labai gražu.

Man be galo liūdna, kad Marko Pjeras Vaitas ir mano motina kaustytais batais sutrypė tarp mudviejų su Marku Darsiu užsimezgusio romano gležnus rožinius daigus, tačiau stengiuosi į viską žvelgti filosofiškai. Gal Markas Darsis man per geras, per daug grynas ir tobulas: toks gabus, protingas, nerūkantis, nevergaujantis alkoholiui ir turintis automobilį su vairuotoju. Gal dangus man lėmė leisti gyvenimą su neklusnesniu, labiau gundančiu ir ne tokiu išauklėtu žmogumi. Kad ir tokiu kaip Marko Pjeras Vaitas, arba, pavyzdžiui, Danielis. Hmmmm. Na, nieko. Reikia nustoti gailėtis savęs ir pradėti gyventi.

Ką tik paskambinau Šezei, kuri pasakė: niekur neparašyta, jog būtinai turiu susidėti su Marko Pjeru Vaitu, ir jau tikrai ne su Danieliu. Šiais laikais moteriai reikalinga tik ji pati. Valio!

2 valanda popiet. Kodėl Markas Darsis man nepaskambino? Kodėl? Kodėl? Aišku, kad mano lavoną apgrauš Elzaso aviganis, nors ir kaip stengiausi to išvengti. Viešpatie, už ką man taip?

GRUODŽIO 8, PENKTADIENIS

*59,5 kg (katastrofa), alkoholio vienetai 4 (g.), cigarečių 12
(puiku), nupirktų kalėdinių dovanų 0 (blogai),
išsiųstų atvirukų 0, 1471 skambučių 7.*

4 valanda popiet. Chmm. Paskambino Džudė, pakalbėjom
ir ji prieš atsisveikindama tarė:
– Tai pasimatysim sekmadienį pas Rebeką.
– Rebeką? Sekmadienį? Kokią Rebeką? Kas bus?
– O, tai ar ji?.. Na, ji kvietė keletą... Atrodo, bus toks prieš-
kalėdinis vakarėlis.
– Sekmadienį aš vis tiek negaliu, – pamelavau. Pagaliau tu-
rėsiu laiko gerai iškuopti visus dulkėtus kampus. Visad ma-
niau, kad mudvi su Džude Rebekai vienodos draugės, tai ko-
dėl dabar ją pakvietė, o manęs ne?

9 valanda vakaro. Užšokau su Šeron į „192" atsigaivinti
buteliu vyno, o ta ir klausia:
– Ką apsirengsi per Rebekos pobūvį?
Pobūvį? Reiškia, tas vakarėlis bus *pobūvis*.

Vidurnaktis. Nesvarbu. Nereikia jaudintis. Tiesiog tokie
dalykai neturi gyvenime rūpėti. Reikia leisti žmonėms kviesti
į savo vakarėlius ką tik nori, o nepakviestieji neturėtų niekin-
gai skaudintis.

5.30 ryto. Kodėl Rebeka manęs nepakvietė į savo pobūvį?
Kodėl? Kiek dar įvyko vakarėlių, į kuriuos visi ėjo, išskyrus ma-
ne? Galiu lažintis, kad ir dabar visi kur nors susirinkę kvatojasi
ir gurkšnoja brangų šampaną. Niekas manęs nemėgsta. Kalė-
dos bus nyki dykuma, išskyrus tris vakarėlius gruodžio 20, kai
aš visą vakarą turėsiu sėdėti montažinėje.

GRUODŽIO 9, ŠEŠTADIENIS

Kvietimų į kalėdinius vakarėlius 0.

7.45 ryto. Iš miegų pažadino mamos skambutis.

– Labas, meilute. Skambinu labai trumpam, nes Una ir Džefris klausė, ko norėtum Kalėdoms, ir aš pagalvojau, gal tau patiktų sauna veidui?

Kaip mano motina, patyrusi siaubingą gėdą ir per plauką išvengusi ilgų metų kalėjime, gali išlikti lygiai tokia pati kaip anksčiau, atvirai flirtuoti su policininkais ir mane kankinti?

– Tarp kitko, ar ateisi į... – mano širdis trumpam suspurdėjo nuo minties, kad ji ištars „kalakutienos troškinio vakarėlį" ir tokiu būdu netiesiogiai primins Marką Darsį, bet ne: – ...„Vibrant TV" vakarėlį ateinantį antradienį?

Sudrebėjau nuo pažeminimo. Dėl Dievo meilės, aš juk *dirbu* „Vibrant TV".

– Manęs nekvietė, – suburbėjau. Nėra nieko baisesnio, kaip prisipažinti savo mamai, kad nesi labai mėgstama žmonių.

– Baik, meilute, kaip tai nekvietė? Kvietė *visus*.

– Manęs ne.

– Na, gal tu dar per trumpai ten dirbi. Šiaip ar taip...

– Bet mama, – pertraukiau ją, – tu ten išvis nedirbi.

– O, tai visai kas kita, meilute. Na, gerai. Turiu bėgti. Ikiiii.

9 valanda ryto. Prieš akis trumpam sušmėžavo kalėdinė oazė, pašto dėžutėje atsiradus kažkokiam kvietimui, tačiau netrukus paaiškėjo, jog tai kalėdinis miražas: kvietimas į akinių išpardavimą.

11.30 ryto. Pasinėrusi į paranojišką neviltį paskambinau Tomui, siūlydama šįvakar kur nors nueiti.

– Atsiprašau, – sučirškėjo jis, – bet šiandien veduosi Džeromą į prodiuserių vakarėlį „Groucho" klube.

Dieve, kaip šlykštu, kai Tomas patenkintas, pasitiki savim ir

251

nesipyksta su Džeromu. Man daug labiau patinka, kai jis nelaimingas, apviltas ir neurotiškas. Kaip pats nuolat kartoja: „Visad smagu, kai kitiems irgi nesiseka".

– Bet pasimatysim rytoj, – džiugiai suklykė, – pas Rebeką.

Tomas buvo sutikęs Rebeką tik du kartus, abu kartus pas mane, o aš ją pažįstu devynerius metus. Nusprendžiau geriau liautis svaičioti apie vakarėlį ir eiti į parduotuves.

2 valanda popiet. Sutikau „Graham and Greene" Rebeką, kuri pirko šaliką už 169 svarus. (Kas darosi tiems šalikams? Ką tik jie buvo paprasčiausi skuduriukai po dešimt svarų, o dabar staiga ištaigingi, aksominiai ir kainuoja tiek pat, kiek televizorius. Kitąmet turbūt panašus dalykas ištiks kojines ar kelnaites, ir būsi ne žmogus, jei nemūvėsi raštuoto aksomo „English Eccentrics" kelnaičių už 145 svarus.)

– Sveika, – susijaudinusi sušukau, galvodama, jog pagaliau vakarėlių košmaras baigsis ir ji man atsakys: „Pasimatysim sekmadienį".

– O, labas, – šaltai atsakė Rebeka, nepakeldama akių. – Neturiu laiko. Visai užsilaksčiau.

Ji išėjo iš parduotuvės, garsiakalbiai užgrojo „Jingle Bells", o aš rydama ašaras įsistebeilijau į Filipo Starko kiaurasamtį už 185 svarus. Nekenčiu Kalėdų. Visa šiluma, emocijos ir dovanos skirtos tik šeimoms ir įsimylėjėliams, o žmogui, kuris neturi nei draugo, nei pinigų, kurio motina pabėga su policijos ieškomu portugalų sukčiumi ir kurio atsižada draugai, kyla noras tuoj pat emigruoti į žiaurių musulmonų gyvenamą šalį, nes ten bent jau *visos* moterys laikomos pastumdėlėmis. Be to, man nusispjaut. Ketinu praleisti savaitgalį su gera knyga, klausydamasi klasikinės muzikos. Gal perskaitysiu „Išbadėjusiųjų kelią".

8.30 vakaro. „Meilė iš pirmo žvilgsnio" buvo l. gera. Eisiu nusipirksiu dar butelį vyno.

GRUODŽIO 11, PIRMADIENIS

Grįžusi iš darbo radau atsakiklyje žinutę, įkalbėtą lediniu balsu:

– Bridžita, čia Rebeka. Aš žinau, kad dabar tu dirbi televizijoje. Žinau, kad kas vakarą eini į daug aukštesnio lygio vakarėlius ir manasis tau per prastas, bet maniau, kad tau bent pakaks mandagumo atsakyti į draugės kvietimą.

Griūdama puoliau skambinti Rebekai, bet niekas nekėlė ragelio, o atsakiklis buvo išjungtas. Nutariau nubėgti pas ją ir palikti raštelį, bet ant laiptų susidūriau su Danu, tuo vaikinu iš Australijos, su kuriuo balandžio mėnesį sėmėm vandenį.

– Labas. Su ateinančiom Kalėdom, – gašliai išsišiepė jis, tyčia atsistojęs per arti. – Ar radai savo laiškus?

Pažvelgiau į jį nieko nesuprasdama.

– Aš juos kišau tau po durim, kad rytą nepersišaldytum, kai su naktinukais leki prie pašto dėžutės.

Kaip vėjas užlėkiau į viršų, atverčiau kilimėlį prie durų, o po juo tarsi kalėdinis stebuklas tūnojo dailutė atvirukų, kvietimų ir laiškų šūsnelė, ir visi jie skirti man. Man. Man. Man.

GRUODŽIO 14, KETVIRTADIENIS

58,5 kg, alkoholio vienetai 2 (blogai, nes vakar nieko negėriau – rytoj reikės kaip nors pasivyti, kad išvengčiau širdies smūgio), cigarečių 14 (blogai? o gal gerai? Taip: veikiausiai žmogaus organizmui naudingas saikingas nikotino kiekis, svarbiausia neprasirūkyti), kalorijų 1500 (puiku), momentinės loterijos bilietai 4 (blogai, bet būtų buvę gerai, jei Ričardas Bransonas būtų laimėjęs teisę organizuoti ne pelno siekiančias loterijas), išsiųstų atvirukų 0, nupirktų dovanų 0, 1741 skambučių 5 (puiku).

Vakarėliai, vakarėliai ir vėl vakarėliai! Negana to, ką tik paskambino Metas iš televizijos ir paklausė, ar ateisiu antradienį į šventinius pietus. Negali būti, kad prie manęs taikytųsi – pagal amžių galėčiau būti jo senelės teta, – tačiau ko tada paskambino vakare? Ir kodėl paklausė, kuo esu apsirengusi? Negalima pamesti šaltakraujiškumo, nes kitaip vakarėlių šurmulys ir visokių snarglių telefonai apsuks galvą. Jau kartą turėjau romaną su bendradarbiu. Be to, negalima pamiršti paskutinio susidūrimo su gyvuliškai patraukliu pienburniu: klaikusis žeminantis Gevo: „Kokia tu minkštutė". Hmmm. Kupini seksualinių lūkesčių šventiniai pietūs, po kurių kažkodėl numatyta diskoteka (laidos redaktorius taip įsivaizduoja pramogas), reiškia sudėtingą galvosūkį: reikia labai rimtai apgalvoti drabužius. Turbūt geriausia bus paskambinti Džudei.

GRUODŽIO 19, ANTRADIENIS

58,5 kg (bet iki Kalėdų dar turiu beveik savaitę, per kurią reikia numesti 3 kg), alkoholio vienetai 9 (blogai), cigarečių 30, kalorijų 4240, momentinės loterijos bilietas 1 (nuostabu), išsiųstų atvirukų 0, gautų atvirukų 11, tačiau tarp jų 2 nuo laikraščių išnešiotojo, 1 nuo šiukšlininko, 1 iš „Peugeot" serviso ir 1 iš viešbučio, kuriame prieš ketverius metus nakvojau, išvykusi į komandiruotę. Niekam aš nerūpiu, o gal šiais metais žmonės vėliau siunčia atvirukus.

9 valanda ryto. Dieve, kaip klaikiai jaučiuosi: kamuoja šiurpiausios pagirios, o šiandien šventiniai pietūs darbe. Daugiau nebegaliu. Nuo neatliktų kalėdinių darbų tiesiog sprogstu, panašiai kaip prieš brandos egzaminus. Neišsiunčiau atvirukų ir niekam nenupirkau dovanų, išskyrus panikos kupiną siautėjimą vakar per pietus, kai su siaubu suvokiau, kad vakare paskutinį kartą prieš Kalėdas pamatysiu merginas pas Džeremį ir Magdą.

Baisi kančia keistis dovanomis su draugais, nes čia, kitaip negu šeimoje, niekaip negali žinoti, kas tau ką dovanos, ir ar bus įteikiami simpatijos ženklai, ar tikros dovanos: visa procedūra tampa kraupiai panaši į apsikeitimą užklijuotais vokais su derybų pasiūlymais. Prieš dvejus metus aš padovanojau Magdai žavingą Dinės Hol auskarą, o ji pasijuto nelaiminga ir sutrikusi, nes nebuvo man nieko nupirkusi. Todėl pernai jau aš nieko nepirkau, o ji man padovanojo brangų „Coco Chanel" kvepalų flakoną. Šiais metais aš jai dovanojau didžiulį šafrano alyvos butelį ir antikvarinę vielinę muilinę, o ji baisiausiai pasimetė ir sumurmėjo akivaizdų melą, esą dar nespėjusi visiems nupirkti dovanų. Šeron pernai man dovanojo vonios putas Kalėdų senio pavidalo buteliuke, todėl vakar aš jai įkišau paprasčiausią šampūną su jūros dumbliais, o ši nei iš šio, nei iš to įteikė man rankinę. Buvau dar gražiai suvyniojusi butelį prašmatnaus alyvų aliejaus, ketindama apsisaugoti nuo netikėtai išnirusių dovanų adresatų, tačiau jis išslydo man iš rankinuko ir sudužo tiesiai ant Magdos kilimo iš Konrano parduotuvės.

Uch. Kodėl Kalėdos negali paprasčiausiai *ateiti*, be jokių dovanų. Kaip kvaila, kai visi neriasi iš kailio ir skaudama širdimi leidžia pinigus niekam nereikalingoms, beprasmėms smulkmenoms, kurios seniai nustojo buvusios meilės ženklais, o virto nerimastingais bandymais išsisukti iš padėties. (Hmmm. Bet turiu pripažinti, baisiausiai džiaugiuosi turėdama naują rankinę.) Kam reikia, kad tauta šešias savaites paniurusi šluotų parduotuves, ruošdamasi laikyti niekam nereikalingą egzaminą „Ar žinai, kas patinka tavo draugams?", kuriame visi skandalingai susimaus ir dar bus apkrauti baisingais dovanotais produktais? Jei pavyktų su šaknimis išrauti dovanų ir atvirukų ydą, Kalėdos virstų švytinčiu pagonišku festivaliu, padedančiu išsklaidyti prailgusią žiemos tamsybę, ir būtų labai smagu. O jei vyriausybė, religinės organizacijos, tėvai, tradicijos ir t.t. primygtinai reikalauja mokėti Kalėdinių Dovanų mokestį, ar ne protingiau paskelbti, kad kiekvienas žmogus nusipirktų sau ko nori už 500 svarų, paskui išdalytų pirkinius draugams bei giminaičiams, o šie galėtų juos gražiai suvynioti ir jam dovanoti: nebereikėtų visos šios kankynės.

9.45 ryto. Ką tik skambino mama.

– Meilute, aš noriu tik pasakyti, jog šiais metais dovanų nebus. Judu su Džeimiu jau žinot, kad Kalėdų Senelio nėra, o mes visi turim per daug darbo. Geriau paprasčiausiai susirinkime ir pasidžiaukime vieni kitais.

Bet mes visad gaudavome dovanėlių nuo Kalėdų Senelio, kurias jis įkišdavo į kojūgalyje pakabintas kojines. Be jų pasaulis atrodo toks tuščias ir pilkas. Tai nebebus tikros Kalėdos.

O Dieve, jau eisiu į darbą – bet negersiu nei per pietus, nei diskotekoje, su Metu elgsiuosi maloniai, bet kolegiškai, pabūsiu maždaug iki pusės keturių, tada grįšiu ir užrašysiu atvirukus.

2 valanda nakties. *Ašku,* kad niek toko – visi geria kaledasdarbe. Lbai smakgu. Megoti, drabuziai nesvarb, paskui...

GRUODŽIO 20, TREČIADIENIS

5.30 ryto. O Dieve mano. *O Dieve mano.* Kur aš?

GRUODŽIO 21, KETVIRTADIENIS

58,5 kg (tiesą sakant, esu tiek persirijusi, kad gali būti, jog numesiu svorio per pačias Kalėdų šventes – tuoj po šventinių pietų visai dera atsisakyti maisto, nes esi labai privalgiusi. Ko gero, tai bene vienintelis laikas metuose, kada niekas nesistebės, kodėl nevalgai).

Štai jau dešimt dienų gyvenu nuolatinių pagirių būsenoje ir apsieinu be normalaus karšto maisto.

Kalėdos primena karą. Išėjusi į Oksfordo gatvę jaučiuosi kaip fronto linijoje ir tik svajoju, kad Raudonasis Kryžius ar vokiečiai mane iš čia išgabentų. Hrrrr. Jau dešimta ryto. Nenupirkau kalėdinių dovanų. Neišsiunčiau kalėdinių atvirukų. Reikia eiti į darbą. Gerai, daugiau tikrai, tikrai niekad gyvenime nebegersiu. Hrrr – lauko telefonas.

Chm. Tai mama, bet galėjo būti ir Gebelsas, mėginęs įkalbėti mane užpulti Lenkiją.

– Meilute, skambinu tik pasitikslinti, kurią valandą penktadienį tavęs laukti.

Mama bravūriškai surengė sentimentalias šeimynines Kalėdas, kuriose juodu su tėčiu „tik dėl vaikų" (t. y. manęs ir Džeimio, kuriam jau trisdešimt septyneri) apsimeta, jog šių metų įvykių išvis nebuvo.

– Mama, mes jau, rodos, šnekėjom, kad penktadienį aš neatvažiuosiu. Parvažiuosiu Kūčioms. Atsimeni, kiek kartų esam tai aptarusios? Pirmą kartą... dar rugpjūtį...

– Ak, *neišsidirbinėk,* meilute. Negali per Kalėdas visą savaitgalį lindėti namie. Ką ketini valgyti?

Hrr. Kaip aš to nekenčiu. Tarsi vienišas žmogus neturėtų nei namų, nei draugų, nei pareigų ir tik iš egoizmo nesutiktų per visas Kalėdų šventes patarnauti giminaičiams, džiugiai miegoti kraupiais kampais išlenktame miegmaišyje, patiestame ant paauglio sūnaus miegamojo grindų, visą dieną valyti Briuselio kopūstus penkiasdešimčiai žmonių ir „gražiai elgtis" su įvairiausiais „dėdėmis" vadinamais iškrypėliais, godžiai vėpsančiais į iškirptę.

Tuo tarpu mano brolis gali atvažiuoti ir išvažiuoti kada nori, visi jį gerbia bei džiaugiasi, ir tik dėl to, kad jis sugeba išgyventi su pamišusia veganizmo ir *tai chi* entuziaste. Atvirai sakant, aš mieliau pati padegčiau savo butą, negu apsigyvenčiau jame su Beka.

Neįtikėtina, bet mano motina nejaučia jokio dėkingumo Markui Darsiui, kuris išsuko ją iš keblios padėties. Priešingai, Markas jai siejasi su didžiąja tema, „apie kurią nedera kalbėti", arba „bendro valdymo butų suktybėmis", todėl apsimeta, tarsi jis neegzistuotų. Įtariu, kad norėdamas grąžinti žmonėms

17.   **257**

jų pinigus, jis gerokai pakratė savo kišenes. Labai mielas ir malonus žmogus. Aiškiai per geras man.

O Dieve. Reikia apvilkti patalynę. Tiesiog šlykštu miegoti ant pliko čiužinio. Tačiau kur mano patalynė? Gaila, kad namie neturiu ką valgyti.

GRUODŽIO 22, PENKTADIENIS

Kalėdos jau čia pat, ir aš imu jausti sentimentus Danieliui. Neįtikėtina, tačiau negavau nuo jo kalėdinio sveikinimo (tiesa, prisiminiau, kad ir pati dar neišsiunčiau nė vieno atviruko). Baisiai keista: dar šiais metais buvome tokie artimi, o dabar visai nebesusitinkam. L. liūdna. Gal Danielis žydas ortodoksas? Gal Markas Darsis rytoj man paskambins ir palinkės linksmų Kalėdų?

GRUODŽIO 23, ŠEŠTADIENIS

59 kg, alkoholio vienetų 12, cigaretės 38, kalorijos 2976, draugų ir artimųjų, kuriems būčiau reikalinga ir mylima per šventes, 0.

6 valanda vakaro. Kaip džiaugiuosi, kad ryžausi švęsti Kalėdas viena savo bute, kaip princesė Diana.

6.05 vakaro. Įdomu, kur dabar visi kiti? Tikriausiai visi su draugais arba išvažiavę namo pas saviškius. Na, bet užtat yra laiko daug ką nuveikti... arba turi savo šeimas. Kūdikius. Mažulyčius rausvaskruosčius džiaugsmelius su pižamėlėm, kurie susijaudinę spokso į Kalėdų eglutę. O gal visi susirinkę milžiniškame vakarėlyje, kuriame nėra tik manęs. Na, nieko. Turiu galybę darbų.

6.15 vakaro. Na, nieko. Liko tik valanda iki „Meilės iš pirmo žvilgsnio".

6.45 vakaro. *Dieve, kokia aš vieniša.* Net Džudė mane pamiršo. Visą savaitę skambinėjo it paklaikusi, nesugalvodama, ką nupirkti Bjaurybei Ričardui. Dovana neturi būti per brangi: gali pagalvoti, kad viskas darosi pernelyg rimta, arba įtars Džudę mėginimais pakirsti jo vyriškumą (jei kam įdomi mano nuomonė, tai puikiausias sumanymas); negalima dovanoti drabužių, nes neįtikėtinai sunku atitaikyti pagal skonį, be to, gali priminti buvusią draugę Bjaurybę Džilę (pas kurią jis nenori grįžti, bet apsimeta tebemylįs, kad išvengtų įsipareigojimų Džudei – sakau, tikras šeškas). Galiausiai Džudė sugalvojo nupirkti viskio, tačiau norint išvengti anonimiškumo ir kaltinimų šykštumu, prie jo reikia pridėti dar vieną smulkią dovanėlę ir mandarinų bei šokoladinių medalių – tai priklauso nuo to, ar Džudė nuspręs, kad įprastos kalėdinės dovanos „mielos" iki vėmimo, ar pripažins jas baisiai sąmojingomis ir postmodernistinėmis.

7 valanda vakaro. Aliarmas: skambino apsiraudojusi Džudė. Tuoj ateis pas mane. Bjaurybė Ričardas grįžo pas Bjaurybę Džilę. Džudė kaltina dovaną. Ačiū Dievui, kad likau namie. Aiškiai esu paskirta Kūdikėlio Jėzaus įgaliotine, per Kalėdas gelbstinčia apsišaukėlių Erodų, pvz., Bjaurybės Ričardo, aukas. Džudė ateis 7.30.

7.15 vakaro. Velnias. Praleidau „Meilės iš pirmo žvilgsnio" pradžią, nes paskambino Tomas ir pranešė, kad taip pat ateis. Trumpam sugrįžęs Džeromas vėl jį pametė ir išėjo pas buvusį draugą, kuris dainuoja chore „Katėse".

7.17 vakaro. Dar ateina Saimonas. Jo draugė sugrįžo pas vyrą. Ačiū Dievui, kad likau namie, dabar galiu priglausti nukentėjusius draugus kaip širdžių karalienė ar Gelbėjimo armija. Bet tokia jau esu: man patinka mylėti kitus.

8 valanda vakaro. Valioo! Magiškas kalėdinis stebuklas. Ką tik paskambino Danielis.

– Džounš, – suburbuliavo, – aš tave myliu, Džounš. Padariau baišią klaidą. Durnė Šukė viša iš šilikono. Papai štyro kaip morkoš. Myliu tave, Džounš. Tuoj ateinu, patikrinšiu, kaip ten tavo šijonaš.

Danielis. Stebuklingas, išdrikęs, seksualus, jaudinantis, sąmojingas Danielis.

Vidurnaktis. Chm. Nė vienas nepasirodė. Bjaurybė Ričardas persigalvojo ir grįžo pas Džudę, Džeromas pas Tomą, o Saimono mergina pas Saimoną. Tai buvo tik klastinga dikensiška Kalėdų dvasia, privertusi visus staiga prisiminti buvusius partnerius. O Danielis! Paskambino man dešimtą:

– Klausyk, Bridže. Žinai, kad šeštadienį vakare aš visad žiūriu rungtynes? Gal ateisiu rytoj prieš futbolą?

Išdrikęs? Seksualus? Jaudinantis? Hm.

1 valanda nakties. Visiškai viena. Praėję metai buvo milžiniška katastrofa.

5 valanda ryto. Et, tiek to, neverta sukti galvos. Gal bent pačios Kalėdos nebus labai klaikios. Gal mama su tėčiu rytą išeis iš miegamojo susikibę už rankų, išsišiepę iki ausų, apsvaigę nuo sekso ir droviai ištars: „Vaikai, turim jums šį tą pasakyti"; o aš galėsiu būti pamerge santuokinių įžadų atnaujinimo ceremonijoje.

GRUODŽIO 24, SEKMADIENIS: KŪČIOS

59 kg, alkoholio vienetų – 1 niekinga taurelė chereso, cigaretės 2, bet jokio kaifo, nes surūkytos išsisvėrus pro langą, kalorijų turbūt 1 milijonas, šiltų šventiškų minčių 0.

Vidurnaktis. Visiškai susipainiojau, mėgindama atskirti, kas yra tikrovė, o kas ne. Mano lovos kojūgalyje guli pagalvės užvalkalas, kurį prieš einant miegoti ten padėjo mama, burkuodama: „Pažiūrėsim, gal Senelis ateis"; dabar jis pilnas dovanų. Mama ir tėtis, kurie gyvena atskirai ir ketina skirtis, miega vienoje lovoje. Tuo tarpu mano brolis ir jo mergina, kurie ketverius metus gyvena kartu, miega atskiruose kambariuose. Tokio paskirstymo priežastis visiškai neaiški, nebent juo siekiama netrikdyti senelės, kuri: a) pamišusi, b) dar neatvyko. Vienintelis faktas, dar siejantis mane su tikrove, yra žeminantis suvokimas, jog štai ir vėl sutinku Kūčias tėvų namuose viengulėje lovoje. Gal tėtis kaip tik dabar mėgina lipti ant mamos? Fui, fui. Ne, ne, ne. Iš kur smegenyse tokia mintis?

GRUODŽIO 25, PIRMADIENIS

59,5 kg (Dieve, jau virtau Kalėdų Seniu, kalėdiniu pudingu ar kuo panašaus), alkoholio vienetai 2 (absoliutus triumfas), cigaretės 3 (žr. aukščiau), kalorijos 2657 (beveik vien iš padažo), absoliučiai idiotiškų kalėdinių dovanų 12, kalėdinių dovanų, galinčių bent šiek tiek praversti gyvenime, 0, filosofinių apmąstymų apie Nekaltą prasidėjimą ir jo prasmę 0, metų, praėjusių nuo mano nekaltybės praradimo, hmmm.

Sunkiai nulipau žemyn vildamasi, kad plaukai nedvokia cigarečių dūmais, ir apačioje radau mamą su Una Alkonberi, kurios įstrižai pjaustė Briuselio kopūstus ir kalbėjosi apie politiką.

– O taip, aš irgi manau, kad tas kaip-jį-ten *tiesiog puikus*.

– Žinoma, kad puikus, klausyk, juk pramušė tą kaip-ją-ten pataisą, o niekas netikėjo, kad pavyks.

– Aišku, bet matai, reikia labai atsargiai, nes galim įsileisti tokį beprotį, kaip anas kaip-jį-ten, kuris vadovavo kalnakasiams. Žinai ką? Aš taip baisiai atsirūgstu nuo rūkytos lašišos, o ypač jei dar privalgau riešutų šokolade... A, labas, meilute, – tarė mama, pastebėjusi mane. – Na, tai kuo ketini pasipuošti per Kalėdas?

– Aš jau apsirengusi, – niūriai burbtelėjau.

– Ak, Bridžita, nekvailiok, negalima taip atrodyti pirmą švenčių dieną. Bet prieš persirengdama tikriausiai nueisi į kambarį pasisveikinti su teta Una ir dėde Džefriu, ką? – paklausė ji savo ypatinguoju, pridususiu, argi-pasaulis-ne-nuostabus balsu, kuris iš tiesų reiškia: „Daryk, kaip liepiu, o jei ne, išmalsiu tau veidą mikseriu".

– Na, tai labutis, Bridžita! Kaip tavo meilės reikaliukai? – sucypė Džefris ir apkabino mane kaip yra įpratęs, po to staiga paraudo ir pasitaisė kelnes.

– Gerai.

– Tai vis dar neturi vaikino! Čia dabar! Tai ką mums su tavim daryti?

– Ar tai šokoladinis sausainis? – paklausė senelė, žiūrėdama tiesiai į mane.

– Stovėk tiesiai, meilute, – sušnypštė mama.

Gerasis Dieve, meldžiu, padėk man. Aš noriu namo. Noriu grįžti į savo gyvenimą. Čia aš nesu suaugęs žmogus, čia jaučiuosi kaip kvaišas paauglys, kuris visiems gadina nervus.

– Tai kada ketini turėti vaikų, Bridžita? – paklausė Una.

– O, žiūrėkit, penis, – tarė senelė, iškėlusi didžiulę mėtinukų tūtelę.

– Aš tuoj, tik persirengsiu! – atsakiau, saldžiai šypsodamasi mamai, ristele pasileidau į savo miegamąjį, atidariau langą ir užsitraukiau „Silk Cut". Pamačiau, kad iš Džeimio miegamojo kitame aukšte kyšo jo galva, irgi su cigarete. Po dviejų minučių atsidarė vonios langas, iš jo išlindo galva dailiai sudėtomis kaštoninėmis garbanomis ir skubiai užsitraukė dūmą. Aišku, tai buvo prakeiktoji mama.

12.30 popiet. Keitimasis dovanomis buvo tikras košmaras. Visad labai entuziastingai priimu bjaurias dovanas ir klykauju iš susižavėjimo, dėl to kasmet gaunu vis baisesnes klaikybes. Pavyzdžiui, Beka – kai dirbau leidykloje, ji man dovanodavo stabiliai bjaurėjančius knygų pavidalo rūbų šepečius, batų šaukštus ir plaukų segtukus, – šiais metais įteikė pliauškės formos magnetą šaldytuvui. Una, kuri virtuvėje nė žingsnio nežengia be specialių prietaisų, dovanojo rinkinį atidarytuvų įvairaus dydžio buteliams bei stiklainiams. Tuo tarpu mama, kuri dovanomis stengiasi mano gyvenimą priartinti prie savojo, dovanojo vienam asmeniui skirtą troškinimo puodą: „Rytą, prieš eidama į darbą, tik apkepinsi mėsytę ir įmesi kokią daržovę". (Ar ji bent nujaučia, kad būna rytų, kai neįmanoma neapsivėmus išgerti stiklinę vandens?)

– O, žiūrėkit. Čia ne penis, čia sausainis, – tarė senelė.

– Manau, Pame, dabar reikia perkošti padažą, – sušuko Una iš virtuvės, rankoje laikydama puodą.

O ne. Tik ne tai. Maldauju, tik ne tai.

– O man atrodo, kad ne, mieloji, – atsišaukė mama, įtemptai spjaudydamasi pro sukąstus dantis. – Ar gerai išmaišei?

– Tik jau nemokyk manęs, Pame, – atsakė Una, grėsmingai šypsodamasi. Jos suko ratus aplink viena kitą kaip imtynininkės. Istorija su padažu kartojasi kasmet. Laimei, šį kartą ji nutrūko: pasigirdo dūžtančių stiklų žvangėjimas, garsus riksmas, ir pro pirmo aukšto balkono duris įvirto žmogus. Chulijus.

Visi nustėro, o Una sukliko.

Chulijus buvo nesiskutęs, rankoje gniaužė butelį chereso. Jis prišlitiniavo prie tėčio ir išsitiesė priešais jį visu ūgiu.

– Tu miegi su mano moterim.

– A, – atsakė tėtis. – Linksmų Kalėdų, ee... Gal pasiūlyti taurelę chereso – a, jau turit. Puiku, puiku. O gal gabalėlį kekso?

– Tu miegi, – grėsmingai pakartojo Chulijus, – su mano moterim.

– Ak, jis tikras pietietis, hahaha, – koketiškai sučiulbo mama, o visi kiti tebestovėjo sustingę iš siaubo. Kai matydavau Chulijų anksčiau, jis būdavo be proto išsipustęs, prisiparfumavęs ir nešinas odine rankine. Dabar išniro apšepęs, girtas, susiglamžęs: atvirai pasakysiu, mano tipas. Nieko nuostabaus, kad mama atrodė veikiau susijaudinusi, negu sutrikusi.

– Chulijau, koks tu nenaudėlis, – suburkavo ji. O Dieve. Ji dar jį tebemyli.

– Tu miegi, – priminė Chulijus, – su juo.

Jis nusispjovė ant kiniško kilimo ir pasuko laiptais viršun, o mama nusekė iš paskos, prieš tai mums išgiedojusi:

– Gal pradėk pjaustyti mėsą, tėtuk, o visi kiti sėskit prie stalo?

Niekas nepajudėjo.

– Klausykit, – tarė tėtis kupinu įtampos, rimtu, vyrišku balsu. – Antrame aukšte yra pavojingas nusikaltėlis, kuris paėmė Pamę įkaite.

– Aš jums pasakysiu, ji visai nesipriešino, – cyptelėjo senelė, visiškai ne laiku atgavusi proto blaivumą. – O, žiūrėkit, ten jurginuose sausainis.

Pažvelgiau pro langą ir vos nenuvirtau. Per pievelę grakščiai tarsi skalikas sliuogė Markas Darsis, taikydamasis įlipti į balkoną. Jis buvo suprakaitavęs, susitaršiusiais plaukais, atsegiotais marškiniais.

Ding-dong!

– Prašyčiau laikytis tylos, tarsi nieko nebūtų atsitikę, – tyliai tarė jis. Visi buvome taip apstulbę, o jis toks stebuklingai valdingas, kad paklusome jam tarsi užhipnotizuoti zombiai.

– Markai, – sušnibždėjau, praeidama pro jį su padažine rankoje. – Ką čia šneki? Kaip tai nieko neatsitikę?

– Aš dar nežinau, ar Chulijus griebsis smurto. Policija tyko lauke. Jei mums pavyktų išvilioti tavo mamą į apačią, o jį palikti viršuje, tada policininkai galėtų jį sučiupti.

– Tvarka. Pasikliauk manim, – pasakiau ir nuėjau prie laiptų.

– Mama! – surikau. – Niekur nerandu servetėlių.

Visi sulaikė kvapą. Atsako nebuvo.

– Pamėgink dar kartą, – sušnibždėjo Markas Darsis, susižavėjęs žiūrėdamas į mane.

– Liepk Unai išnešti padažą į virtuvę, – sušnypščiau. Jis padarė kaip lieptas ir iškėlė nykščius aukštyn. Aš atsakiau tuo pačiu ir atsikrenkščiau.

– Mam? – vėl surikau žiūrėdama į laiptų viršų. – Gal tu žinai, kur sietelis? Una truputį jaudinasi dėl padažo.

Po dešimt sekundžių ant laiptų pasigirdo žingsniai ir į kambarį įlėkė paraudusi bei susitaršiusi mama.

– Servetėlės guli komodoje, kairiame stalčiuke nuo sienos, žioplele. Na, ką ten Una pridirbo su tuo padažu? Sakiau, kad reikia paimti mikserį.

Dar jai nebaigus kalbėti laiptais aukštyn nudundėjo žingsniai ir viršuje pasigirdo imtynių triukšmas.

– Chulijau! – sužvigo mama ir pasileido bėgti durų link.

Policininkas, kurį jau buvau mačiusi policijos skyriuje, stovėjo kambario duryse.

– Viskas tvarkoj, prašau nusiraminti. Padėtis kontroliuojama, – tarė jis.

Mama dar kartą suriko pamačiusi, kaip duryse pasirodė Chulijus, antrankiu prikaustytas prie jauno policininko; netrukus juodu abu išsigrūdo pro laukujas duris.

Stebėjau, kaip mama susikaupė ir apžvelgė kambarį, vertindama padėtį.

– Na, ačiū Dievui, kad sugebėjau numaldyti Chulijų, – džiaugsmingai pratarė kiek patylėjusi. – Koks sujudimas! Ar tau nieko neatsitiko, tėtuk?

– Tavo palaidinė išvirkščia, *mamele,* – atkirto tėtis.

Stebeilijausi į šį šiurpų reginį ir jaučiau, kaip mano pasaulis skyla į šipulius. Staiga pajutau, kaip stipri ranka suėmė mano alkūnę.

– Einam, – tarė Markas Darsis.

– Ką?

– Nesakyk „ką?", Bridžita, sakyk „prašau?", – sušnypštė mama.

– Ponia Džouns, – tvirtai tarė Markas. – Aš išsivedu Bridžitą atšvęsti to, kas dar liko iš Kūdikėlio Jėzaus šventės.

Aš giliai įkvėpiau ir suspaudžiau ištiestą Marko Darsio ranką.

– Visiems linksmų Kalėdų, – palinkėjau elegantiškai šypsodamasi. – Tikiuosi susitikti kalakutienos troškinio bufete.

Štai kas nutiko toliau.

Markas Darsis nusivežė mane į Hintlešem Holą gerti šampano ir valgyti vėlyvų kalėdinių pietų, kurie buvo l. puikūs. Didžiausią malonumą patyriau galėdama laisvai pilti ant kalakuto padažą ir nesukti galvos, ar jį geriau perkošti, ar pertrinti. Kalėdos be mamos ir Unos buvo keistos ir nuostabios. Netikėtai pasirodė, jog su Marku Darsiu labai lengva kalbėti, ypač kai turėjo man išaiškinti visus „Šventinio Chulijaus sučiupimo, dalyvaujant policijos pajėgoms" akcijos užkulisius.

Paaiškėjo, jog Markas pastarąjį mėnesį gana daug laiko praleido Portugalijoje tarsi privatus seklys iš filmų. Chulijų susekė Maderoje, nemažai sužinojo apie tai, kur padėti pinigai, bet nei grasinimais, nei įkalbinėjimais nepavyko jų iš Chulijaus išgauti.

– Dabar, ko gero, jau atiduos, – pasakė išsišiepęs Markas. Tas Markas Darsis tikrai velniškai mielas, jau nekalbant apie tai, kad tvirtas ir protingas.

– Kaip čia buvo, kad jis grįžo į Angliją?

– Na, atsiprašau už nuvalkiotą metaforą, bet aš atradau jo Achilo kulną.

– Ką?

– Nesakyk „ką?", Bridžita, sakyk „prašau?", – pamokė jis, o aš sukikenau. – Supratau, kad nors tavo motina yra baisiausia moteris pasaulyje, bet Chulijus ją myli. Tikrai myli.

Prakeikimas, ta mama. Kaip jai sekasi išlikti tokia geidžiama sekso deive? Gal man išties reiktų nueiti į „Beauty For All Seasons"?

– Tai ką tada darei? – paklausiau įsikandusi į liežuvį, kad nepradėčiau šaukti: *„O kaip aš? Aš? Kodėl manęs niekas nemyli?"*

– Paprasčiausiai jam pasakiau, kad Kalėdas ji sutinka su tavo tėčiu, ir kad jie, regis, miega vienoje lovoje. Pagalvojau, kad jis pakankamai pakvaišęs ir pakankamai kvailas, todėl pamėgins kaip nors, eee, tam *sutrukdyti.*

– Iš kur tu žinojai?

– Intuicija. Mano darbe be šito neapsieisi.

Dieve, koks jis fantastiškas.

– Bet tai taip gražu iš tavo pusės, juk turėjai mesti darbą, ir išvis. Kodėl tu šito ėmeisi?

– Bridžita, – atsakė jis. – Ar tau dar neaišku?

O Dieve mano.

Kai užlipome viršun, paaiškėjo, kad jis užsakė apartamentus. Baisiausiai prašmatnūs, ištaigingi ir labai smagūs, todėl išmėginome visokias technines gudrybes, dar gėrėm šampano, o jis man pasakojo, kaip mane myli: atvirai pasakysiu, kalbėjo labai panašiai į Danielį.

– Tai kodėl man nepaskambinai prieš Kalėdas? – įtariai paklausiau. – Aš tau palikau *dvi* žinutes.

– Nenorėjau su tavim kalbėtis, kol nebūsiu baigęs darbo. Be to, nemaniau, kad labai tau patinku.

– *Ką?*

– Na, pati supranti. Neatidarei man durų, nes tuo momentu *džiovinai plaukus?* O kai pirmą kartą susitikom, aš vilkėjau tą idiotišką megztinį su rombais ir tetulės dovanotas kojines su kamanėm, be to, elgiausi kaip asilas. Maniau, kad tau pasirodžiau kraupus nuobodyla.

– Na, šiek bei tiek, – atsakiau. – Bet...

– Bet ką?..

– Norėjai pasakyti, „bet prašau?"

Tada jis paėmė man iš rankos šampano taurę, pabučiavo mane, pasakė: „Tai jau ne, Bridžita Džouns, jokių čia prašau", pakėlė mane ant rankų, nusinešė į miegamąjį (kuriame stovėjo lova su baldakimu!) ir padarė tokių dalykų, kad nuo šiol, pamačiusi rombais papuoštą megztinį trikampe iškirpte, tuoj pat sprogsiu iš gėdos.

GRUODŽIO 26, ANTRADIENIS

4 valanda ryto. Pagaliau patyriau paslaptį, kaip pasiekti laimę su vyriškiu; giliai apgailestaudama, niršdama ir pripažindama totalinį savo pralaimėjimą, išreiškiu ją santuokinės ištikimybės laužytojos, nusikaltėlės ir apgavikės žodžiais:

„Nesakyk „ką?", meilute, sakyk „prašau?", ir visad klausyk mamos".

SAUSIS–GRUODIS: REZIUMĖ

Alkoholio vienetai 3836 (prastai).

Cigaretės 5277.

Kalorijos 11.090.265 (pasibjaurėtina).

Riebalų vienetai 3457 (apytikriai) (idėja šlykšti visai požiūriais).

Priaugta svorio: 32 kg.

Numesta svorio: 32,5 kg (puiku).

Atspėtų loterijoje skaičių 42 (l.g.).

Neatspėtų loterijoje skaičių 387.

Viso įsigyta momentinės loterijos bilietų 98.

Viso laimėta momentinėje loterijoje 110 svarų.

Pelnas, gautas iš momentinės loterijos, 12 svarų (Valio! Valio! Pergudravau sistemą, be to, labdaringai parėmiau kilnius darbus).

1471 skambučių (gana daug).

Valentino dienos sveikinimų 1 (l.g.).

Kalėdinių sveikinimų 33 (l.g.).

Dienų be pagirių 114 (l.g.).

Vaikinų 2 (tiesa, vienas kol kas tik šešių dienų senumo).

Vykusių vaikinų 1.

Ištesėtų naujametių pažadų 1 (l.g.).

Neįtikėtinai puiki pažanga!

Fielding, Helen

Fi 69   Bridžitos Džouns dienoraštis: romanas / Helen Fielding; iš
anglų kalbos vertė Rasa Drazdauskienė. – Vilnius: Alma littera,
2001. – 271, [1] p.

ISBN 9986–02–764–0

Anglų rašytojos žavi ir linksma komedija apie mūsų laikais gyvenančių
vienišų moterų gyvenimą.

UDK 820–3

Helen Fielding

BRIDŽITOS DŽOUNS DIENORAŠTIS

Romanas

Iš anglų kalbos vertė
Rasa Drazdauskienė

Viršelio dailininkas *Edvardas Jazgevičius*
Techninė redaktorė *Birutė Tolvaišienė*
Korektorė *Aušrinė Matulevičiūtė*
Kompiuteriu maketavo *Zita Vasiliauskaitė*

SL 412. Užsakymas 811
Išleido leidykla „Alma littera", A. Juozapavičiaus g. 6/2, 2005 Vilnius
Puslapis internete: http://www.almali.lt
Spausdino AB spaustuvė „Spindulys", Gedimino g. 10, 3000 Kaunas